Русские
портреты
в литературе

Анри Труайя

Член Французской академии

Марина Цветаева

Москва

Эксмо

2007

УДК 840
ББК 84(4Фра)-8
   Т 77

Henri TROYAT
De l'Académie française
MARINA TSVETAEVA
L'ÉTERNELLE INSURGÉE

Перевод с французского *Н. Васильковой*

Оформление художника *Н. Никоновой*

Труайя А.
Т 77   Марина Цветаева. — М.: Изд-во Эксмо, 2007. —
480 с., илл.

ISBN 978-5-699-23273-4

Вокруг жизни Марины Цветаевой существует великое множество слухов, домыслов и даже легенд. Известный французский писатель и биограф Анри Труайя в своей работе старался опираться только на те факты, которые представлялись ему наиболее достоверными и важными для понимания жизненной трагедии и творческого пути великой русской поэтессы.

УДК 840
ББК 84(4Фра)-8

ISBN 978-5-699-23273-4

I

ДЕТСТВО — БЛАГОСЛОВЕННОЕ И ОМРАЧЕННОЕ ТРАУРОМ ДЕТСТВО...

Сколько времени должно пройти, прежде чем вдовец сможет хотя бы подумать о том, чтобы жениться снова? После смерти жены, Варвары Дмитриевны, профессор Иван Владимирович Цветаев без конца задавался этим вопросом, обдумывал его нетерпеливо, но с присущей ему щепетильностью. Покойная супруга его была дочерью ультраконсервативного историка Дмитрия Иловайского, чьи ставшие общеизвестными, но «застывшими во времени» учебники внушали любовь к прошлому России все новым поколениям гимназистов в коротких штанишках. Иван Цветаев нежно любил жену, и она, отвечавшая мужу взаимностью, подарила ему счастье, сделав отцом двух прелестных ребятишек: Валерии, появившейся на свет в 1882 году, и Андрея, родившегося в 1890-м. Но туберкулез, которым страдала Варвара Дмитриевна, не позволил ей увидеть, как дети подрастут. Последние роды окончательно истощили организм, и, когда она угасла в 1892 году, уйдя в лучший мир всего лишь тридцатидвухлетней, Иван Цветаев был раздавлен двойным горем. Его терзали боль от невосполнимой потери и страх, что в одиночку не сможет поднять сам двух маленьких сирот (девяти лет и года с небольшим от роду), оставшихся без матери. Как он — ученый, книжный червь — сможет осуществлять многочисленные обязанности главы семьи, способен ли он взять на себя подобную ответственность? И действительно, Цветаев был слишком поглощен своими научными трудами, слишком отвлечен от обыденной жизни своими изысканиями, чтобы постоянно окунаться в повседневные дела. Непрерывное шествие по пути открытий и почестей делали Ивана Владимировича неспособным вкушать простые радости семейного очага.

Профессор Цветаев родился в 1847 году в семье скромного священника села Талицы Владимирской губернии. Три его брата, как и он сам, были одержимы общей страстью к просветительству и наделены одинаковыми амбициями. Блестяще окончив Владимирскую семинарию, молодой честолюбец продолжил обучение в Киеве, поднимаясь все выше и выше по ступеням познания, и в конце концов с блеском защитил на латыни диссертацию по древней истории. Затем, обеспечив себя дипломами, Иван Владимирович отправился путешествовать по Европе, где усердно посещал музеи, библиотеки, места археологических раскопок, и вернулся в Россию обогащенным новыми знаниями, которые позволили ему получить кафедру истории искусств в Московском университете и место сначала заведующего гравюрным отделом, затем хранителя отделения изящных искусств и, наконец, дирсктора Московского публичного музеума и Румянцевского музея.[1]

Теперь у новоявленного профессора появилась навязчивая идея — посвятить свою жизнь созданию Музея изящных искусств в Москве.

Но сначала музей надо было построить, иными словами — возвести здание. Сначала надо было собрать коллекцию. В трудах и хлопотах шли годы... И вот уже в величественном, единственном в своем роде строении собраны слепки с наиболее прекрасных творений гениальных античных скульпторов.

Марина Ивановна в 1933 году так писала в очерке «Отец и его музей»: «Мечта о музее началась... в те времена, когда мой отец, сын бедного сельского священника..., откомандированный киевским университетом за границу, двадцатишестилетним филологом впервые вступил ногой на римский камень. Но я ошибаюсь: в эту секунду создалось решение к бытию такого музея, мечта о музее началась, конечно, до Рима — еще в разливанных садах Киева, а может быть, еще и в глухих Талицах, Шуйского уезда, где он *за лучиной* изучал латынь и греческий. «Вот бы глазами взглянуть!» Позже же, узрев: «Вот бы другие (такие же, как он, босоногие и «лучинные») могли глазами взглянуть!»

Мечта о русском музее скульптуры была, могу смело сказать, с отцом сорожденная».

И — в самом конце очерка, рассказывая о том, как музей был открыт, говорит о состоянии его увенчанного лаврами создателя, после вздоха

---

[1] Далее, как принято, будет употребляться только сокращенное название — «Румянцевский музей». (*Примеч. переводчика.*)

«Вот и открыл Музей» сказавшего, «замыкая назад арку духовной преемственности, со всей силой творческой и старческой благодарности:

— Думала ли красавица, меценатка, европейски известная умница, воспетая поэтами и прославленная художниками, княгиня Зинаида Волконская, что ее мечту о русском музее скульптуры суждено будет унаследовать сыну бедного сельского священника, который до двенадцати лет и сапогов-то не видал...»

Музей изящных искусств открылся 31 мая 1912 года. Уже не было в живых и второй жены — Марии Александровны, все четверо детей давно выросли. И не им, а музею — самому любимому детищу профессора Цветаева — была отдана почти вся его жизнь: Иван Владимирович скончался в конце августа 1913 года. Однако вернемся назад: сейчас мы присутствуем при самом начале воплощения в жизнь мечты. Чтобы осуществить задуманное, Ивану Владимировичу приходилось искать меценатов, «благотворителей», как называли их в доме, добиваться субсидий, выбирать место для здания, призванного хранить его сокровища, не раз возвращаться в Европу, чтобы заказать специалистам слепки и копии наилучшего качества и проследить за их изготовлением. Естественно, в таких условиях, при подобной загруженности, даже очень желая этого, Цветаев никак не мог заниматься физическим и духовным развитием, воспитанием и обучением маленьких Андрюши и Валерии. Детям нужна была вторая мать, чтобы растить их, холить, лелеять, баловать. Ему самому нужна была вторая жена, которая поддерживала бы его и помогала решать поставленные им перед собой благородные и трудные задачи. И очень скоро, не переставая оплакивать покойную Варвару, Иван Владимирович принялся искать ей заместительницу. В сорок четыре года он остановил выбор на молодой двадцатидвухлетней девушке, которую звали Марией Александровной Мейн.

Избранница была красивой, умной, прекрасно образованной и воспитанной, свободно говорила на нескольких иностранных языках, в том числе на французском, немецком и итальянском, страстно увлекалась литературой, хорошо знала достопримечательности Италии, но главной любовью ее жизни была музыка. Ученица пианиста-виртуоза Николая Рубинштейна, Мария Мейн божественно играла на фортепиано. Столько достоинств! Разве можно было найти невесту лучше для человека, желающего заново начать свою жизнь?

С первой же встречи с будущей женой Иван Владимирович обрел уверенность, что сделал правильный выбор. Единственное, что омрачало идиллию, — сердце Марии Александровны было отдано другому. И этот «другой» был женат. Она страдала от невозможности законно и полностью принадлежать тому, кого любила. Отец Марии был немцем по происхождению, мать — полькой, и от родителей девушка унаследовала слишком цельный характер, чтобы таить свои чувства от людей в то время, как ей хотелось бы гордиться ими. Бесспорно, пора было положить конец этой тайной и бесчестящей ее истории. А профессор Иван Цветаев выглядел таким несчастным с этой вечной памятью об ушедшей жене, с этими двумя малышами на руках, что из сочувствия к нему, да и руководствуясь доводами рассудка, Мария решилась принять его предложение.

И оказалось, что их союз куда менее тягостен, чем она себе представляла. 26 сентября 1892 года, едва ли через год после венчания, Мария Александровна подарила мужу дочь — Марину. Еще через два года настала очередь второй дочери — Анастасии. Совсем еще юная женщина удивительно разумно и справедливо распределяла заботу между своей плотью и кровью — двумя крошечными девочками — и двумя детьми от первого брака своего мужа, которые достались ей в приданое и которые смотрели на нее со смешанным выражением любопытства и ревности. И, к тому же, не было у профессора Цветаева в деле создания музея более верной, преданной и деятельной сотрудницы, чем вторая его жена.

Повзрослевшая Марина писала в очерке «Отец и его музей»: «Она вела всю его обширную иностранную переписку и часто заочным красноречием своим, какой-то особой грацией шутки или лести (с французом), строкой из поэта (с англичанином), каким-нибудь вопросом о детях и саде (с немцем) — той человеческой нотой в деловом письме, личной — в официальном, иногда же просто удачным словесным оборотом, сразу добивалась того, чего бы только с трудом и совсем иначе добился мой отец. Главной же тайной ее успеха были, конечно, не словесные обороты, которые есть только слуги, а тот сердечный дар, без которого словесный дар — ничто. И, говоря о ее помощи отцу, я, прежде всего, говорю о неослабности ее духовного участия, чуде женской причастности, вхождении во все и выхождении из всего — победителем. Помогать музею было, прежде всего, духовно помогать отцу: верить в него, а когда нужно, и за него... Это я, детский свидетель тех лет, должна сказать, ибо за меня не скажет (ибо так глубоко не знает) — никто».[1]

Казалось бы, с самого начала совместная жизнь Цветаевых складывалась удачно. Но на самом деле появление на свет маленькой Марины повергло Марию Александровну в глубокое разочарование. Она ждала сына и хотела назвать его Александром. Девочка? Что ж, значит, придется принять крайние меры, чтобы можно было удовольствоваться тем, что есть! Надо поднапрячься, думала молодая мать, надо приложить как можно больше усилий, чтобы обогатить этот женский мозг всеми достоинствами, какие она мечтала увидеть в своем отпрыске, принадлежащем к сильному полу, — пусть ее девочка будет умной, как мальчик, мужественной, как мальчик, волевой, как мальчик...

И если бы только это разочарование! Было еще одно — и куда более горестное, куда сильнее омрачавшее ее настроение: Мария Александровна довольно быстро поняла, что материнские обязанности мешают ей сделать артистическую карьеру, в которой долгие годы она только и видела смысл своего существования. Колыбель перегораждала ей путь к Музыке. Не подпускала к фортепиано. Глупое бульканье кастрюлек стояло между ею и творениями Шопена, Шуберта, Бетховена... Чтобы утешиться, она решила сама заниматься со своим потомством музыкой и начать формирование детей как музыкантов как можно раньше. Едва только дочери вошли в возраст, когда уже стали способны понимать, чего мама ждет от них, она передоверила гувернанткам за-

---

[1] Марина Цветаева. «Отец и его музей». (*Примеч. переводчика.*)

боту об обучении девочек элементарным понятиям о русском языке, арифметике, истории, географии, а за собой оставила лишь уроки сольфеджио и собственно фортепианной игры. И потом, в течение всей своей жизни, Марина с ужасом, смешанным с признательностью, будет вспоминать нескончаемые часы, которые она проводила за роялем. Набившие оскомину от повторения в тысячный раз гаммы, беспрестанные советы, как лучше ставить пальцы, как правильнее прикасаться к клавишам... Вся эта никчемная, как она думала, гимнастика для тела и души невыносимо утомляла и раздражала девочку. Несмотря на то что любой сложности вещи она легко читала с листа, Марина люто ненавидела ноты и писала впоследствии: «...с нотами сначала совсем не пошло». Долгое время она не видела в разместившихся на пяти строчках черных значках никакой логики — да и где было увидеть эту логику четырех-пятилетнему ребенку? Став взрослой, она вспоминала: «Ноты мне — мешали: мешали глядеть, верней не глядеть на клавиши, сбивали с напева, сбивали со знанья, сбивали с тайны, как с ног сбивают, так — сбивали с рук, мешали рукам знать самим, влезали третьим, тем «вечным третьим в любви» из моей *поэмы* (которой по простоте — ее, или сложности — моей, никто не понял) — и я никогда так надежно не играла, как наизусть».

Она упрекала мать в том, что та заливала, затопляла ее музыкой, хоронила ее заживо под лавиной восхитительных звуков. Рояль был для девочки едва ли не живым существом — неким сверкающим чернотой персонажем, который то привлекал ее, то отталкивал и разочаровывал, рояль был для нее одновременно орудием пытки и наслаждения. Он чаровал Марину. Она почти переставала быть самой собой, когда склонялась над стройной шеренгой черных и белых клавиш, над этой «лестницей», над этой гладью, под которой бездонная глубь... Вспоминая о своей музыкальной каторге, Цветаева напишет спустя много лет: «Жара. Синева. Мушиная музыка и мука. Рояль у самого окна, точно безнадежно пытаясь в него всем своим слоновьим неповоротом — выйти, и в самое окно, уже наполовину в него войдя, как живой человек — жасмин. Пот льет, пальцы красные — играю всем телом, всей своей немалой силой, всем весом, всем нажимом и, главное, всем своим отвращением к игре». Убеждаясь в раздражении, в ожесточении Марины, мать говорила расстроенно, почти в отчаянии, почти со стоном: «Ты совсем не любишь музыку!» И ошибалась. На самом деле то, с чем Марина не могла примириться, что ее отталкивало, была не музыка, это была *ее* музыка, та, что выходила из-под ее неумелых, непослушных пальцев. Зато в те минуты, когда садилась за рояль Мария Александровна, девочка впадала в экстатическое состояние. Впрочем, Марина, как бы ни критиковала себя, никогда не отрицала, что слух у нее был хороший, «от Бога», да и туше тоже «удивительно одушевленное». Но как же страшилась она неумолимого тиканья метронома! «Щелк метронома, — писала она десятилетия спустя. — Есть в моей жизни несколько незыблемых радостей: не идти в гимназию, проснуться не в Москве 19-го года и — не слышать метронома. Как это музыкальные уши его переносят? (Или музыкальные уши другое, чем музыкальные души?) ... Только я под его методический щелк *подпала*, я его стала ненавидеть и бояться до сердцебиения, до обмирания, до похолодания... А вдруг завод — никогда не выйдет, а вдруг я с табурета — никогда не встану, никогда не выйду из-под тик-так, тик-так... Это была именно Смерть, стоящая над душою, живой душой, которая может умереть — бессмертная (уже мертвая) Смерть. Метроном был — гроб, и жила в нем — смерть. За ужасом звука я даже забывала ужас вида: стальная палка, вылезающая как палец и с маниакальной тупостью качающаяся за живой спиной. Это была моя первая встреча с техникой и предрешившая все остальные... Если я когда-нибудь кого-нибудь хотела убить — так метроном». Несмотря на свое отвращение к обучению этому одновременно божественному и дьявольскому искусству, Марина делала такие успехи, что ее пятилетней записали в музыкальную школу В. Ю. Зограф-Плаксиной в Мерзляковском переулке, настоящий питомник маленьких Моцартов, и в семь лет девочка уже выступала в ученическом концерте.

Вероятно, опасаясь, чтобы ранний успех не вскружил голову ребенку, мать внушала маленькой Мусе, что абсолютный слух и ловкие пальцы сами по себе ничего не значат для будущего, потому что это всего лишь дар Божий: «после каждого сорвавшегося «молодец!» холодно прибавляла: «Впрочем, ты ни при чем. Слух — от Бога». Так это у меня навсегда и осталось, — писала Марина, — что я — ни при чем, что слух — от Бога. Это меня охранило и от самомнения и от само-сомнения, от всякого, в искусстве, самолюбия, — раз слух от Бога, — Твое — только старание, потому что каждый Божий дар можно загубить, говорила мать поверх моей четырехлетней головы, явно не понимающей и уже из-за этого запоминающей так, что потом уже ничем не выбьешь...

Если бы матери почаще говорили своим детям непонятные вещи, эти дети, выросши, не только бы больше понимали, но и тверже поступали. Разъяснять ребенку ничего не нужно, ребенка нужно — заклясть. И чем темнее слова заклятия — тем глубже они в ребенка врастают, тем непреложнее в нем действуют: «Отче наш, иже еси на небесех...» По собственному признанию Марины, слова материнского «заклятия», преследовавшие ее всю жизнь, помогли ей сделать вывод о том, что не может быть ни гения, ни даже простого вдохновения без упорной, ожесточенной работы.

Радуясь тому, что старшая дочь так хорошо освоилась с фортепиано, Мария Мейн все-таки довольно скоро заподозрила, что музыка — не ее призвание. Действительно, чуть ли не с младенчества Марину стали волновать сочетания слов, рифмы... Создавалось, а потом стало быстро расти ощущение, что ребенку гораздо больше нравится играть словами, чем пускать руки в свободный полет по клавиатуре рояля. Как через много десятилетий написала в своих воспоминаниях младшая сестра Марины — Анастасия Цветаева: «...она с первых лет жизни — по народной пословице — «хватала с неба звезды».

Внимательная и чуткая, Мария Мейн, тем не менее, была не просто заинтригована открывшимся ей в девочке талантом, но была и сильно обеспокоена ее склонностью к литературе и не очень одобряла эту склонность. В дневнике, который она вела, есть такая запись о дочери: «Четырехлетняя моя Маруся ходит вокруг меня и все складывает слова в рифмы, — может быть, будет поэт?», но сделана она была — и это совершенно ясно! — не с надеждой, а с глубоким огорчением, потому что Мария Александровна всегда считала своим святым долгом перед учителем, Николаем Рубинштейном, передать горящий факел музыки, как эстафетную палочку, дочери. Намного позже, вспоминая об упорстве, с каким мать направляла ее на путь, по которому сама не смогла дойти до цели, Марина Цветаева объясняла эту граничащую с упрямством настойчивость предчувствием: несчастная женщина, неудовлетворенная тем, как сложилась ее собственная творческая судьба, понимала, что не проживет долго, и, преследуемая навязчивой идеей оставить «что-то от себя» в головах и сердцах детей, она удваивала, утраивала, умножала дозы того, что в них вкладывала. «Чтобы было чем помянуть! Чтобы сразу накормить — на всю жизнь!.. С первой и до последней минуты давала — и даже давила! — не давая улечься, умяться (нам — успокоиться), заливала и забивала с верхом — впечатление на впечатление и воспоминание на воспоминание... Мать точно заживо похоронила себя внутри нас — на вечную жизнь. И какое счастье, что все это была не наука, а Лирика, — то, чего всегда мало, дважды — мало: как мало голодному всего в мире хлеба... То, чего не может быть *слишком*, потому что оно — само *слишком*, весь излишек тоски и силы, излишек силы, идущий в тоску, горами двигающую.

Мать не воспитывала — испытывала: силу сопротивления, подается ли грудная клетка? Нет, не подалась, а так раздалась, что потом — теперь — уже ничем не накормишь, не наполнишь. Мать поила нас из вскрытой жилы Лирики...»[1]

Разумеется, и Марина (Муся), и Анастасия (Ася) могли бы найти отдых от колдовского и

---

[1] Марина Цветаева. «Мать и музыка». (*Примеч. автора.*)

требовательного влияния матери, встречаясь с ровесниками. Но родители настолько держали девочек в своей власти (так и хочется сказать «под башмаком»), что они очень долго и не видели никого, кроме членов семейного клана. Обычные детские игры им подменяли волны слов и гармоний, которые изливала на них мать с утра и до вечера. Перекормленные заповедями и музыкой, они — будучи еще совсем детьми, с ребяческим устройством мозга — вели существование взрослых людей. С первых лет жизни Марина получала неизъяснимое наслаждение, жонглируя русскими, французскими, немецкими словами, и ей было неинтересно все, любая деятельность, кроме чтения, заучивания наизусть стихов и — погружения в грезы. Она мечтала...

На самом деле, считая, что отдаляется от музыки, чтобы целиком отдаться поэзии, Марина не понимала, что музыка и поэзия с самого начала творили волшебство в ее голове, и то, что она любила в поэзии, было — музыкой, просто без помощи какого бы то ни было инструмента. Она не понимала тогда, что слова — те же ноты, а фразы — аккорды и что писать стихи и творить мелодию — одинаково опьяняющее занятие. Пройдет немало лет, и поэт Константин Бальмонт откроет Марине эту простую истину, иронически упрекая ее в чрезмерной важности фонетических элементов в ее последних творениях. «Ты требуешь от поэзии того, что может дать одна лишь музыка», — скажет он ей.[1]

Между тем Марину охватила еще одна страсть,

---

[1] Цитируется по книге Клода Деле «Марина Цветаева, трагический пыл» (Claude Delay «Marina Tsvetaeva, une ferveur tragique», *примеч. автора*).

настоящая страсть — она со свойственным ей пылом души влюбилась в свою единокровную сестру Валерию, которая была старше на десять лет и которую в доме звали Лёрой. Для девочки она была едва ли не дороже матери — во всяком случае, любовь к сестре могла бы поспорить в ее сердце с той, что внушала ребенку мать. Вероятно, по совету Валерии или под влиянием этой юной наставницы Марина увлеклась стихотворениями Пушкина. Стала учить их наизусть и, запинаясь, лепетала вслух — наедине с самой собой, будто молитву. Потом принялась расспрашивать близких: а каким он был, этот чародей, этот волшебник, узнавать подробности биографии поэта, которого убил на дуэли француз. Убил зимним заснеженным утром, убил из-за женщины, жены, а мелодичная, исполненная неземной гармонии песнь павшего от предательской пули героя продолжала околдовывать толпы людей...

В то время как Мария Мейн, со своей стороны, подталкивала детей к чтению классической литературы, находившейся дома у Цветаевых, как говорят сейчас, «в открытом доступе», Лёра, со своей, раскрыла младшей сестренке тайны собственного книжного шкафа. Именно из ее рук получила Марина «запрещенную» книгу (запрет был наложен матерью из-за увиденной в ней карикатурности, из опаски, что ниспровергающая все, чуть ли не разрушительная литература пагубным образом подействует на неокрепшую детскую душу) — «Мертвые души» Гоголя. Странное название немедленно пробудило воображение Марины, которая решила, что перед ней — история о покойниках и духах, являющихся после смерти. Однако, писала Цветаева впоследствии, до «... мертвецов и душ — так никогда и не дочиталась, ибо в последнюю секунду, когда вот-вот должны были появиться — и мертвецы и души — как нарочно слышался шаг матери (кстати, она так никогда и не вошла, а всегда только, в нужную минуту — как по заводу — проходила) — и я, обмирая от совсем уже другого, — *живого* страха, пихала огромную книгу под кровать».[1]

Монотонность заполненных учебой и проходивших в напоминавшем монастырское заточении дней уступала место радостным фантазиям, как только семья перебиралась на лето в свой деревенский дом: в маленький городок Калужской губернии — Тарусу. Там опьяненные свободой дети открывали для себя мир лугов, полей, лесов, мимо которых и через которые протекала красавица Ока. Но, несмотря на то что природа улыбалась ей в летние дни, Марина и здесь не находила для себя друзей. Нигде — даже на самом дальнем горизонте. Ее переполняла затаенная нежность, которую не на кого было тратить, она нуждалась во взаимном обмене тайнами с «лучшей подругой», как нуждается в этом каждая девочка, но — приходилось довольствоваться обществом младшей сестры Анастасии, старшей — единокровной — Валерии и такого же единокровного брата Андрея. В недалеком соседстве жили, правда, еще несколько представителей семьи Иловайских — родственники первой жены Ивана Владимировича Цветаева, но отношения с этими — одновременно чужими и близкими — людьми сводились к взаимной вежливости, и дети смущались

---

[1] Марина Цветаева. «Чёрт». (*Примеч. автора.*)

тем, что никогда не знали, как следует вести себя в их присутствии.

Поэтому после трех месяцев жизни на вольном воздухе Марина всегда счастлива была возвратиться в привычную атмосферу московского дома — он не дожил до наших дней, этот дом номер восемь по Трехпрудному переулку был разрушен во время революции 1917 года. Но до самой смерти хранила Цветаева память о просторном, хоть и одноэтажном, особняке, выстроенном в греко-славянском стиле, доме с фасадом, выкрашенным в цвет шоколада: обитатели так и называли его «шоколадным», а Марина даже — «шкатулкой шоколадного цвета»[1]. У ворот, чуть затеняя их, рос «разлапый серебристый»[2] тополь, в закоулке немощеного зеленого двора — другие тополя и кусты акаций с пыльными листьями.

С волнением и признательностью повзрослевшая Марина Цветаева вспомнит об этом доме своего детства:

Ты, чьи сны еще непробудны,
Чьи движенья еще тихи,
В переулок сходи Трехпрудный,
Если любишь мои стихи.

О, как солнечно и как звездно
Начат жизненный первый том,
Умоляю — пока не поздно,
Приходи посмотреть наш дом!

Будет скоро тот мир погублен,
Погляди на него тайком,
Пока тополь еще не срублен
И не продан еще наш дом.

[1] В письме к сестре. (*Примеч. переводчика.*)

[2] Анастасия Цветаева. «Воспоминания». (*Примеч. переводчика.*)

Этот тополь! Под ним ютятся
Наши детские вечера.
Этот тополь среди акаций
Цвета пепла и серебра.

Этот мир невозвратно-чудный
Ты застанешь еще, спеши!
В переулок сходи Трехпрудный,
В эту душу моей души.[1]

Верная своим воспоминаниям, Марина оставалась верной и наставлением непреклонной своей матушки, которая учила детей при любых обстоятельствах сохранять человеческое достоинство, мужество и моральную стойкость. Семья Цветаевых не была религиозной, в церковь ходили очень редко, далеко не всегда соблюдали перед Пасхой Великий пост и постом не исповедовались и не причащались. Однако как дети, так и родители соблюдали в повседневной жизни принципы, ничуть не менее незыблемые, чем заповеди Господни. Еще не научившись ни читать, ни писать, маленькая Муся усвоила из уроков матери, что деньги «грязные» и что никто не имеет права, если не хочет потерять душу, позволить жажде наживы соблазнить себя.

Цветаева писала в апреле-мае 1931 года, вспоминая о том, что мать, ужасаясь содержанию (почти неизменно любовному) ее полудетских стихов, не давала ей бумаги: «Не будет бумаги — не будет писать. Главное же — то, что я потом делала *с собой* всю жизнь — не давали *потому, что очень хотелось*. Как колбасы, на которую стоило нам только взглянуть, чтобы заведомо не

[1] Стихотворение написано в 1913 году, ни в один сборник Цветаевой, составленный ею самой, не входило. (*Примеч. переводчика.*)

получить. Права на просьбу в нашем доме не было. Даже на просьбу глаз. Никогда не забуду, впрочем, единственного — потому и не забыла! — небывалого случая просьбы моей четырехлетней сестры — матери, печатными буквами во весь лист рисовальной бумаги (рисовать — дозволялось). — Мама! Сухих плодов, пожаласта! — просьбы, безмолвно подсунутой ей под дверь запертого кабинета. Умиленная то ли орфографией, то ли карамзинским звучанием (сухие плоды), то ли точностью перевода с французского (fruits secs), а скорее всего не умиленная, а потрясенная неслыханностью дерзания — как-то сробевши — мать — «плоды» — дала. И дала не только просительнице (любимице), но всем: нелюбимице — мне и лодырю-брату. Как сейчас помню: сухие груши. По половинке (половинки) на жаждущего...»[1] Зная, что любой ее порыв обязательно будет подавлен, маленькая Муся (имя, придуманное для Марины дома) чувствовала себя нелюбимой, ей казалось, будто мать предпочитает Асю, она обижалась по пустякам, иногда дело доходило даже до того, что возникала мысль: а не одержима ли она дьяволом, или, наоборот, она — избранница Божья... Хотя — разве это не одно и то же?

И только тогда, когда Марина брала в руки перо, она обретала нечто похожее на равновесие души. Ловко импровизировать со словами доставляло ей такое же почти экстатическое наслаждение, как ее матери — перебирать пальцами клавиши. Шестилетней девочка уже тайком

[1] Марина Цветаева. «История одного посвящения». (*Примеч. автора.*)

записывала, торопясь, чтоб не застали за этим занятием, какие-то рифмованные окончания фраз или просто рифмы, изощряясь в перескоках от образа к образу — так, словно бросала камешки в недвижную воду, ожидая, пока пойдут круги, так, словно прыгала на одной ножке, играя в начерченные мелом на тротуаре классы: из одной нумерованной клетки в другую... Пока еще это был всего лишь ребяческий лепет, пока еще дело не шло дальше неприхотливой игры словами, но и здесь уже находила себе выход потребность запечатлеть черным по белому мысли, которые переполняли светлую головку ребенка, кружили ее и были столь властны и столь таинственны, что невольно создавали у девочки ощущение, что она совершает некий сладостный грех.

Осенью 1901 года Марина впервые идет в гимназию — 4-ю женскую гимназию на Садовой близ Кудринской. Теперь каждый день Ася с гувернанткой заходят за ней после классов. Баллы, которые получает свежеиспеченная школьница, настолько высоки, что мать — не изменяя своей обычной сдержанности — радуется, хотя и старается не показать этого. При всяком удобном случае, узнав об очередных успехах дочери, она предостерегает ее — точно так же, как предостерегала во время занятий музыкой, когда Муся была еще совсем малышкой: если я и поздравляю тебя с тем, что тебе что-то удалось, то только — из-за усердия в занятиях. Дар Божий, не устает повторять Мария Александровна, ничего общего не имеет с так называемой искрой Божьей; истинному гению всегда нужно время на то, чтобы проявиться, и времени на это обычно уходит много. Подобными проповедями Мария Александровна надеялась умерить беспорядочные метания дочери, склонной к тревожившим мать скачкам настроения. В глубине души эта женщина, чей муж был слишком занят и чья музыкальная карьера чересчур рано прекратилась, таила одну-единственную надежду: самореализоваться в своем дитяти. Однако дитя это, которое, с одной стороны, она мечтала бы видеть образцом всех лучших качеств, с другой — чуть-чуть ее страшило. И неудивительно: избыток нежности и чуткости, свойственных ребенку, несколько подавлял мать.

«Мама и папа были люди совершенно непохожие, — напишет 8 апреля 1914 года Марина в письме, надолго оставшемся неизданным. — У каждого своя рана в сердце. У мамы — музыка, стихи, тоска, у папы — наука. Жизни шли рядом, не сливаясь. Но они очень любили друг друга».[1] И — в другом месте, позже: «Мать — залила нас музыкой. (Из этой Музыки, обернувшейся Лирикой, мы уже никогда не выплыли — на свет дня!)... Мать залила нас всей горечью своего несбывшегося призвания, своей несбывшейся жизни, музыкой залила нас, как кровью, кровью второго рождения».[2] И еще: «... это было письменное, писецкое, писательское рвение. Музыкального рвения — и пора об этом сказать — у меня не было. Виной, вернее, причиной было излишнее усердие моей матери, требовавшей от меня не в меру моих сил и способностей, а всей сверхмерности и безвозрастности настоящего рожденного призвания. С меня требовав-

[1] Письмо М.И. Цветаевой В.В. Розанову, впервые опубликованное в 1972 году в Париже. (*Примеч. переводчика.*)

[2] Марина Цветаева. «Мать и музыка». (*Примеч. автора.*)

шей — себя! С меня, уже писателя — меня, никогда не музыканта»[1] И еще это признание: «Бедная мать, как я ее огорчала и как она никогда не узнала, что вся моя «немузыкальность» была — всего только лишь *другая музыка!*»[2] И, наконец, это: «После такой матери мне оставалось только одно: стать поэтом. Чтобы избыть ее дар — мне, который бы задушил или превратил меня в преступителя всех человеческих законов».[3]

Ослабленная надолго затянувшейся инфлюэнцей (так в те времена называли грипп и таков был первоначальный диагноз), Мария Александровна, тем не менее, все с такою же суховатой и жестковатой лаской продолжала управлять дочерьми, которые — особенно, конечно, Марина — все так же продолжали сопротивляться, стремясь к самоутверждению, но одновременно старались походить на мать.

Постепенно «грипп» обратился в чахотку. Повинуясь предписаниям врачей, Мария Мейн с двумя младшими детьми и Валерией (Иван Владимирович проводил их до Италии и, убедившись, что семья хорошо устроена, вернулся в Москву) отправилась в путешествие за солнцем — сначала на юг России, оттуда — через всю Европу.

Вот как об этом рассказывает Анастасия Цветаева, вспоминая осень 1902 года:

«...грянула весть: мама, слегшая, казалось, в инфлюэнце, — больна *чахоткой!* Все детство мама болела только мигренями. Чахотка! Жар, доктора, суета в доме, запах лекарств. Странное слово

---

[1] Там же. (*Примеч. автора.*)

[2] Там же. (*Примеч. автора.*)

[3] Там же. (*Примеч. автора.*)

«консилиум». Остроумов, ассистент знаменитого Захарьина, говорит, что это началось еще давно, в год моего рождения (у мамы тогда вся шея была в опухших железках). Или нет: это не он говорит, а другой доктор, а он — что мама заразилась на операции туберкулезной ноги в Иверской общине: ее пилили, мама держала, помогая профессору. По дому — шепот, толки... Нас не пускают. Доктора шлют маму на Кавказ! Мама отказалась ехать без нас. Мы жалеем маму, но ликуем. Мы увидим Кавказ, море! Мама лежит не в спальне — в гостиной... там высоко — воздух. Вечером разносится слух, что мама хочет звать нас — прощаться. Маме хуже. Мы замираем, слушаем... Нас не зовут. Мама уснула, ночь. Наутро другая весть колышет дом... нас: маму везут в Италию, только Италия может спасти маму. И мы едем с ней!»[1]

И вот они уже в Италии, в Нерви, близ Генуи, в «Русском пансионе», расположенном на самом берегу моря. Пока Мария Мейн отдыхает в постели, девочки играют в окружающем дом саду с сыном владельца пансиона — одиннадцатилетним Володей. Марусе — десять, Асе — восемь.

Вскоре круг общения Цветаевых расширился, новые люди поселились в «Русском пансионе»: почти накануне Рождества в Нерви приехала вторая жена дедушки Андрея и Лёры, отца Варвары Дмитриевны, Д. И. Иловайского, Александра Александровна с двумя своими детьми, Сережей (студентом) и девятнадцатилетней Надей. Оба они были больны туберкулезом, оба нуждались в лечении и уходе.

---

[1] Анастасия Цветаева. «Воспоминания». (*Примеч. переводчика.*)

Сережа, совершенно так же, как Марина, без памяти влюбленный в поэзию, интересовался ее стихами еще в то время, когда она была совсем ребенком — спрашивал ее, семилетнюю «неулыбу»: «Ты мне свои стихи перепишешь?», и вот сейчас, едва приехав, как всегда, попросил тетрадь... Девочка была так потрясена этим, что немедленно влюбилась в него самого, а одновременно и тайно — в его сестру, увидела в ней долгожданную подругу по сердцу. Много-много лет спустя, вспоминая эту внезапно вспыхнувшую страсть, Цветаева писала о Сергее Иловайском: «Это, кажется, единственный человек за все мое младенчество, который над моими стихами не смеялся (мать — сердилась), меня ими, как красной тряпкой быка, не вводил в соблазн гнева... Милый Сережа, четверть с лишним века спустя примите мою благодарность за ту большеголовую стриженую некрасивую, никому не нравящуюся девочку, у которой вы так бережно брали тетрадь из рук. Этим жестом вы мне ее — дали»...[1]

К сожалению, невинная и безобидная идиллия продолжалась совсем недолго: Надя, сестра Сережи, «напроказила», принялась за старое. Узнав, что дочь влюбилась в одного бедного студента, Александра Александровна немедленно увезла обоих — и ее, и брата — в Россию, чтобы положить конец их романтическим бредням. Двумя годами позже они умерли — сначала Сережа, потом, тою же зимой — через месяц, Надя. Марина, узнав об этом, станет носить в сердце своем двойной траур: по первой, завершившейся

---

[1] Марина Цветаева. «Дом у Старого Пимена». (*Примеч. автора.*)

смертью дружбе — с Надей Иловайской, по первой, завершившейся смертью любви — к Сереже, красавцу с большими темно-карими глазами, светившимися теплом и добротой, к человеку, который сумел первым оценить ее стихи, человеку, отказывавшемуся увидеть в ней всего лишь ребенка...

Но ко времени смерти Сережи и Нади — а ее смерть Марина восприняла настолько остро, что едва не покончила с собой, — у девочки появился новый повод для волнений и размышлений. Одновременно с Иловайскими в «Русском пансионе» появился Владислав Александрович Кобылянский, вслед за ним — руководителем, «главарем» — целая группа молодых анархистов, земляков Цветаевых. Кобылянского немедленно прозвали Тигром — награждала всех именами животных в основном Марина: Мария Мейн стала Пантерой, сама Маруся — Овчаркой, Ася — Мышкой, были еще Петух, Курица, Кот Мурлыка, кажется, Кролик, и только Лёра осталась без клички... И Мария Александровна, несмотря на то что была еще очень слаба, привлеченная юношеским пылом анархистской компании, подружилась с ней. Мало того, эта строгая женщина сошлась с революционерами во мнениях, считая эти мнения пусть дерзкими, но справедливыми. По вечерам она собирала их в своей гостиной и принимала участие в спорах. А девочки всегда находились рядом, и, как писала впоследствии Анастасия, от этого всего кружились их головы... Временами Мария Александровна брала в руки гитару, пела или аккомпанировала «поборникам свободы», исполнявшим студенческие и революционные песни.

Марина восхищалась силой духа матери, которая — едва отступив от края могилы — тратила остатки энергии на поддержку мятежников. Да и ее самое инстинкт подталкивал к тому, чтобы радоваться всякому поношению официальной власти, всякому низвержению официальной точки зрения. Но главным было то, что, как казалось Марине, мать, отдавшись благородной идее, быстрее пойдет на поправку и окончательно выздоровеет.

Но на самом деле Мария Александровна увлеклась не так «благородной идеей», как личностью ее носителя. Туберкулез развивался в ее теле так же бурно, как росла в душе привязанность к Тигру, в котором она видела одновременно и собственного спасителя, и спасителя России. Вечная лихорадка способствует романтическим фантазиям, и в течение какого-то времени она даже подумывала о том, чтобы порвать с мужем, оставить ему детей и уехать вслед за Кобылянским в Цюрих. Но однажды, когда они с Тигром и маленькой Асей прогуливались по пляжу, из дома донеслись крики: Марина упала с лестницы и разбила голову о камень, потеряв много крови. Несчастный случай, который мог стать роковым для дочери, напомнил Марии Александровне о ее материнском долге. Расстроенная, совершенно отрезвевшая, она думать забыла о всяких эскападах и чуть ли не круглосуточно ухаживала за дочерью.

Маринина рана быстро затягивалась, зато здоровье ее матери резко пошатнулось и стало ухудшаться день ото дня. Вскоре пришлось признать очевидное: туберкулез распространялся. Врачи посоветовали Марии Мейн отправить дочерей в швейцарский пансион, чтобы девочки не заразились от нее[1].

И вот, весной 1903 года, Марусю и Асю передают с рук на руки сестрам Лаказ — владелицам пансиона на берегу озера Леман в Лозанне. Пансион расположен в доме номер 3 по улице Гранси. Жизнь там оказалась, как писала позже Анастасия Ивановна, весела и уютна, несмотря на строгость морали, атмосфере задавала тон всеобщая дружба, под окнами благоухали розы. Уроки не были в тягость ученицам, все переменки они проводили на свежем воздухе: лазали по деревьям, играли. По воскресеньям их водили в костел.

Мария Александровна чувствовала себя гораздо лучше, и в начале лета она уже смогла приехать навестить дочерей. Остановилась в ближайшем к пансиону отеле, проводила с девочками целые дни, гуляла с ними по набережной Уши...

«Через несколько лет, вспоминая те вечера, Марина написала стихотворение «Ouchy»:

> Держала мама наши руки,
> К нам заглянув на дно души,
> О этот час, канун разлуки,
> О предзакатный час в Ouchy...»[2]

---

[1] На самом деле, если верить «Воспоминаниям» Анастасии Цветаевой, ничего похожего не было: в то время как девочек устраивали во французский пансион в Лозанне, Мария Александровна, которой посоветовали еще на год остаться в Нерви, поехала к мужу в Рим, оставив их с приехавшей из России родственницей, которая и отвезла детей в Швейцарию. А родители их даже не проводили. (*Примеч. переводчика.*)

[2] Анастасия Цветаева. «Воспоминания». Дальнейшие сведения о поездке сестер Цветаевых в Альпы также почерпнуты из этой книги, так как Анри Труайя утверждает, что Мария Александровна возила дочерей во Францию — в Шамуни и Аржантьер, а в действительности ее путь лежал в Италию, в Геную, а экскурсия в Альпы была организована хозяйками пансиона для всех учащихся. (*Примеч. переводчика.*)

И — чуть дальше: «Поезда мчали нас друг от друга. Маму — в Геную, нас — предгорьями, все круче, все свежей... бегут селенья, церковки, речки, водопады, мельницы — к белому великану, высящемуся над всем хором одиночек и горных цепей — к Монблану». Пансионерок повезли на экскурсию во Францию, в Альпы, жили они сначала в Шамони, потом в маленькой деревушке Аржантьер. Маруся и Ася, с разрешения Марии Александровны, которой хотелось сделать пребывание дочек особенно приятным, в сопровождении надежных проводников поднимались к самому леднику.

Здоровье Марии Александровны улучшалось, однако врачи решили, что перед возвращением в Россию, холодный климат которой может вновь обострить заболевание, лучше провести еще год в каком-нибудь спокойном уголке Центральной Европы. Ориентируясь на рекомендации медиков, семья выбрала для начала небольшой немецкий городок Фрейбург. Весной 1904 года, когда занятия в лозаннском пансионе закончились, совершился переезд.

«Папа из России, мама из Италии приехали за нами, и мы едем, едем все вместе в леса Шварцвальда, незнакомые леса — сосны и ели, высокие и густые, как в сказках Перро», — напишет Анастасия Цветаева в своих воспоминаниях.

Горная деревушка Лангаккерн под Фрейбургом была признана врачами лучшим местом для исцеления больной. К тому же расположенная в двухэтажном доме с острой крышей «Гостиница Ангела» оказалась комфортабельной, а ее хозяева симпатичными. Марина и Ася успели подружиться с их детьми, но лето пролетело слишком быстро — и вот уже новый переезд: во Фрейберг, где сестрам предстояло учиться в пансионе сестер Бринк, расположенном в доме десять по Ваальштрассе, пансионе с суровыми порядками, совсем не напоминавшими милую Лозанну.

Вместо атмосферы добродушия и почти полной вседозволенности, царившей в пансионе Лаказ, девочки столкнулись с муштрой, достойной прусской казармы. Вставать полагалось в шесть утра — с первым пронзительным звонком, поспешно умываться ледяной водой из таза и — по второму звонку — парами следовать на завтрак, который следовало проглотить ровно за восемь минут, не больше и не меньше. Да и что было глотать! Кружку почти кипящего молока с сухой булочкой... Потом занятия — предметы все важные, но скука невообразимая. За ними — такой же поспешный и скудный, как завтрак, обед, проходивший в давящей тишине. И — прогулка, всегда в одно и то же место, на гору Шлоссберг, опять парами, глаза — в землю, прогулка, о которой сестры Цветаевы думали с ужасом, поскольку больше всего она напоминала пытку или шествие осужденных на казнь, но от которой можно было спастись только в проливной дождь.

Строгая дисциплина пансиона побуждала Марину к отрицанию даже самых невинных требований, ей диктуемых. Она твердо решила отвечать «нет» во всех случаях, когда окружающие говорят «да» — из трусости или лени. И единственным ее утешением в течение долгих, нудных, хмурых часов была мысль о том, что в конце недели она встретится с матерью и проведет с ней ночь с субботы на воскресенье в снятой Марией Александровной неподалеку от пансиона комнате — по Мариенштрассе в доме номер два, под самой крышей, в мансарде. Но и тут были свои проблемы: разрешение на встречу с матерью выдавалось сестрам Цветаевым по очереди. Если Марина шла сегодня, то на следующей неделе — Анастасия. И Марина готовилась к этому свиданию как к празднику, самым драгоценным подарком на котором для нее станет возможность увидеть родное усталое лицо, услышать прерываемый тяжелым дыханием голос, вглядеться в лихорадочно блестящие глаза. В эти вечера за чашкой чая мама рассказывала дочке, как у нее обстоят дела со здоровьем, а еще — какие события сейчас больше всего волнуют мир. Несмотря на болезнь, Мария Александровна внимательно читала газеты и письма, приходившие из России. Страна в это время воевала с Японией. Только что после героического сопротивления пал Порт-Артур. Солдаты, которых царь бросил в эту абсурдную бойню, задумывались о том, за что и за кого они проливают кровь. 9 января 1905 года, во время мирной демонстрации перед Зимним дворцом, войска открыли огонь по доверчивой, безоружной толпе, и резиденция императора оказалась в окружении сотен трупов невинных жертв. Это событие уже называли «Кровавым воскресеньем». Авторитет Николая II тонул в море крови. Марине казалось, что знакомые ей по Нерви анархисты должны радоваться исходу этой драмы, которая служит доказательством их правоты. Но что до нее самой, то ей еще не исполнилось и тринадцати лет, и ее куда больше, чем здоровье родной страны, тревожило здоровье матери. Не обращая внимания на нередкие еще подъемы температуры и приступы кашля, Мария Александровна вбила себе в голову, что должна петь в хоре во время концерта, который должен был состояться в ближайшие дни в Фрейбурге. И во время репетиций[1] простудилась. Начался плеврит, обостривший течение туберкулеза, развитие которого врачи уже считали приостановленным. Состояние стало настолько тяжелым, что к изголовью больной жены был срочно вызван из Москвы Иван Владимирович. Ему пришлось задержаться, так как принимаемые врачами меры результатов не давали. И в довершение всего, когда он, не отходивший от постели больной, чувствовавший себя несчастным от собственного бессилия, от невозможности помочь, пытался организовать какие-то дополнительные консультации, устраивал консилиумы, пришла телеграмма: «Пожар в Музее». За ней — еще несколько с вестями о невосполнимых потерях бесценных экспонатов. Потом в течение недели — глухое молчание.

А жене становилось все хуже и хуже: она задыхалась и бредила. Самым неотложным для Ивана Владимировича делом стало устройство ее на стационарное лечение — в мансарде больше сделать ничего было нельзя. Как только состояние стало чуточку полегче, Марию Майн с огромными предосторожностями перевезли в санаторий Санкт-Блазиен неподалеку от города.

Вынужденные вернуться в свой пансион-тюрьму, Марина и Ася так и прожили там до летних каникул, беспокоясь о родителях и довольствуясь скупыми сведениями о том, как проходит

---

[1] Анастасия Цветаева пишет, что — на обратном пути из города, после концерта, в карете. (*Примеч. переводчика.*)

лечение в санатории. Но как только занятиям пришел конец, отец освободил девочек из «немецкой тюрьмы» и отвез в горы — поближе к матери. Устроились все втроем в шумной и неуютной гостинице при дороге.

День ото дня надежд на выздоровление Марии Александровны становилось все меньше. Немецкие врачи отступили перед ее болезнью и посоветовали Цветаевым перебраться теперь на родину — желательно в какое-то солнечное теплое место. Летом 1905 года тронулись в путь. Когда пересекли границу, Марине почудилось, будто она попала на кладбище, где уже вырыта могила для ее матери. После недолгого пребывания в Севастополе семья переехала в Ялту и обосновалась там. Устроив жену и дочерей в нанятой для них квартире[1], профессор Цветаев уехал в Москву — его призывали дела, связанные с созданием Музея.

На первом этаже[2] дома, где поселились Цветаевы в Ялте, обитали странные персонажи — говорившие громко и свысока, обладавшие подозрительными манерами. Их фамилия была — Никоновы. Даже в присутствии Марины и Анастасии они, не стесняясь, поносили правительство. По их мнению, Россия, которой управляют бездарности и мошенники, должна была неминуемо

---

[1] Это была дача Елпатьевского на Дарсановской горке. См. «Воспоминания» Анастасии Цветаевой. (*Примеч. переводчика.*)

[2] В тех же «Воспоминаниях»: «Над нами жили какие-то люди, фамилия их была Никоновы. Мы не знали их. Там был юноша революционер, и мать его (ходил слух!) — тоже революционерка! У них бывают собрания... Марина рвалась к ним, я это знала и не выдавала ее. Путей туда не было. Во дворе я играла с Марусей Никоновой, сестрой Андрея... девочкой моих лет. Взбегая... по наружной лестнице, ведшей к ним, я видела маленькую старушку, бабушку Маруси, к ним же идти не решалась». (*Примеч. переводчика.*)

скатиться в пропасть. Потихоньку прислушиваясь к их речам, Марина и сама начинала думать о том, что всякое может случиться в эти последние месяцы 1905 года. Забастовки и покушения множились по всей стране. То здесь, то там возводились баррикады. Рабочие восставали и требовали чего-то, порой сами даже не очень зная — чего. Броненосец «Потемкин», стоявший на одесском рейде, поднял на мачте красный флаг. Его экипаж, который вынуждали питаться протухшим червивым мясом, поубивал офицеров. Революционеры, рассеянные по всему городу, предложили морякам вместе с ними начать вооруженное восстание. Регулярная армия дала отпор мятежникам. В ответ заговорила бортовая артиллерия. Но плохо подготовленный и некоординированный бунт провалился. После бессмысленного и бесплодного обстрела города мятежники «Потемкина», поняв, что проиграли, двинулись к румынскому порту Констанца. Там их корабль был обезоружен, а лейтенант Шмидт, которого сочли инициатором массовых волнений, был расстрелян вскоре после ареста[1]. Его казнь была воспринята Мариной как глупая и варварская кара. Для нее лейтенант Шмидт был мучеником, пострадавшим за дело народа. «После вести о суде над ним и о его казни Маруся [уменьшительное от Марины] замкнулась в себе, — напишет Анастасия Цветаева, — таила от старших свою потрясенную горем душу. Это была рана. Она не позволяла прикасаться к ней».

---

[1] Русскому читателю лучше особенно не полагаться на достоверность исторических сведений, сообщаемых Анри Труайя. Существует достаточно много литературы, где история броненосца «Потемкин» и история лейтенанта Шмидта изложены более четко, на нее, видимо, и стоит ориентироваться. (*Примеч. переводчика.*)

Наконец, после целой серии забастовок, беспорядков с уличными боями и пустой болтовни, к которой сводились всякие переговоры с властями, царь обнародовал конституцию, но она, успокоив буржуазию, вызвала только насмешки у тех, кто предпочитал крайние меры. В Ялте установилось относительное спокойствие, составными чертами которого были страх, ожидание, надежда и покорность судьбе. Едва только в городе возникала угроза нового мятежа, власти предпринимали новую серию превентивных арестов. Как и следовало ожидать, молодого Никонова, подозреваемого в революционном настрое, бросили в тюрьму. Марину этот арест вывел из себя, к тому же столкнул ее с матерью, которая, устав от политических дискуссий, доходивших чуть ли не до мордобоя, у своей постели, утверждала теперь, что «эти левые», как Мария Александровна стала называть прежних друзей, сами не знают, чего им надо, и что конституционная монархия, обещанная царем, есть лучшее и судьбоносное решение для сбитой с толку и потерявшей всякие ориентиры России. Слушая эти «успокоительные» речи, Марина кривила губы в саркастической улыбке и отказывалась от полемики. Поскольку она продолжала бывать у Никоновых и после ареста членов их семьи[1], мать строго-настрого запретила ей компрометировать себя встречами с людьми, за

---

[1] Анастасия Цветаева, говоря об этом времени, ни слова не пишет о реальных арестах в семье Никоновых, только о воображаемых, более того, к тому времени, как у Марины появились политические расхождения с матерью, Никоновы уже «внезапно уехали», и на их месте жили Пешковы — жена и дети Максима Горького, правда, Екатерина Павловна тоже была революционеркой, там бывали тайные сборища единомышленников, и Марина опять рвалась на сходки... (*Примеч. переводчика.*)

которыми следит полиция. На этот раз Марина решила, что больная немножко повредилась рассудком, и удовольствовалась сожалениями о подобной деградации. Она перестала делиться с матерью своими мыслями, считая, что та стала слишком уязвима для того, чтобы понять выросшую дочь, и попыталась выразить то, что чувствовала, в коротких стихах:

> Не смейтесь вы над юным поколеньем!
> Вы не поймете никогда,
> Как можно жить одним стремленьем,
> Лишь жаждой воли и добра...
> Вы не поймете, как пылает
> Отвагой бранной грудь бойца,
> Как свято отрок умирает,
> Девизу верный до конца!
> ....
> Так не зовите их домой
> И не мешайте их стремленьям, —
> Ведь каждый из бойцов — герой!
> Гордитесь юным поколеньем!..[1]

Время от времени Марина узнавала, что один весьма прогрессивный общественный деятель, знаменитый писатель, которого называют Максим Горький, скоро приезжает в Ялту, чтобы встретиться там со своей бывшей женой и с их детьми. Пешковы жили в том же доме, что и Цветаевы, только этажом выше. Конечно, Марине было безумно интересно все, что связано с литературой, но ей не хватало ни любопытства, ни дерзости найти повод для встречи с «одним из великих левых», чтобы спросить его, а что же он думает насчет политического положения в стране. Впро-

---

[1] Цитируется по книге А. Цветаевой «Воспоминания», М., 1983, стр. 203—204.

чем, это был, ко всему еще, и канун вступительных экзаменов в Ялтинскую женскую гимназию, и девочкам надо было очень много заниматься, чтобы достойно пройти испытания.

И вот, как раз в то время как они томились над учебниками, у Марии Александровны случилось первое за четыре года болезни и очень сильное кровохарканье. Разбуженные посреди ночи неузнаваемым голосом, звавшим на помощь, девочки, запыхавшись, ворвались в спальню матери и увидели несчастную — совершенно подавленной, сломленной случившимся, с чашкой, полной темной крови, в руке. Позвали хозяйку дома, сбегали за льдом... После этой страшной ночи, вопреки рекомендациям врачей, Марина и Анастасия перебрались в комнату больной, устроились в двух шагах от ее постели и там продолжали заниматься. Героическое служение больной матери и усердие в работе были вознаграждены успехами на экзаменах. Марина чрезвычайно гордилась тем, что смогла удовлетворить самолюбие матери, которая таяла у нее на глазах.

Когда в июне 1906 года профессор Цветаев приехал в Ялту к жене и детям, он уже знал, что Мария Александровна обречена и срок ей отмерен недолгий. И тогда им овладела одна-единственная навязчивая идея: отвезти ее в Тарусу, чтобы — прежде чем навеки закрыть глаза — она смогла снова увидеть те места, которые так нежно любила. Но Мария Мейн была настолько слаба, что перевозка ее могла оказаться слишком мучительной и слишком рискованной. Ведь ей пришлось бы день и ночь переносить температурные и погодные перемены, чувствовать каждую вы-

боину дороги в тряском тарантасе, мириться со
стуком колес и всеми неудобствами поезда... Но
она была к этому готова. Одна только мысль о
том, что снова перед ее взором окажется пейзаж,
осветивший всю ее жизнь, помог Марии Александровне преодолеть все тяготы путешествия.
Всю эту пытку. И свершилось чудо. Вернувшись в
любимый тарусский дом, она словно распрямилась, ожила. Она сама, отказавшись от чьей-либо
помощи, поднялась в дом. «Встала и, отклонив
поддержку, сама прошла мимо замерших нас эти
несколько шагов с крыльца до рояля, неузнаваемая и огромная после нескольких месяцев горизонтали, в бежевой дорожной пелерине, которую
пелериной заказала, чтобы не мерить рукавов. —
Ну, посмотрим, куда я еще гожусь? — усмехаясь
и явно — как себе сказала она. Она села. Все стояли. И вот из-под отвычных уже рук — но мне еще
не хочется называть вещи, это еще моя тайна с
нею... Это была ее последняя игра», — напишет
через много лет Марина Цветаева.[1]

4 июля 1906 года Мария Мейн стояла уже на
пороге своего конца. Она попросила привести детей к своей постели.

«Мы подошли. Сначала Марусе, потом мне
мама положила руку на голову. Папа, стоя в ногах
кровати, плакал навзрыд. Его лицо было смято.
Обернувшись к нему, мама попыталась его успокоить. Затем нам: «Живите *по правде,* дети! —
сказала она. — *По правде* живите...» А Марина
рассказывала о том же так: «За день до смерти
она говорила нам с Асей: «И подумать только, что

---

[1] В оригинале цитата ошибочно приписана Анастасии Цветаевой. (*Примеч. переводчика.*)

какие угодно дураки вас увидят взрослыми, а я...» И потом: «Мне жаль только музыки и солнца!»[1]

Назавтра, 5 июля, когда сестры собирали на опушке леска орехи, они заметили за деревьями Женю, дочку кухарки, которая, прибежав из дома, металась на дороге в поисках девочек. И сразу же поняли: у мамы началась агония. Заторопились, но не получалось: шли медленно — на ватных ногах — без единого слова. Ступив на порог, почувствовали, что пришли словно бы не к себе домой. Здесь царила тишина беды, тишина обрушившегося на всех несчастья. Вошли в комнату матери. На постели — одетое в мамины вещи тело. Окаменевшее. Чужое. Подбородок подвязан чем-то белым. Глаза закрыты. Щеки — восковые. «Мамы в комнате не было, — писала позже Анастасия. — Это была не мама, и к этому не было никаких путей. Мы молча одна за другой поцеловали желтый лоб, так нам сказали, и послушно кому-то, кто говорил, вышли из комнаты».[2]

Едва отойдя от смертного ложа, как Марине казалось, общего для нее и покойной матери, она почувствовала, что околдована образом, который уже никогда не покинет ее. Образом совершенно особенной женщины, умершей в тридцать семь лет, так и не узнав настоящего счастья ни в семейной жизни, ни в артистической карьере, но передавшей дочери по наследству, несмотря ни на что, потребность жертвовать всем ради поэзии и любви. «После смерти матери я перестала

---

[1] Цитируется по письму Марины Цветаевой ее другу, философу Василию Розанову от 8 апреля 1914 года. (*Примеч. автора.*)

[2] Анастасия Цветаева. «Воспоминания». (*Примеч. автора.*)

играть, — напишет Марина. — ... Молчаливо и упорно сводила свою музыку на нет. Так море, уходя, оставляет ямы, сначала глубокие, потом мелеющие, потом чуть влажные. Эти музыкальные ямы — следы материнских морей — во мне навсегда остались».[1]

---

[1] Марина Цветаева. «Мать и музыка». (*Примеч. автора.*)

II

ПРЕЖДЕВРЕМЕННАЯ ЭМАНСИПАЦИЯ

Марина очень тяжело перенесла возвращение в родной «трехпрудный» дом после смерти матери. Все, все здесь напоминало об ушедшей, все принадлежало ей: это ее тень скрывалась за занавесками, это ее голос населял тишину. Любой стул, любая мебель стала воспоминанием о покойной и почти упреком живым. Один только вид рояля с закрытой крышкой приводил девочку-подростка в состояние неописуемого ужаса. Она отказывалась приближаться к инструменту. И вообще не хотела жить дома. Если бы она была религиозной, то ушла бы в монастырь. Но, поскольку не верила в Бога, предпочла затворничество в пансионе фон Дервиз, славившемся суровостью на всю Москву. Она рассматривала это свое изгнание одновременно как убежище, лазейку, чтобы укрыться, и как способ умерщвления плоти. В том огромном горе, которое охватило и не отпускало Марину, она предпочитала пытку дисциплиной пытке памятью.

Анастасия, обладавшая более спокойным и ровным характером, чем сестра, оставалась дома и довольствовалась тем, что продолжала заниматься сначала с одной учительницей — из гимназии, куда хотел определить младшую дочку отец, потом с другой — любимой, выписанной профессором Цветаевым из Ялты. Но и Асе, несмотря ни на что, дом казался пустым, незаселенным, она остро ощущала одиночество. Из-за легкого апоплексического удара Ивану Владимировичу пришлось несколько недель провести в клинике. Единокровный брат Андрей, которого девочка очень любила, стал чудаковатым юношей, теперь он уделял сестренке меньше внимания и едва ли не целыми днями, запершись в своей комнате, играл на мандолине. Избравшая профессию педагога старшая сестра Валерия посвятила себя «просвещению народа», часто встречалась с прогрессивно настроенной молодежью и посмеивалась над Асей, обвиняя ее в том, что девочка не видит эволюции мира в сторону триумфа рабочего класса.[1]

Зато Валерия была очень внимательна к Марине. Когда та возвращалась из интерната в дни

---

[1] Непонятно, откуда автор взял эти сведения. В «Воспоминаниях» Анастасии Цветаевой об этом времени черным по белому написано: «Скажи же нам тогда кто-нибудь слово жалости к нам и вырази упрек — той же Лёре, что не стала нам воспитателем, — мы, девочки со странностями, ответили бы: «Воспитывать? А зачем? Чтобы на роль классной дамы Лёра отдала свою жизнь?» И мы нежно и скрытно, по-прежнему, совсем так же любили Лёру, ходили на огонек в ее флигель, к ней и ее революционным друзьям». И чуть дальше: «Возле Лёры помню я смутно ее подруг. Помню тени каких-то мужчин в русских рубашках, с пышными волосами — тип революционной молодежи того времени. Звали они друг друга «товарищ», говорили о каких-то собраниях. Все это зажигало Марусю, мне же было невнятно, при мне не все говорилось». Ни о каких Лёриных насмешках Анастасия Ивановна не вспоминает. (*Примеч. переводчика.*)

каникул, придя всего на несколько дней домой, начинающие конспираторы охотно принимали ее в свою компанию. И получалось, будто рядом с официальной семьей, живущей в Трехпрудном переулке, существует и еще одна, тайная. Пылкость и убежденность новых друзей оказались заразительны. После этих бурных политических дебатов Марина приносила в гимназию фон Дервиз революционный дух, и это раздражало начальство, ему такая ученица была нежелательна, терпеть ее не хотелось. Девочку осыпали упреками за то, что приносит в учебное заведение опасные книги, за то, что произносит «зажигательные» речи перед одноклассницами в перерывах между занятиями, за то, что дерзко отвечает на любое замечание. Критикуя все подряд, противопоставляя себя окружающему и окружающим. И действительно, дух противоречия был у нее необычайно силен. Марина, похоже, старалась создать ощущение, будто стремится стать сиротой в целой вселенной. Однажды, когда директриса в очередной раз отругала девочку за непослушание, Марина выкрикнула ей в лицо: «Горбатого могила исправит! Не пытайтесь меня уговорить. Не боюсь ваших предостережений, угроз. Вы хотите меня исключить — исключайте! Пойду в другую гимназию — ничего не потеряю. Уж привыкла кочевать. Это даже интересно — новые лица...»[1]

Когда весной 1907 года профессор Цветаев вернулся домой из клиники, его попросили забрать из интерната дикарку-дочь, которая не

[1] Анастасия Цветаева. «Воспоминания». (*Примеч. автора.*)

упускает ни единого случая взорвать установленный порядок и произнести проповедь, подталкивающую других учениц к мятежу.

Однако идеологические диверсии в гимназии не были — далеко не были! — единственным и главным занятием Марины. Даже мечтая мощным ударом сотрясти устои общества, она продолжала жадно поглощать книги — все подряд, любые, какие попадали под руку, — и сочинять стихи, в которых чувствуется явственный отпечаток юношеской сентиментальности. Некоторые из стихотворений ей случалось прочесть сестре, некоторые — друзьям, и ей приятно было слушать комплименты. Но настоящее удовлетворение она получала не от этого, истинное вознаграждение заключалось не в этом, — оно было интимным, тайным от всех: ощущение того, как ход мыслей в ней согласуется с музыкой слов. Она не ожидала от своих стихов ничего другого, кроме наслаждения, которое они дарили ей, когда, сидя одна над листом бумаги, с пером в руке, чуть склонив голову набок, она чувствовала, как вдруг приходят к ней рифмы и как становятся послушны ей.

Однако никто не может жить только в мечтах, миражах... После того как Марину исключили из гимназии фон Дервиз, Иван Владимирович записал ее в другую — гимназию Алферовой. На этот раз без всякого пансиона, и девочка проводила много времени в Трехпрудном. Иногда она прогуливала уроки и, пока отец был дома, уединялась на чердаке, куда Ася приносила ей пальто или шаль, и она запойно читала, кутаясь в них. А свободные вечерние часы отдавались тому же занятию или писанию стихов в собственной Марининой маленькой комнатке — прежде принадлежавшей Андрею. Ей казалось, будто именно в этих четырех стенах ее дух лучше всего концентрируется и воспламеняется. Чем больше великих писателей она узнавала, тем сильнее стремилась походить на них. Ей чудилось, что нет большего счастья для человеческого существа, чем сравниться гением с Пушкиным, Гёте, Шиллером... Может быть, она думала, что, не будучи способной соблазнить кого бы то ни было своими физическими данными, она должна рассчитывать только на талант, чтобы вызвать восхищение толпы?

Ей исполнилось пятнадцать, и она была крайне недовольна своей внешностью: казалась себе слишком громоздкой, толстой, ненавидела свои круглые щеки, свои прямые волосы, свои неловкие жесты, наконец — близорукие глаза, которые словно плавали в пространстве в поисках точки, на которой остановить взгляд. Всякий раз, проходя мимо зеркала и случайно заглянув в него, девочка испытывала к себе отвращение. И это отвращение к себе самой, этот отказ от себя самой принимал такие размеры, что Марина ощущала себя великомученицей, если вынуждена была подвергнуться обстрелу взглядов и возможному обсуждению другими людьми. «Мученье стесняться было почти не под силу, — пишет Анастасия Цветаева в своих «Воспоминаниях», — войти в чью-то гостиную, где люди, в сеть перекрестных взглядов, под беспощадно светлым блеском ламп, меж ненавистных шелковых кресел, ширм, сто-

лов под бархатной скатертью — было почти сверх
сил».[1]

А сама Марина расскажет об этом двойном
чувстве — желании бросить вызов и тоске — в
одном из первых своих стихотворений:

> Гордость и робость — родные сестры,
> Над колыбелью, дружные, встали.[2]

В то время как Анастасия, девочка покладистая,
с равным спокойствием принимала как школь-
ную муштру, так и дружеские отношения с одноклассницами, Марина замыкалась в крепости
своих фантазмов и поэзии.

Конечно, она иногда соглашалась принять учас-

---

[1] Эта цитата взята произвольно из главы, относящейся совсем
к другому времени — к 1909 году, и в ней говорится не о том, что
Марина ненавидела свою внешность, а о том, как она ненавидела
свою застенчивость. Не случайно начинается этот абзац в «Воспоминаниях» словами: «Взрывы гнева — это была стихия, Маринина.
Другая стихия — застенчивость» а заканчивается (после приве-
денного выше текста) такими: «Окаменев, готовая разорвать себя
за то, что **снова** покраснела до корней волос, она шла как на казнь,
с недвижимым — ни один мускул! — лицом, опустив глаза, почти
прекрасная в эти минуты!.. О если б она подняла глаза! В них было
бы что-то от взгляда древней Медузы. Белая раскаленность презре-
нья! Замученность чуждостью окружающего. Стать! Моя дорогая
Марина...» Что же касается отношения подростка Марины к своей
внешности, то и об этом можно было найти свидетельство младшей сестры, но гораздо раньше. Когда кто-то из знакомых сказал
при Марине вполголоса, что она напоминает Ольгу из «Евгения
Онегина», весьма неудачно начав «Кругла, красна лицом она...» —
Марина действительно вспыхнула, а Асе стало больно за нее:
«Какой это был удар по Марининой тайной ране — по ее страда-
нию о не той наружности, какую она хотела! Она ненавидела свою
розовость, свой здоровый вид, свое крепкое ширококостное тело
(толстой она никогда не была)». (*Примеч. переводчика.*)

[2] Прямо скажем, совсем не ранние стихи: они написаны 21
сентября 1921 года, Марине Ивановне под тридцать... (*Примеч.
переводчика.*)

тие в болтовне[1] младшей сестры с ее подружками, среди которых чаще других бывали в доме Аня Калин и Галя Дьяконова.[2] Но только зрелая женщина, на долгие года ставшая другом семьи, зубной врач Лидия Тамбурер сумела проникнуть сквозь защищавший Марину панцирь недоверия и надменности.

Свободно беседуя с этой уравновешенной и рассудительной женщиной, Марина временами ощущала, будто нашла в ней мать и советчицу. Шестнадцатилетней Марине удалось даже[3] позабыть о своих революционных страстях, чтобы окунуться в новую страсть, на этот раз — менее опасную: роясь в исторических трудах ради каких-то справок, она открыла там персонажа, который показался ей достойным фанатического обожания, — Наполеона! Его характер, темперамент, его труды и дни, все, что происходило с французским императором — вплоть до трагического конца жизни, безумно волновало ее. Для Марины не имело значения то, что когда-то он пошел войной на Россию и именно из-за него пали на полях сражений многие тысячи ее соотечественников, для нее это был сверхчеловек, заслуживающий того, чтобы все народы мира опустились перед ним на колени. Она с энтузиазмом

---

[1] Тут необходимо уточнение: Аня Калин в оригинале названа Алей, а кроме того — и разговоры сестер Цветаевых с этими девочками не были «болтовней» («мы водили Галю по нашему детству...», «воскресные свидания с Аней и Галей стали нашими счастливыми днями», — пишет в «Воспоминаниях» Анастасия Ивановна, ни безразличия Марины к одноклассницам Аси не было — там же говорит о том, как сильно Марина любила этих сестриных подруг и как была близка с ними. (*Примеч. переводчика.*)

[2] Галя (Гала) станет потом подругой Поля Элюара, а затем — женой Сальвадора Дали. Она умрет в 1981 году. (*Примеч. автора.*)

[3] Какая тут связь с Драконной, то есть с Лидией Александровной Тамбурер, остается неясным. (*Примеч. переводчика.*)

погрузилась в перевод на русский язык «Орленка» Эдмона Ростана[1]. Судьба герцога Рейхштадтского, страстно любимого французами и отданного на съедение австрийцам, заставляла ее заливаться слезами. «Кого из них она любила сильнее — властного отца, победителя стольких стран, или угасшего в юности его сына, мечтателя, узника Австрии? Любовь к ним Марины была раной, из которой сочилась кровь... Поглощенность Марины судьбой Наполеона была так глубока, что она просто *не жила* своей жизнью... Ни одна из жен Наполеона, ни родная мать его сына, быть может, не оплакали их обоих с такой страстной горечью, как Марина в шестнадцать лет!» — рассказывает ее сестра.[2]

Никогда не знавшая меры в своих суждениях, юная Марина Цветаева не задумываясь брала сторону тех, кто казался ей пострадавшим в раздорах, приведших к распаду семьи Его Величества. Она любила первую жену Наполеона — чувственную и кокетливую Жозефину — и ненавидела мать Орленка, Марию-Луизу, за жирное тело и предательство в последний час. Гордясь своим переводом драмы Ростана, она читала готовые, на ее взгляд, куски только самым близким людям. А затем, узнав, что уже существует другой перевод

---

[1] Исследовательница жизни и творчества М. И. Цветаевой И. Кудрова также считает, что «взрыв бонапартизма», как назвала эту свою страсть сама Цветаева в анкете, заполненной для газеты «Дни» в 1924 году, пришедшийся на 1908 год, связан с ее увлечением Сарой Бернар, вот только у всех трех авторов, рассказывающих об этом периоде, даты не совпадают. Последний спектакль «Орленка» был дан 27 декабря 1908 года, Саре Бернар было тогда 64 года, и она была в восторге от того, как ее принимала московская молодежь. (*Примеч. переводчика.*)

[2] Анастасия Цветаева. «Воспоминания». (*Примеч. автора.*)

«Орленка», бросила работу незаконченной и потеряла к ней всякий интерес. Но культ великого человека по-прежнему жил в ее душе, и это он пробудил в Марине фантазию — она решила оформить свою комнату в стиле ампир. Оказалось, что сделать это не так уж просто: в магазинах Москвы никак не удавалось найти обои с нужным орнаментом. И тогда, огорчившись тем, что императорских «пчелок» в продаже нет, она — за неимением лучшего — довольствовалась тем, что превратила стены и потолок («небо» — называет его Анастасия в своих «Воспоминаниях») своей комнаты в темно-красные, усыпанные мелкими золотыми звездочками. Зато в специализированных книжных лавках и магазинах города, по ее просьбе заказывавших во Франции товары, она смогла приобрести целое собрание живописных и графических изображений своего идола. «Стены ее комнаты были увешаны его портретами и гравюрами Римского короля, герцога Рейхштадтского... Полдня запершись в своей узенькой комнатке, увешанной гравюрами и портретами, окруженная французскими книгами, она с головой уходила в иную эпоху, жила среди иных имен.

«Все, что удавалось достать о жизни императора Франции, все превратности его судьбы, было прочтено ею в вечера и ночи неотрывного чтения, — пишет младшая сестра. — Она входила ко мне и читала вслух, половину уже наизусть зная, оды Наполеону Гюго, показывала вновь купленную гравюру — Наполеон на Св. Елене, перевешивала на стену у своего стола овальный портрет герцога Рейхштадтского, знаменитый портрет Лоренса — нежное личико мальчика лет девяти, с грациозной благожелательностью и с недетской печалью глядящее из коричневатых волнистых туманностей рисунка, словно из облаков». Марина дошла даже до того, что заменила в красном углу, предназначенном для святых образов, древнюю и почитаемую в доме икону изображением — о какое надругательство! — великого завоевателя-корсиканца.[1] Обнаружив это святотатство, отец возмутился, разгневался. Но она стояла на своем и продемонстрировала явное пренебрежение отцовским негодованием с таким неистовством, какого даже от нее никто не мог ожидать: она схватила тяжелый подсвечник и стала размахивать им как оружием. Для нее Наполеон стоил всех святых православного мартиролога.

Это, конечно, был жест отчаяния, но на самом деле даже за нежно любимым — таким добродушным, таким ученым, таким прямым и справедливым — отцом Марина не хотела признать права руководить своей жизнью. Ей не было еще и семнадцати, когда она внезапно вбила себе в голову отправиться во Францию, рассчитывая там учиться в Alliance Française[2] и следить за сообщениями из Сорбонны, касавшимися средневековой литературы. Растерянному и взволнованному профессору Цветаеву не хватило отваги противиться этой блажи. Зато близкие семье люди не уставали стонать: «В Париже! Одна!.. Шестнадцатилетняя девушка!.. В этом ужасном городе!.. Этот

---

[1] Вся эта история (вот только не шла речь о замене некоей почитаемой иконы, а о том, что Марина вставила портрет Наполеона в киот) произошла, судя по «Воспоминаниям» А. Цветаевой, гораздо позже, уже после того, как Марина вернулась из Франции. (*Примеч. переводчика.*)

[2] Летние курсы, где проходили русскую литературу. (*Примеч. А. И. Цветаевой.*)

бедный отец, он уже не знает, что он делает!.. Всегда занятый своим Музеем...»[1]

Прибыв в Париж, Марина сразу же решила отдать себя под покровительство и защиту, пусть символическую, своего «полубога». Для этого ей взбрело в голову хотя бы поселиться на улице, носящей имя Наполеона. Но такой не оказалось в этом неблагодарном городе. Вдруг повезло: кто-то сказал ей, что существует улица Бонапарта. Что ж, все лучше, чем ничего! И повезло вдвойне: еще и удалось снять комнату на этой узенькой улочке, битком набитой книжными лавками и антикварными магазинами. Некоторое время девушке нравилась бурная жизнь французской столицы. Она бегала по музеям и библиотекам, осматривала памятники. Но истинной целью путешествия все-таки было посещение театра и знакомство с несравненной Сарой Бернар в роли Орленка. Она ходила на все представления пьесы Ростана, после каждого спектакля пробиралась за кулисы и умоляла великую актрису подписать ей фотографию. Трижды возобновлялись эти попытки, удивлявшие даже ее самое упорством. Наверное, такая дерзость была продиктована любовью к Наполеону. Когда эта восторженная зрительница в последний раз предстала перед актрисой, Сара Бернар выразила недовольство снимком, который девушка ей протянула и на котором она показалась себе старой и плохо причесанной. В раздражении актриса написала на фотографии всего три слова: «Это не я!» и неохотно подписалась. Но Марина

[1] Вообще-то на самом деле так причитала только Тьо, обожавшая «Мунечку и Анечку» бывшая экономка дедушки девочек по матери, бывшая бонна Марии Александровны, после замужества последней обвенчавшаяся с А. Д. Мейном. См. «Воспоминания» А. И. Цветаевой. (*Примеч. переводчика.*)

почувствовала себя совершенно удовлетворенной. Теперь, когда у нее было все, чего ей хотелось, она стала испытывать в этом чужом городе только одиночество и тоску. Ей чудилось, будто бы все прохожие, какие попадаются ей на улицах, интересуются только любовью, работой и деньгами! И у всех у них это есть, только у нее нет ничего! Свою ностальгию и нравственную опустошенность она выразила в стихах, названных «В Париже»:

Дома до звезд, а небо ниже,
Земля в чаду ему близка.
В большом и радостном Париже
Все та же тайная тоска.

Шумны вечерние бульвары,
Последний луч зари угас,
Везде, везде всё пары, пары,
Дрожанье губ и дерзость глаз.

Я здесь одна. К стволу каштана
Прильнуть так сладко голове!
И в сердце плачет стих Ростана
Как там, в покинутой Москве.

Париж в ночи мне чужд и жалок,
Дороже сердцу прежний бред!
Иду домой, там грусть фиалок
И чей-то ласковый портрет.

Там чей-то взор печально-братский.
Там нежный профиль на стене.
Rostand и мученик Рейхштадтский
И Сара — все придут во сне!

В большом и радостном Париже
Мне снятся травы, облака,
И дальше смех, и тени ближе,
И боль как прежде глубока.[1]

---

[1] Стихотворение написано в Париже, в июне 1909 года. (*Примеч. переводчика.*)

А пока Марина тайно и смертельно тосковала в Париже, ее отец в России переживал профессиональную[1] драму. Внезапно обнаружилось, что ряд гравюр, выдававшихся только доверенным читателям в особом зале для чтения Румянцевского музея, директором которого был профессор Цветаев, похищены. Министр просвещения А. Н. Шварц, который — в ответ на помощь, оказанную ему когда-то, в бытность его, одновременно с Цветаевым, студентом университета, — Ивана Владимировича ненавидел, назначил расследование, ревизию, поручив все это не сведущему в искусстве и науке человеку. Началась травля Цветаева. Какой только клеветы о себе он не наслушался, чего только не писали газеты! Вот только один образчик: разве не сотрудник или родственник профессора оказался мошенником? Когда Марина вернулась домой после нескольких месяцев пребывания в Париже, никакой ясности в деле еще не было. Однако, возмущаясь тем, что ее отца подвергли несправедливым подозрениям и самолюбие его как ученого было уязвлено, она не придавала такого уж большого значения всем этим служебным неприятностям.[2] Любопытно, что именно в то время, когда девушка была оторвана от родины, в ней снова проснулось прежнее желание активно участвовать в развивающемся в России интеллектуальном движении. Едва приехав домой, она вспомнила, что еще до отъезда во Францию познакомилась с литератором Львом Льво-

---

[1] Кража была обнаружена в январе 1909 года. (*Примеч. переводчика.*)

[2] Опять же — утверждение на совести автора: сестра пишет иначе. (*Примеч. переводчика.*)

вичем Кобылинским[1], известным под псевдонимом Эллис. Вспомнила, как он хвалил прочитанные ею при нем фрагменты ее перевода «Орленка». Несмотря на то что немало времени утекло после их последней встречи в Трехпрудном, черты этого удивительного человека так и остались запечатлевшимися в памяти, сохранившей мельчайшие детали: тридцатилетний мужчина, худой как жердь, с редкими черными волосами на почти лысом черепе, с зеленым пламенем в глазах и такими красными губами, будто они испачканы кровью. Был он колдуном или вампиром, а может — обоими сразу? Жил Эллис бедно, питался от случая к случаю в гостях и видел спасение только в литературе. По слухам, он готовился вместе со знаменитым поэтом Андреем Белым выпускать новый журнал «Мусагет»[2]. А значит, было бы важно восстановить контакт с ним? Преодолев свою обычную нерешительность, Марина Цветаева пригласила Эллиса к себе. Он тут же примчался. И сразу же началось колдовство. Он всё читал, все старые и все новые книги, он знал наи-

---

[1] Не следует путать его с Владиславом Кобылянским по прозвищу Тигр, о котором говорилось в первой главе. (*Примеч. автора.*)

[2] М у с а г е т — мифологическое прозвище предводителя муз Аполлона (*Примеч. автора*). Это, в общем, верно, хотя не прозвище, а просто перевод с греческого слов «предводитель муз». Однако «Мусагет» был не журналом, а символистским издательством, и издательство это было основано в 1909 году Э.К.Метнером при активном участии Белого и Эллиса и работало в 1910—1917 (1914?) годах. Там — в единственном коллективном поэтическом сборнике «Антология» (июнь 1911) — были опубликованы два стихотворения Марины Цветаевой, видимо отданные «Мусагету» по просьбе Эллиса. Кроме книгоиздания, «Мусагет» занимался еще и проведением разного рода публичных мероприятий — лекции, собрания кружков, вечера, — и Марина довольно часто там бывала. (*Примеч. переводчика.*)

зусть сотни стихотворений, он был «на ты» с самыми великими поэтами своего времени и просто-таки фонтанировал забавными историями из жизни литературных кругов Москвы и Санкт-Петербурга. Анастасия, которая присутствовала при этих встречах, тоже была очарована словоохотливым и вдохновенным гостем. Отныне каждый вечер Эллиса можно было видеть за столом у Цветаевых.[1] Совестливый нахлебник, он расплачивался за еду афоризмами и анекдотами. Но если две молоденькие девушки наслаждались обществом Эллиса, их отец сожалел об этом знакомстве и опасался влияния, которое «этот декадент с левыми идеями» оказывал на дочерей. Он боялся также, как бы Эллис не оборвал нити, связывавшие его с детьми, и не вовлек их в среду московской богемы.

И вдруг — новая буря. Постоянному гостю Цветаевых, а рикошетом — и самому профессору было предъявлено тяжелое обвинение. Некоторые враги директора Румянцевского музея заявили, что есть доказательства преступно небрежного отношения его к наблюдению за читальными залами, в результате чего «протеже» профессора смог вырвать многие страницы из библиотечных книг, чтобы использовать их в собственных работах. Но из других источников информации (от людей, близких к семье Цветаевых) можно понять, что, вполне вероятно, Цветаев сам спровоциро-

---

[1] Все, о чем здесь говорится, происходило — правда, не совсем так — **до** поездки Марины Цветаевой во Францию. То же относится и к дальнейшему. Труайя ухитряется так перепутать все во времени, что трудно даже приблизительно восстановить хронологию событий. Остается только отослать читателя к произведениям самой Цветаевой и к работам других мемуаристов и исследователей, рассказывающих о жизни Поэта более правдиво. (*Примеч. переводчика.*)

вал это преступление, чтобы положить конец близости Эллиса с Мариной и Анастасией. Главное — история попала в газеты, причем информация о содеянном сопровождалась уничижительными комментариями в адрес «обвиняемого», и министр просвещения воспользовался этим как поводом для новой атаки на Цветаева, от которого столь долго мечтал освободиться. В сознании Шварца дело об испорченных книгах немедленно и прочно связалось с делом об украденных гравюрах.

Пойманный с поличным, опозоренный Эллис перестал бывать в «трехпрудном» доме. Но не перестал думать о его юных обитательницах, которые так запали ему в душу, и в конце концов, поставив все на карту, написал Марине любовное письмо с предложением выйти за него замуж. Поскольку не могло быть и речи о том, чтобы лично передать это послание в собственные руки девушки, раз уж профессор запретил Льву Львовичу приближаться к дому, он поручил сделать это своему лучшему другу — поэту Владимиру Нилендеру.

Марина приняла посланца в своей маленькой комнатке, Ася присутствовала при встрече. Атмосфера, несмотря на то что гость был нежданным и не знакомым до сих пор юным девушкам, сразу же стала сердечной и исполненной искренности. Троица обменивалась заветными мыслями, они признавались друг дружке в самых честолюбивых помыслах, они лелеяли самые химерические проекты... Наступила ночь, но она не прервала увлекательной беседы. На рассвете Нилендер охватил голову руками и простонал: «Марина! Ведь Лев-то [Эллис] ждет меня! Что я должен сказать ему?» Марина вздрогнула: предложение руки и сердца, содержавшееся в письме Эллиса, показалось ей настолько несуразным и нелепым, что она и думать о нем забыла. Но в тот же момент поняла: Нилендер тоже без памяти влюбился в нее, и теперь он мечтает на ней жениться! Будучи в течение долгого времени убежденной, что она — такая, как есть — не способна привлечь внимание мужчин, Марина внезапно оказалась осаждаемой двумя претендентами на ее руку! И была одновременно польщена и раздосадована этим. Разве нельзя любить одними лишь душами, не примешивая сюда тела? Мысли ее путались, но она решительно отвергла оба предложения, как Эллиса, так и Нилендера, заметив, впрочем, что только тогда, когда человек покидает ее, он становится для нее незаменимым. Когда его нет на глазах, она может думать и мечтать о нем, не боясь разочарований. Исчезая из поля зрения, он остается в сердце украшенным поэтической ложью памяти. Во все времена, думала Марина, отсутствующие были более дороги ей, чем присутствующие.[1]

Однако вся эта путаница, сложная ситуация, в которую попала юная девушка, настолько потрясла ее, что, стремясь хоть чуть-чуть успокоить нервы, она начала курить. И даже собиралась убить себя, чтобы разом покончить с непредвиденными случайностями этой бесполезной жиз-

---

[1] Оставляю без комментариев весь пассаж Труайя о визите Нилендера в дом Цветаевых, равно как и следующие — о причинах того, почему Марина начала курить, а главное — пыталась (или НЕ пыталась) кончить жизнь самоубийством, но настоятельно прошу читателя все-таки прочесть, что по этому поводу пишут Анастасия Ивановна, Марина Ивановна и более вдумчивые исследователи жизни и творчества великого Поэта. (*Примеч. переводчика.*)

ни. Тем временем расследование абсурдного дела о Румянцевском музее вяло продолжалось, и профессор Цветаев потихоньку сходил с ума от раздражения. Не в силах прийти ему на помощь, старшая дочь могла только жалеть отца и оплакивать себя самое.

Единственным лучиком света в этом царстве теней стала мимолетная встреча: в книжном магазине Вольфа на Кузнецком мосту Марина увидела у прилавка знаменитого поэта Валерия Брюсова. И услышала, как он говорит продавцу: «Дайте мне «Chanteclair...a», хотя я и не поклонник Ростана!». Презрительные слова были для Марины как пощечина. Вернувшись домой, она написала мэтру письмо, в котором, защищая своего любимого автора, утверждала, что он — гений, потому что стихи его помогают переносить все уродство существования.[1] Брюсова позабавило[2] это кредо девической веры, и он ответил своей корреспондентке, что его мнение о Ростане на самом деле куда сложнее, чем может показаться. Кроме того, он выразил желание познакомиться с юной и пылкой читательницей французской литературы. Несмотря на страстное желание установить контакт с человеком, талантом которого она восхищалась и критики которого опасалась, Марина на письмо не ответила. Может быть,

Анри Труайя

[1] Письмо от 15 марта 1910 года. (*Примеч. автора.*) Остается добавить, что Марина отказала Нилендеру в декабре 1909-го, а точная цитата из письма Брюсову звучит так: «Для меня Rostand — часть души, очень большая часть. Он меня утешает, дает мне силу жить одиноко...» Слово «гений» не звучит ни разу, речь идет о глубоко личном отношении к французскому поэту... (*Примеч. переводчика.*)

[2] Из ответа вовсе не сделаешь вывод, что письмо Марины Брюсова «позабавило». См. очерк М.Цветаевой «Герой труда». (*Примеч. переводчика.*)

потому еще, что опыт общения с Эллисом и Нилендером стал для нее уроком? Она не считала себя достаточно взрослой и зрелой, чтобы столкнуться с миром писателей, которые печатаются, продают свои книги и обсуждаются в газетах. Впрочем, ей все равно вот-вот[1] нужно было уезжать вместе с сестрой из России в поездку по Германии, куда профессор Цветаев отправлялся в связи с делами своего Музея, который еще стоял тогда в строительных лесах.

Отец занимался делами в Дрездене, дочери поселились на находившемся поблизости от Дрездена горном курорте Вайсер Хирш, в семье пастора, страстно влюбленного в музыку. Во время своего короткого пребывания в Германии Марина успела углубить познания в немецком, с головой погрузиться в Гёте, который, по ее мнению, превосходил Толстого[2], и сделать открытие: оказывается, Германия, исполненная достоинств, вполне могла бы быть ее второй родиной... Но тут, 13 июня 1910 года, профессор Цветаев получает из Москвы известие о том, что по результатам расследования его отстраняют от должности директора Румянцевского музея.[3] Министр просве-

---

[1] Поездка состоялась летом 1910 года, так что времени на встречу хватило бы... Дело было не в этом. (*Примеч. переводчика.*)

[2] Непонятно, откуда эти сведения у Труайя: первое упоминание о Гёте в письмах Марины Цветаевой относится к 1913 году, ни в чьих мемуарах ничего подобного не сказано! А среди любимых поэтов в этот период Марина называет, кроме Ростана, Гейне, Гюго, Ламартина и Лермонтова. (*Примеч. переводчика.*)

[3] Самое подлое во всей этой ситуации было то, что Иван Владимирович узнал об отставке из газеты: информация была напечатана в «Московском вестнике», как пишет в «Воспоминаниях» Анастасия Цветаева, в таком виде: ввиду увольнения со службы директора министерство народного просвещения распорядилось о передаче музейного имущества и дел хранителю музея такому-то. (*Примеч. переводчика.*)

щения Шварц добился-таки своего. Оскорбленный Цветаев, пусть и с душевными муками, выносит удар и готовит докладную записку в свою защиту. Догадываясь об охватившем отца отчаянии, Анастасия решила остаться с ним в Германии до тех пор, пока дело не закончится полным его оправданием и восстановлением справедливости. Зато Марина поторопилась вернуться в Россию, чтобы оказаться в Москве к тому времени, когда начнется новый учебный год в гимназии.

Она отправилась в путь ближе к концу лета и заранее радовалась тому, что скоро окажется в привычной обстановке и вернется к обычаям своего детства.[1]

Но от одинокой жизни в московском родительском доме у нее только сильнее сжималось сердце. Когда она вошла в пустые комнаты, ей почудилось, будто мать умерла только вчера, умерла второй раз. И ей внезапно очень захотелось, чтобы отец и сестра вернулись как можно скорее. Однако, вернувшись, профессор с головой окунулся в дела по своей реабилитации, требуя от властей разобраться в запутанной ситуации с Румянцевским музеем, а кроме того, был слишком занят работами, связанными с открытием Музея изящных искусств, чтобы заниматься дочерьми.

---

[1] По Труайя, Марина получается бесчувственной донельзя. И как было на самом деле? К концу лета обе девочки (впрочем, уже девушки: почти 16 и почти 18 лет) собирались в Россию; сначала они втроем с отцом, приехавшим из Дрездена в Вайсер Хирш, совершили пешую прогулку по Саксонской Швейцарии, после чего действительно одна только Ася поехала с Иваном Владимировичем по музейным делам в Магдебург и Виттенберг, и вот что она об этом пишет: «Как случилось, что в Магдебург и Виттенберг я поехала с папой одна? **Почему** не поехала Марина? Может быть, за ней — так как пора было в гимназию — заехал Андрей?». (*Примеч. переводчика.*)

Рвение, с которым он пытался обелить свое имя, очистить себя от всяких подозрений, и силы, вложенные в шедшее параллельно создание новой национальной сокровищницы, дали свои плоды: несколько месяцев спустя Цветаев выиграл дело, он был окончательно освобожден от беспочвенных обвинений и назначен почетным директором Румянцевского музея. Но сколько же за это время он пережил унижений, сколько ему пришлось предпринять, чтобы защитить свою репутацию ученого, да просто — порядочного человека! Дочери сочувствовали Ивану Владимировичу, переживали все волнения вместе с ним, но не могли ничем помочь ему в борьбе против злобных клеветников. Да и слишком много было у девушек собственных проблем. Куда более серьезные события оттеснили для них на второй план несчастья отца. В октябре 1910 года было объявлено о смерти Льва Толстого на маленькой железнодорожной станции Астапово, где он скрывался, убежав из дому, от семьи. Это известие потрясло всю Россию.

Чтобы отдать последний долг писателю, которого сестры Цветаевы любили, и человеку, чьими идеями восхищались, девушки решили отправиться в паломничество к имению Толстого — Ясной Поляне. Здесь должны были состояться его гражданские похороны — отлученного от церкви за антиклерикальную позицию писателя нельзя было хоронить так, как положено по обряду.

Несмотря на запреты отца, опасавшегося столкновений с полицией во время церемонии, Марина и Ася, незаметно скрывшись из дома в назначенный день, присоединились к тысячам людей, устремившихся на вокзал, и протиснулись сквозь толпу людей осаждавших вагоны. После изматывающего путешествия Марина и Анастасия достигли наконец цели — ноги у них окоченели, зато сердца горели энтузиазмом. Они видели, как прибыл поезд с телом Льва Николаевича, проследовали с процессией, которая сопровождала гроб до дома покойного, несколько часов простояли в очереди с незнакомцами, чтобы войти в комнату, где покоился великий человек — спокойное лицо, на котором написано безразличие ко всему, такой мог бы быть крестьянином... Анастасия изложила свои впечатления так: «... в черной рубашке, очень желтый, очень знакомый, только худее, с белой бородой, Лев Николаевич... Проходя, многие крестились. В комнате икон не было — на него? В этой комнате он писал «Войну и мир». Нежданная тишина в нем, бурном: он молчал. Никогда не молчавший!»[1]

Возвращение сестер в вагоне третьего класса было ужасным. Они были совершенно разбиты, умирали с голоду, но горды тем, что воздали почести писателю, который все детство учил их мечтать и у которого хватило мужества противостоять официальным представителям религии и порядка.

После этой героической экспедиции Марина, вновь вернувшаяся к своему одиночеству, к своим колебаниям, к сомнениям, вдруг решила возобновить отношения с Нилендером, с которым не виделась со времени загадочной интриги с предложением руки и сердца. Но ей не хотелось снова призывать его к себе письмом — казалось, это будет выглядеть чересчур банальным, да и неловким жестом. Поэтому она надумала послать ему сборник стихов, который возьмет да напечатает в типографии за свой счет. Стоимость операции ее не смущала и не могла сдерживать. Профессор Цветаев не был не только прижимистым,

---

[1] Анастасия Цветаева «Воспоминания». (*Примеч. автора*).

но даже и экономным, и Марина брала из отцовской шкатулки с деньгами столько, сколько ей было нужно. Поблизости от дома как раз оказалась типография Мамонтова. Марина передала ее сотрудникам подборку стихотворений, написанных в последнее время, и сделала заказ: напечатать пятьсот экземпляров книжки. Она всегда была скрытной и подозрительной, поэтому никому ничего не рассказала о своем проекте. Пока печатался сборник, девушка — как примерная школьница — вернулась в гимназию. И никто пока и помыслить не мог, какие грядут события.

Увидев готовую книгу, Марина испытала некоторый прилив тщеславия. Достаточно ли быть напечатанной, чтобы заявить себя поэтом? Двести двадцать шесть страниц. Название, набранное жирным шрифтом: «Вечерний альбом». Пониже — более мелко — можно прочесть заголовки разделов: «Детство», «Любовь», «Только тени». И действительно, здесь можно найти отголоски всех ее детских заблуждений, всех метаний подростка. Чтобы подчеркнуть свою склонность к огненно прожитой жизни и преждевременной смерти, Марина посвящает сборник Марии Башкирцевой, романтичной русской девушке, которая жила во Франции в конце прошедшего века, издала «Дневник» пронзительной искренности и угасла в двадцать четыре года.[1] Одержимая идеей

---

[1] Мария Башкирцева была не просто романтичной, рано умершей девушкой, она была, кроме всего, еще и художницей и более чем неординарной личностью. Марина не только наверняка читала ее изданный посмертно (Башкирцева скончалась в 1884 году) «Дневник», ее переписку с Мопассаном, книгу о ней Герро, но и — увлеченная трагической судьбой очень похожей на нее саму девушки — переписывалась с матерью Марии, о чем пишет в «Воспоминаниях» А.И.Цветаева. (*Примеч. переводчика.*)

собственного скорого ухода из жизни, Марина пишет в стихотворении «Молитва»:

> Христос и Бог! Я жажду чуда
> Теперь, сейчас, в начале дня!
> О, дай мне умереть, покуда
> Вся жизнь как книга для меня.
>
> Ты мудрый, ты не скажешь строго:
> «Терпи, еще не кончен срок».
> Ты сам мне подал — слишком много!
> Я жажду сразу — всех дорог!
>
> Всего хочу: с душой цыгана
> Идти под песни на разбой,
> За всех страдать под звук органа
> И амазонкой мчаться в бой;
>
> Гадать по звездам в черной башне,
> Вести детей вперед, сквозь тень...
> Чтоб был легендой — день вчерашний,
> Чтоб был безумьем — каждый день!
>
> Люблю и крест, и шелк, и каски,
> Моя душа мгновений след...
> Ты дал мне детство — лучше сказки
> И дай мне смерть — в семнадцать лет!

А в действительности, когда «Вечерний альбом» — носитель этой мольбы о смерти — вышел из печати, Марина, искренне считавшая себя искушенной, разочарованной в жизни, отчаявшейся, столь же искренне, пусть и помимо воли, мечтала, чтобы ее первую книгу заметили, чтобы ею восхитились, чтобы взволнованный Нилендер прочел ее, чтобы будущее, освещенное поэзией, улыбнулось им обоим.

III

ДЕБЮТ В ПОЭЗИИ — ДЕБЮТ В ЛЮБВИ

Если верить Пушкину, русский народ опьянен поэзией. Музыка и стихи столь же незаменимы для его слуха, сколь воздух родной страны — для его легких. И не зря ту эпоху, в которую начинала творить Марина Цветаева, позже назовут «Серебряным веком поэтического вдохновения». Две столицы Российской империи соперничали в хвастовстве оригинальными талантами. Санкт-Петербург раздувался от гордости, насчитывая «среди своих» Мережковского и Зинаиду Гиппиус, руководивших «философско-религиозным обществом»; Вячеслава Иванова, который управлял «Миром искусства» и «Аполлоном»; других писателей первой величины — таких, как Александр Блок, Николай Гумилев, Михаил Кузмин... Чтобы не отставать, Москва выдвинула вперед кружок «аргонавтов», вдохновляемых Андреем Белым, журнал «Весы», выходивший под диктатом Валерия Брюсова... Соперничество между литераторами было настолько сильно, что практически каждый день приносил новые идеи, новые произведения, поражая несходством тенденций. Только что прозвучало новое имя — поэта с исключительным даром: это была жена поэта Гумилева, печатавшаяся под псевдонимом «Анна Ахматова». Марина Цветаева завидовала шумному успеху сестры по перу, имевшей такую надежную поддержку. Но сама мало того, что не имела никакого опыта, но и вообще не надеялась, что кто-то подставит ей плечо в бурлящей среде интеллектуалов, где товарищество ценилось не меньше, чем гениальность.

От разнообразия стилей русской поэзии той поры, когда Марина решила попытать счастья на этом поприще, могла закружиться голова. По какому же пути следовать, чтобы отличиться? К какой школе примкнуть, если хочешь соответствовать своему времени? То ли позволить увлечь себя потоку неоромантизма, а может быть, прибиться к новым символистам или к декадентам, конкурирующим с французскими собратьями? А ведь есть еще веристы, близкие к народу, к его чаяниям... Есть еще акмеисты, проповедующие совершенство формы и правдивость в самом остром выражении... Вскормленная поэзией Пушкина, Марина Цветаева хотела бы одновременно походить на своего великого предшественника, ставшего для нее образцом, и повиноваться веяниям современной литературы. Но очень скоро поняв бессмысленность битвы между традицией и новациями, она выбрала иное решение проблемы: верить только собственному инстинкту, чтобы петь тем голосом, каким владеет только она.

Когда «Вечерний альбом» попал на прилавки книжных магазинов, она еще прилежно посещала гимназию — была ученицей седьмого класса[1] гимназии Брюхоненко, где, кстати, училась теперь и Анастасия. Никто из окружающих не подозревал, что у гимназистки Цветаевой вышла книга. Даже профессор Цветаев, поглощенный приготовлениями к близкому уже открытию созданного им Музея изящных искусств, не пытался узнать, правдивы ли слухи, согласно которым его старшая дочь намерена посвятить себя литературной карьере. Марина ничуть не страдала от этого заговора молчания вокруг своего первого творения. Наоборот, это ее, скорее, успокаивало. Гордая и застенчивая девушка смертельно боялась, что ее вытащат из тени. Всякая шумиха, любые пересуды наводили на нее ужас.[2]

Однако среди вороха книжной продукции конца 1910 года некоторые критики заметили и небольшую по объему[3] книжечку, написанную

---

[1] Нумерация школьных классов в России была противоположна практикуемой во Франции: ребенок поступал в первый класс, а заканчивал — уже юношей — обучение в восьмом. (*Примеч. автора.*)

[2] Правильное утверждение, если верить только лукавым словам Марины Цветаевой из очерка «Герой труда»: «Ни одного экземпляра на отзыв мною отослано не было...» Но если копнуть чуть поглубже, то станет известно (как известно всякому, кто маломальски знаком с жизнью и творчеством Поэта), что 4 декабря 1910 года она послала «Вечерний альбом» на отзыв тому самому Валерию Брюсову, которому «Герой труда» и посвящен, и тот откликнулся на книжку в печати. Более того, еще в ноябре дебютантка послала один из экземпляров в «Мусагет», а 1-го декабря на очередном проходившем там собрании подарила другой еще незнакомому тогда, но вскоре ставшему другом на всю жизнь Максимилиану Волошину. (Сведения из книги крупнейшего специалиста-цветаеведа А.Саакянц «Марина Цветаева. Жизнь и творчество». А рецензий было довольно много, и все в основном положительные. (*Примеч. переводчика.*)

[3] Напоминаю: 226 страниц, больше ста стихотворений! (*Примеч. переводчика.*)

никому не известной поэтессой, чья фамилия так прелестно напоминала слово «цветок». Валерий Брюсов, сначала воздав должное другому дебютанту, Илье Эренбургу, отметил и многообещающий «Вечерний альбом», высказав, однако, сожаление о том, что в описаниях своей личной жизни автор «расточает понапрасну талант на бесполезные, хоть и элегантные пустяки»[1]. Зато Гумилев в петербургском журнале «Аполлон» утверждал, что скромный сборник заслуживает внимания и симпатии и было бы неверно видеть в нем только «милую книгу девических признаний», тогда как это «книга прекрасных стихов». И, наконец, Максимилиан Волошин в московской газете «Утро России», обозревая женскую поэзию, посвятил «Вечернему альбому» теплые строки, говоря, что он очарован гармонией наивного стиха, который «располагается на границе детства и отрочества»[2].

Никто не сообщил Марине о появлении этой

---

[1] Вот реальная цитата из Брюсова, **основоположника русского символизма** (об этом забывать нельзя!): «Стихи Марины Цветаевой... всегда отправляются от какого-нибудь реального факта, от чего-нибудь действительно пережитого. Не боясь вводить в поэзию повседневность, она берет непосредственно черты жизни, и это придает ее стихам жуткую интимность... Получаются уже не поэтические создания, но просто страницы личного дневника, и притом страницы довольно пресные. Последнее объясняется молодостью автора... Но если в следующих книгах г-жи Цветаевой вновь появятся те же ее любимые герои... — мы будем надеяться, что они станут синтетическими образами, символами общечеловеческого... Мы будем также думать, что поэт найдет в своей душе чувства более острые, чем те милые пустяки, которые занимают так много места в «Вечернем альбоме»... (*Примеч. переводчика.*)

[2] Здесь приходится опять приводить точную цитату, ибо смысл прямо противоположен: «Невзрослый» стих М.Цветаевой, иногда неуверенный в себе и ломающийся, как детский голос, умеет передать оттенки, недоступные стиху более взрослому... «Вечерний альбом» — это прекрасная и непосредственная книга, исполненная чисто женским обаянием». (*Примеч. переводчика.*)

последней[1] рецензии, подписанной тридцатитрехлетним и вполне авторитетным поэтом. Не подозревая о реакции на свою первую книгу, она думала только о том, что надо писать новые стихи, не заботясь ни о своем будущем, ни о будущем своих произведений.

Как-то декабрьским вечером 1910 года в «шоколадном доме» раздался звонок. Марина открыла дверь, думая, что это кто-то из друзей семьи. Но перед ней предстал незнакомец.[2]

«На пороге цилиндр. Из-под цилиндра безмерное лицо в оправе вьющейся недлинной бороды.

Вкрадчивый голос: — Можно мне видеть Марину Цветаеву? — Я. — А я — Макс Волошин. К вам можно? — Очень!

Прошли наверх, в детские комнаты. — Вы читали мою статью о вас? — Нет. — Я так и думал и потому вам ее принес. Она уже месяц, как появилась».[3]

Марина пробегала глазами хвалебную статью, пока Волошин внимательно изучал ее лицо, скрытое очками с толстыми стеклами. Он грузный и тяжело дышит. А может быть, он так же взволнован, как она сама? К ним присоединяется Анастасия. Разговор искрится — словно солью посыпан огонь. Говорят обо всем подряд, но

---

[1] По времени она была как раз первой: 11 декабря 1910 года, все остальные появились уже в следующем году. (*Примеч. переводчика.*)

[2] Да, верно, Цветаева именно так описывает появление у нее Волошина, но мы помним, что незадолго до этого в «Мусагете» она вручила ему свою книгу, то есть в лицо-то знала наверняка. Занимаясь Цветаевой, французскому академику стоило бы помнить, что в ее рассказах истина всегда переплетается с поэтическим вымыслом, что ей, как, кстати, и Максу Волошину, более чем свойственно мифотворчество, и, исходя уже из этого, комментировать события. (*Примеч. переводчика.*)

[3] Марина Цветаева. «Живое о живом». (*Примеч. автора.*)

прежде всего — о литературе. Имена иностранных писателей звучат вперемешку с именами русских литераторов-современников. Когда Волошин удивился, неужели Марине было не любопытно просмотреть прессу после выхода «Вечернего альбома»[1], она призналась: «Я газет не читаю и никого не вижу. Мой отец до сих пор не знает, что я выпустила книгу. Может быть, знает, но молчит. И в гимназии молчат». Улыбнувшись последнему замечанию, гость вежливо поинтересовался: «А что вы делаете в гимназии?», на что получил мгновенный ответ: «Пишу стихи». Волошин сразу же попросил ее прочесть несколько стихотворений. Тронутая его интересом, она повиновалась. Марина читала строфы, где было взвешено каждое слово, голос ее дрожал, глаза горели, она стала почти красавицей. Волошин был покорен, он покинул сестер только поздним вечером.[2] А назавтра прислал Марине стихи, в которых приравнивал их встречу к «чуду»[3]. Что оста-

---

[1] Даже и тут неточность. Волошин спросил: «Неужели вам никто не сказал?» — это черным по белому написано в том же очерке, что процитирован выше. (*Примеч. переводчика.*)

[2] У М. Цветаевой: «пришел в два, ушел в семь». И вообще, вся сцена, конечно, очень трогательная, но непонятно, откуда возникшая. Марина Ивановна вообще ничего не пишет о чтении стихов — только о разговорах («о том, что пишу, как пишу, как люблю...»), Анастасия же Ивановна как раз о чтении стихов говорит много, но о том, как их читал Волошин, свои и чужие, а Марина, наоборот, немножко поиграла на рояле. (*Примеч. переводчика.*)

[3] Не встречу!!! Вот цитата из стихов Волошина: «...Ваша книга — это весть «оттуда»,/Утренняя благостная весть.../Я давно уж не приемлю чуда.../ Но как сладко слышать: чудо есть». Стихи были написаны 2 декабря, то есть на следующий день после того, как Марина подарила Волошину свою книгу, а описанная обеими сестрами встреча состоялась, скорее всего, 22 декабря, если считать первое письмо Марины Максу благодарностью за визит, но может быть, и позже, правда, тогда отпадает версия о неожиданности его первого появления в Трехпрудном. (*Примеч. переводчика.*)

валось делать в таких условиях? Как минимум поблагодарить и пригласить «в старый дом со ставнями», если он «не боится замерзнуть».[1]

Он тут же прибежал.[2] Хотя Волошин был почти вдвое старше Марины, между ними завязалась дружба. Очень скоро он сделался ей настоятельно необходимым благодаря тому, что замечательно знал иностранную литературу и обладал связями в среде русских интеллектуалов.[3] Он мило поддразнивал ее за любовь к Ростану и открывал ей гениев совсем иного масштаба: Гюго, Бодлера, Рембо. Введя ее таким образом в курс дела, чтобы «не отставала от жизни», он ввел ее также — высшая честь! — в редакционную группу журнала «Мусагет»[4], где царила троица: Андрей Белый, Эллис, Нилендер. Она появилась в этом объединении профессиональных литераторов, храня независимый и даже вызывающий вид. Ее манера одеваться — разом эксцентрично и небрежно — позволяла принять ее за цыганку. Унизав все пальцы перстнями, она надеялась тем не менее, что кто-то способен ее не заметить. Как всегда, потребность удивлять боролась в ее душе со столь же властной потребностью отойти в тень. Подоб-

---

[1] Письмо Марины Цветаевой от 23 декабря 1910 года. (*Примеч. автора.*)

[2] Не так уж существенно, но никуда не прибежал: через день прислал книгу Анри де Ренье, которую Марина с негодованием («...как вы решились прислать мне такую мерзость...») отослала назад, и вот только после этого Макс действительно пришел с повинной и с пятью томами «Жозефа Бальзамо» Дюма. Тогда-то по существу и началась их дружба. (*Примеч. переводчика.*)

[3] Опять Марине приписываются корыстные побуждения!!! Тогда как главным и одним из самых дорогих для Марины пристрастий Макса было — «дарить людей друг другу»... (*Примеч. переводчика.*)

[4] Не было журнала, было издательство. (*Примеч. переводчика.*)

ная двойственность поведения тревожила и раздражала тех, кто пытался судить о ней лишь по внешнему облику. Один из сотрудников «Мусагета» Федор Степун записал в своих «Воспоминаниях»: «Было, впрочем, в Марининой манере чувствовать, думать и говорить и нечто не вполне приятное: некий неизничижимый эгоцентризм ее душевных движений. И, не рассказывая ничего о своей жизни, она всегда говорила о себе».[1]

В другом месте Степун, вспоминая разговор с «еще девочкой» Мариной о романтической поэзии — о Гёте, мадам де Сталь, Гёльдерлине и других, — подчеркивает странности этого вечно бодрствующего мозга: «Я... не знаю, чему больше дивиться: той ли чисто женской интимности, с которой Цветаева, как среди современников, живет среди этих близких ей по духу теней, или ее совершенно исключительному уму: его афористической крылатости, его стальной, мужской мускулистости». Марина могла бы смутиться, встретив в редакционном зале «Мусагета» своего прошлогоднего возлюбленного — Нилендера. Ничуть не бывало. Тот, кого она называла теперь «женихом, которого я отвадила», стал для нее незаменимым другом, «братом». Точно так же и второй воздыхатель времен «ученичества», Эллис, который тоже распускал павлиний хвост на встречах в «Мусагете», излечившись от своей смешной страсти, превратился в одного из самых

---

[1] Ф. А. Степун. «Бывшее и несбывшееся», Нью-Йорк, 1956. Цитируется — неточно! — автором по книге Марии Разумовской «Марина Цветаева, миф и реальность». Точные цитаты — эта и приведенная чуть дальше — взяты из сборника «Марина Цветаева в воспоминаниях современников», М., «Аграф», 2002, стр. 101—102. (*Примеч. переводчика.*)

полезных и приятных собратьев по перу. А если Андрей Белый держался, по большей части, сдержанно, то его невеста, Ася Тургенева, талантливая художница и внучатая племянница автора «Записок охотника», страстно привязалась к Марине и буквально оглушала ее комплиментами и любезностями. Мало привычная к проявлениям женской нежности, Марина позволяла восхищаться собою, обожать себя, и удовлетворение, которое она при этом испытывала, раздражало младшую сестру. К тому же Анастасия вскоре совсем перестала интересоваться всеми этими литературными и любовными состязаниями при закрытых дверях. Прошло немного времени, и она открыла, что за наслаждение — кататься на коньках с очаровательным юношей, Борисом Трухачевым, которому было всего семнадцать лет — на год старше ее самой! — но он уже умел так же ловко ухаживать за девушкой и говорить ей массу милых слов, как и скользить по льду.

На следующий год Марина объявила, что уходит из гимназии, ей нечего больше делать среди этих безликих болтушек, и, не дожидаясь конца учебного года, не получив аттестата, громко хлопнула дверью ненужной ей школы. Отец был очень этим расстроен, потому что всегда уважал все и всяческие дипломы. Еще одним способом доказать свою независимость стала для Марины в апреле 1911 года поездка в Гурзуф. Она отправилась одна к берегу Черного моря, на курорт.

Вскоре после приезда в Крым Марину представили матери Волошина, у которой были там свои дома, и она сдавала их туристам. Пожилая дама пригласила Марину бывать у нее запросто, вместе с сестрой, даже отдохнуть несколько недель на живописной вилле в деревне Коктебель у подножия горы Карадаг. Марина пришла в восторг от возможности провести каникулы в таких солнечных краях и поспешила приглашение принять. В Коктебеле ей нравилось всё: синее небо, бесконечное сияние моря, тропическая растительность и разговоры с многочисленными художниками, посещавшими это курортное место. Тем не менее перемена обстановки и общества не мешали ей снова и снова обдумывать собственные любовные неурядицы. Сбежав из Москвы, она все еще пытается проанализировать природу своих отношений с Нилендером. «Об Орфее я впервые ушами души, а не головы услышала от человека, которого — как тогда решила — первого любила, ибо надо же установить первого, чтобы не быть потом в печальной необходимости признаться, что любила всегда или никогда. Это был переводчик Гераклита и гимнов Орфея. От него я тогда и уехала в Коктебель, не «любить другого», а не любить — этого».[1] Марина уточняет эту мысль в письме своему другу Волошину из Гурзуфа от 18 апреля 1911 года: «Я мысленно все пережила, все взяла. Мое воображение всегда бежит вперед. Я раскрываю еще нераспустившиеся цветы, я грубо касаюсь самого нежного и делаю это невольно, не могу не делать! Значит, я не могу быть счастливой? Искусственно «забываться» я не хочу. У меня отвращение к таким экспериментам. Естественно — не могу из-за слишком острого взгляда вперед или назад.

---

[1] Марина Цветаева. «Живое о живом». (*Примеч. автора.*)

Остается ощущение полного одиночества, к<оторо>му нет лечения. Тело другого человека — стена, она мешает видеть его душу. О, как я ненавижу эту стену!

И рая я не хочу, где все блаженно и воздушно, — я так люблю лица, жесты, быт! И жизни я не хочу, где все так ясно, просто и грубо-грубо! Мои глаза и руки как бы невольно срывают покровы — такие блестящие! — со всего.

> Что позолочено — сотрется,
> Свиная кожа остается!

Хорош стих?

> Жизнь — бабочка без пыли.
> Мечта — пыль без бабочки.
> Что же бабочка с пылью?
> Ах, я не знаю.

Должно быть, что-то иное, какая-то воплощенная мечта или жизнь, сделавшаяся мечтою. Но если это и существует, то не здесь, не на земле! Все, что я сказала Вам, — правда. Я мучаюсь и не нахожу себе места...»

Но все-таки, с течением времени, смягчающее все волнения очарование Коктебеля умерило ее сожаления, успокоило мятежный дух, утишило тоску. Ей было хорошо в маленьком многонациональном племени, над которым властвовала на правах вождя мать Максимилиана Волошина, Елена Оттобальдовна. Немецкое происхождение и задорный характер отличали от всех эту женщину, носившую греческие туники и античного покроя сандалии. Близкие друзья шутя прозвали ее «Пра». Это был первый слог русского слова «прабабушка», означающего «мать бабушки». Елена без устали восхищалась своим сыном, который, по ее мнению, был гениальным поэтом и гениальным художником. Сам Максимилиан жил в башне, неподалеку от матери, и комната его представляла собою богатую библиотеку. Это уединенное место — словно скит или пустынь — стало для него убежищем от суеты повседневной жизни. Впрочем, Волошину не на что было пожаловаться, потому что всего хватало: и денег, и комфорта, и таланта, и друзей. Марина завидовала правильности, стабильности, соразмерности и простоте его удовольствий, ведь для нее самой все составляло вопрос, и вся она была — пусть и не без страха — открыта приметам и предвозвещениям.

Однажды, прогуливаясь в одиночестве по пляжу, раскинувшемуся перед каменной, сложенной из сердоликов стенкой, Марина забавлялась тем, что собирала в песке разноцветные блестящие камешки. Позади нее, у края бежавшей вдоль моря дорожки, молодой человек, сидя на скамейке, любовался горизонтом. У него были светло-голубые, отливавшие серым глаза, бледное, исхудалое, почти болезненное лицо. Внезапно юноша предложил Марине помощь в поисках. Звук его голоса пронзил ее в самое сердце. Времени на размышления не потребовалось: девушка сразу поняла, что от такого любезного предложения не отказываются. И в то же время, охваченная безумным суеверием, решила: «Если этот незнакомец принесет мне камень, о котором я мечтаю, я выйду за него замуж». Молодой человек встал, спустился на пляж, принялся искать редкостный камешек и вскоре — торжествующий — подошел к Марине, держа в руке «генуэзскую сердоликовую бусу». Завороженная сверхъестественной точностью предсказания-предчувствия, Марина признала себя побежденной. На самом деле, чем менее разумным и рассудочным казалось ей решение, тем скорее хотелось повиноваться ему, осуществить.

Приехав в Коктебель по приглашению матери Волошина, Анастасия встретила там преображенную счастьем Марину. Ей был представлен избранник: Сергей Эфрон. Юноше оказалось семнадцать лет, он еще не закончил гимназии, а в Крым приехал, чтобы лечить начинающийся туберкулез. Сама без памяти влюбленная в Бориса Трухачева, «милого конькобежца», ровесника Сергея Эфрона, Ася даже и не пыталась в чем-то противостоять внезапному и пылкому увлечению сестры. Та посоветовала и ей позвать своего возлюбленного в Коктебель, чтобы побыть здесь немножко вместе, а потом отправиться куда-то, где поспокойнее, пока она с Сережей съездит в башкирский город Уфу, где ее жених пройдет курс лечения *кумысом*, напитком из перебродившего кобыльего молока, о котором говорили, будто он — самое верное средство от анемии и болезней легких.

Анастасия восприняла совет старшей сестры как указание, сразу же вызвала своего воздыхателя в Коктебель, и, как только он прибыл, все четверо стали готовиться к отъезду. Дуэт Анастасия — Борис выбрал местом для пестования своей любви Финляндию, а Сергей, как и собирался, но теперь уже вместе с Мариной, отправлялся на лечение в Уфу, к подножию Уральских гор. В день, назначенный для расставания, обе парочки прогуливались под руку по улицам Феодосии в ожидании, когда прибудут поезда и повезут каждого в собственном, выбранном им направлении — навстречу его судьбе. Ни Марина, ни Анастасия не нуждались в том, чтобы посвящать в свои матримониальные планы отца: он человек настолько совестливый и боязливый, что только раскричится в знак протеста, и все. Сейчас он лечится на курорте в Германии, Бад-Наугейме, вот и пусть спокойно отмеряет себе стаканами целебную минеральную водичку, а мы аккуратно подготовим его к уже свершившимся событиям, когда вернется в Россию. Есть еще небольшой шанс на то, что чрезмерно занятый последними приготовлениями к открытию своего Музея, он вообще отделается формальным несогласием...

Осенью 1911 года, когда обе сестры вернулись в Москву после своих тайных свадебных путешествий (Анастасия — в Гельсингфорс,[1] Марина — в Уфу), они обнаружили, что отец лежит в постели с приступом грудной жабы. Пока восемнадцатилетний Сережа, еще учившийся в гимназии, на досуге сочинял стихи, Марина, свободная от всяких школьных обязанностей, собирала и правила по частям свои произведения, предназначенные для второго сборника — будущего «Волшебного фонаря». Чтобы вернее подготовить его публикацию, она, победив в себе врожденную застенчивость, согласилась участвовать в литературных вечерах, которые устраивал Валерий Брюсов. Конечно, читая свои стихи на публике, держалась она неестественно, да и голос подводил, очень уж был неуверенный, но аплодисменты слушателей оказались достаточно громкими, чтобы ее под-

---

[1] Шведское название г. Хельсинки. (*Примеч. переводчика.*)

бодрить. Окрыленная этим успехом, Марина отправила одну из элегий, в свое время посвященных Нилендеру, на конкурс, организованный все тем же Брюсовым. Она знала, что последний вовсе не ценит ее таланта, но, поскольку главное правило конкурса было — строгая анонимность участников, девушка надеялась, что сладит с остракизмом, которому подвергал ее мэтр. И оказалась права: все рукописи были безымянными, и благодаря этому Марина победила. Однако Брюсов не смог признать свое поражение: узнав, кто стал лауреатом, он отказался подписать документ с решением жюри и заявил публично: «Первая премия не присуждается никому, но первая из вторых — Марине Цветаевой». Марина была вынуждена разделить эту, скорее, унизительную, чем почетную, вторую премию с молодым поэтом Ходасевичем. На церемонии ей вручили позолоченную медаль с Пегасом на фоне восходящего солнца, и она прицепила эту дрянную безделушку как брелок к своему браслету. Притворяясь безразличной к интригам, придиркам и несправедливостям, на самом деле Цветаева была глубоко уязвлена подобным отсутствием деликатности у Брюсова по отношению к уже заслужившей признание своим талантом поэтессе. Прошло немного времени после инцидента с «конфискованной» первой премией — и Марина отомстила, адресовав мэтру сатирические стихи:

> Я забыла, что сердце в вас — только ночник,
> Не звезда! Я забыла об этом!
> Что поэзия ваша из книг
> И из зависти критика. Ранний старик,
> Вы опять мне на миг
> Показались великим поэтом...

Эта язвительная атака окончательно убедила Брюсова в том, что Цветаева — создание подозрительное, а заодно и в том, что талант у нее не выше качеством, чем характер.

Понятия не имея о неприязни, царившей в отношениях Марины с Брюсовым, Волошин поздравил ее со второй премией так, будто это скромное отличие — великая победа. Ему хотелось еще поздравить подругу и с будущей свадьбой, о которой до него дошли слухи. Но поэт промахнулся: решив взять насмешливый тон, он вместо обычно принятых в таких случаях поздравлений послал забавные соболезнования. И Марина взорвалась. Пропитав перо ядом, она ответила другу 19 ноября 1911 года: «Ваше письмо — большая ошибка! Есть области, где шутка неуместна, и вещи, о к<отор>ых нужно говорить с уважением или совсем молчать за отсутствием этого чувства вообще. В Вашем издевательстве виновата, конечно, я, допустившая слишком короткое обращение. Спасибо за урок!» — и надолго затаила зуб на Максимилиана за полное отсутствие такта.

Если Волошин продемонстрировал ласковый скепсис в отношении новой страсти Марины, то профессор Цветаев, которого наконец поставили в известность о намерениях старшей дочери, был сражен ими наповал. Изумление его не знало пределов. Человек, во всем приверженный традициям, он не мог согласиться с тем, чтобы девочка, которой нет еще и двадцати лет, вышла замуж за девятнадцатилетнего хлыща, который, в его глазах, имел и еще, по крайней мере, два серьезных дефекта: он был еврей и он был туберкулезный. Иван Владимирович предпринял небольшое расследование, результаты которого усугубили его страх перед замужеством дочери. Он узнал из надежного источника, что, конечно, прадедушка претендента на руку и сердце дочери был почтенным раввином, но зато его дед и бабка всегда были известны как отъявленные революционеры; что они скомпрометировали свое доброе имя, участвуя в заговорах против режима; что им пришлось бежать за границу, чтобы их не бросили в тюрьму; что жизнь их детей, также подцепивших эту политическую заразу, закончилась позором и несчастьями, но что — хвала Господу! — за новое поколение, то, к которому принадлежал юный Сергей, кажется, во всяком случае, сейчас, не стоит опасаться: ему не угрожает чума левизны. Однако совершенно ясно, что при такой наследственной одержимости революцией следует опасаться повторения пройденного. Человек, чьи предки были отравлены разрушительными, пагубными теориями, более, чем кто-либо другой, способен совершить те же ошибки. Все эти размышления не давали покоя настроенному монархически и придерживавшемуся строгих политических взглядов профессору Цветаеву. Но он так устал сражаться со своими безрассудными дочерьми, что в конце концов согласился на брак Марины с Сергеем, не переставая осуждать эту затею.

Свадьба Марины Цветаевой с Сергеем Эфроном была отпразднована в очень узком кругу 27 января 1912 года. Венчались молодые в Палашевской церкви в честь Рождества Христова — перед образом «Взыскание погибших». И если некоторые из присутствовавших на церемонии — очень немногих — свидетелей выглядели растерянными и даже подавленными, лица новобрачных светились радостью.

Иван Владимирович сумел побороть свою досаду, удвоив пыл, с каким готовился к близкому уже теперь открытию Музея изящных искусств, который стали теперь называть Музеем Александра III[1] и которому была отдана большая часть его жизни. Официальную церемонию назначили на 31 мая 1912 года. Толпу гостей, присутствовавших при этом апофеозе трудов профессора Цветаева и его сподвижников, возглавляли «высочайшие» — сам царь и члены императорской семьи, наиболее знатные придворные, члены правительства. Торжественности освящения ничуть не соответствовала сдержанность того, чьим титаническим усилиям Россия была обязана созданием Музея. Да, конечно, в этот день профессору в соответствии с требованиями протокола пришлось надеть заказанный у придворного портного и обошедшийся профессору в восемьсот рублей парадный мундир, шитый золотом, и к тому же украсить этот мундир орденской планкой, но ритм его сердца, бившегося как никогда сильно, будь он кем-то услышан, нарушил бы плавный ход помпезного действа. Роскошь одежды была чужда скромному ученому. Он выглядел столь неловким, неуклюжим, неестественным в непривычном, будто позаимствованном у кого-то другого праздничном костюме, что дочерям, восхищавшимся им, на самом деле больше всего хотелось пожалеть. Что же до зятя, который тоже присутствовал на церемонии, то он смотрел во все глаза только на царя Николая II, и воспоминания его

[1] Сегодня этот музей носит имя Пушкина. (*Примеч. автора.*)

об открытии Музея ограничились несколькими строчками письма к сестре Вере от 7 июня 1912 года: «В продолжение всего молебна, а он длился около часа, я стоял в двух шагах от Государя и его матери. Очень хорошо разглядел его. Он очень мал ростом, моложав, с добрыми, светлыми глазами. Наружность не императора». А Марина, у которой от наплыва чувств перехватывало дыхание, слушая похвальные речи Николая II, благодарившего профессора Цветаева за бескорыстно проделанную им огромную работу во славу России, догадалась вдруг, чего больше всего сейчас хотелось бы самому герою праздника. Сейчас больше всего ее отец хотел бы сбежать отсюда, от этих протокольных поздравлений, чтобы вернуться домой и с головой утонуть в своих книгах и рукописях. «Чуть склонив набок свою небольшую седую круглую голову — как всегда, когда читал или слушал (в эту минуту читал он прошлое, а слушал будущее), явно не видя всех на него глядящих, стоял он у главного входа, один среди белых колонн, под самым фронтоном Музея, в зените своей жизни, на вершине своего дела», — напишет она после в автобиографическом очерке «Открытие музея». И добавит: «Это было видение совершенного покоя...»

Публичное признание и всеобщая благодарность за преданность искусству и родине более или менее утешила профессора Цветаева, еще не забывшего о выдвигавшихся против него совсем еще недавно нелепых обвинениях в некомпетентности и небрежности в качестве руководителя Румянцевского музея. Эйфория от сегодняшнего успеха позволила ему отвлечься от мрачных мыслей и почти забыть о беспокойстве, связанном с неожиданным для него браком старшей дочери. А вскоре Сергей Эфрон стал казаться Ивану Владимировичу умным и симпатичным юношей. Но стоило чуть улечься отцовским волнениям, так вот пожалуйста: уже и младшая, Анастасия, желает выскочить замуж за какую-то бездарь, какого-то пустоцвета! Нет, решительно гораздо легче собирать шедевры художественного творчества по всему свету, чем навести порядок во взбаламученных мозгах влюбленной девчушки! На этот раз все возражения были заранее обречены на провал: Анастасия, предусмотрев, как пойдут дела, подстраховалась от отказа Ивана Владимировича признать ее брак: она носила под сердцем ребенка от Бориса Трухачева. Скрывала, сколько могла, этот факт от окружающих, но теперь пришлось открыться. Только Марина — единственная из всех! — знала о тайной беременности, и она ликовала от одной лишь мысли о том, что младшая сестра станет матерью раньше ее самой. Совершенно потерявший голову, растерявшийся перед бурным потоком казавшихся ему безумными и абсурдными женских идей, Иван Цветаев принял решение смириться с неизбежным. Анастасия и Борис обвенчались в церкви, и после того как она все-таки успела вовремя получить благословение священника, у счастливой пары родился сын, которого новоявленная мама назвала Андреем.

Но волнения профессора на этом не закончились. Теперь уже эстафету перехватила Марина. Вернувшись из свадебного путешествия по Франции и Италии, она объявила отцу, что ждет ребенка. И светилась при этом так, будто настоящая поэзия для нее заключалась нынче не в строчках стихов, которые выйдут из-под ее пера, а в том, что зреет в ее утробе. Отец покорно радовался вместе с нею этому ниспосланному Господом материнству. 5 сентября 1912 года Марина родила дочь и назвала ее Ариадной. Почему она выбрала для ребенка такое странное имя, которое в православных святцах носит никому почти не известная мученица, являющаяся для Церкви символом «женской верности»? Близкие, прежде всего отец и муж, умоляли Марину еще подумать, уговаривали представить себе, как выросшая девочка — такое ведь вполне возможно! — будет страдать из-за этого вычурного и даже немножко смешного имени... Но когда Марина что-то вбивала себе в голову, отговорить ее было невозможно. Она утверждала, что выбор сознательный, что она при этом думала о героине мифа о Тезее, которым бредила с самого детства. Но на самом деле все было не так. По-настоящему ее волновало совсем другое: она хотела лишний раз обособиться, подчеркнуть свою исключительность, выделиться из ряда молодых матерей, которые все как одна называют своих новорожденных дочек Татьянами, Натальями, Ольгами... Цветаева сама признается в этом позже. Как и в том, что с самого начала стремилась, чтобы ее дочь существовала под особой звездой, носила на себе особый знак с самых первых своих шагов по этой земле. «Назвала, — напишет Марина позже, — от романтизма и высокомерия, которые руководят моей жизнью. — Ариадна! — Ведь это ответственно! — Именно потому».[1] Но обычно Марина вместо замыслова-

---

[1] Эти слова Марины Цветаевой цитирует Вероника Лосская в работе «Марина Цветаева, поэтический маршрут». (*Примеч. автора.*) Здесь цитируется по книге А.Саакянц «Марина Цветаева.

того, вычурного и какого-то шероховатого имени Ариадна пользовалась, обращаясь к дочери или рассказывая о ней, нежным уменьшительным — Аля.

И другим рождением, имевшим почти такое же огромное значение, как рождение дочери, был отмечен для Марины Цветаевой 1912 год. Сборник, над которым она — независимо ни от чего — работала долгие месяцы, «Волшебный фонарь», появился на прилавках книжных магазинов, увидел свет. Как и предыдущая, первая ее книга, он был напечатан за счет автора тиражом в пятьсот экземпляров. Но теперь, уже имея опыт, она жадно ловила реакцию прессы. Увы! Редкий критик станет превозносить поэта за его вторую книгу, если он сам или коллеги проявили слабость, похвалив первую. Удовольствия от того, что открыл новое светило, уже не получишь, а следовательно — такова уж их точка зрения, — лучше показать, что вновь обрел трезвый ум, и «отмыться» отрицанием всего и вся, проявляя сожаление о том, что прежде ими двигала исключительно снисходительность. Даже те, кто прежде приветствовал «лепет» юной поэтессы, теперь стали привередничать. Сергеев упрекал автора «Волшебного фонаря» в том, что атмосфера в стихах слишком затхлая, что Цветаева словно заперлась в четырех стенах своей детской комнаты. Еще более сурово отнесся к новому сборнику Валерий Брюсов: у него одновременно прозвучали обвинения в чрезмерной интимности всего написанного и в непростительной небрежности сти-

Жизнь и творчество», М., Эллис Лак, 1999, стр. 41. (*Примеч. переводчика.*)

ля. Гумилев в заключительной части своего разноса выразил надежду, что в третьей книге Цветаева сможет искупить свои грехи и избавиться от декадентской ребячливости, свойственной «Волшебному фонарю».

Но ни одна из этих нападок не ранила Марину глубоко. С самого начала она хотела, чтобы ее поэзия была криком сердца. А раз так, то этот крик сердца не может не соотноситься с возрастом того или той, кто не смог сдержать его и исторг из своей груди. Если автор только-только вышел из детства, то именно детство и должно его вдохновлять. Позже он получит право с такой же убежденностью говорить от имени отрочества, рассказывать о смятении подростка, о муках любви, о тенях, которые смерть приносит дню, укорачивая его, — да как знать?.. может быть, даже и о политике... Но пусть никто не требует от Марины иной добродетели, кроме полной искренности! Даже внушенные страстью ошибки и несовершенства в стихосложении дороги ей, потому что свидетельствуют о том состоянии духа, какое было у нее в этот момент, о настроении, владевшем ею. Золотым правилом поэзии уже тогда Марина Цветаева считала правду в выражении чувств, какой бы ни была эта правда. Так, в «Волшебном фонаре» она одинаково искренне могла лучиться радостью разделенной любви, обращаясь к тому, кого избрала в спутники жизни:

> Ждут нас пыльные дороги,
> Шалаши на час,
> И звериные берлоги,
> И старинные чертоги...
> Милый, милый, мы, как боги:
> Целый мир для нас!

Всюду дома мы на свете,
Все зовя своим.
В шалаше, где чинят сети,
На сияющем паркете...
Милый, милый, мы, как дети:
Целый мир двоим!

Солнце жжет, — на север с юга,
Или на луну!
Им очаг и бремя плуга,
Нам простор и зелень луга...
Милый, милый, друг у друга
Мы навек в плену! —

...и — с интервалом в несколько страниц — стонать под грузом прошлого, которое мешает верить в возможность продолжительного счастья:

Воспоминанье слишком давит плечи,
Я о земном заплачу и в раю,
Я старых слов при нашей новой встрече
Не утаю.

Где сонмы ангелов летают стройно,
Где арфы, лилии и детский хор,
Где все покой, я буду беспокойно
Ловить твой взор.

Виденья райские с усмешкой провожая,
Одна в кругу невинно-строгих дев,
Я буду петь, земная и чужая,
Земной напев!

Воспоминанье слишком давит плечи,
Настанет миг, — я слез не утаю...
Ни здесь, ни там, — нигде не надо встречи,
И не для встреч проснемся мы в раю!

То, что профессиональные исследователи и комментаторы творчества Цветаевой наотрез отказывались принять, на самом деле предельно ясно: молодая женщина с таким взрывным темперaментом способна быть на соседних страницах и с равным чистосердечием взволнованной реминисценциями, связанными с детской игрой, ослепленной открытиями, которые приносит любовь, и омраченной мыслью о смерти, представлявшейся ей чуть ли не на пороге. И поскольку они так и не поймут, что в самой современной, резкой, если не агрессивной форме Марина Цветаева раскрывает в стихах свою автобиографию, они и станут упрекать ее в том, что вот здесь она слишком ребячлива, а вот тут чересчур экзальтированна. Но она сама — в любых обстоятельствах и при любых условиях — всегда была уверена в одном: пусть ее поносят или, наоборот, возносят до небес, она все равно никогда не будет способна выглядеть иной, чем она есть на самом деле.

IV

РАДОСТИ И ТРЕВОГИ
ЗАМУЖЕСТВА И МАТЕРИНСТВА

Роды стали для Марины более чем облегчением, даже больше чем открытием: они стали для нее откровением. Она была потрясена тем, что подарила жизнь ребенку. Дочь казалась ей самым красивым, самым смышленым существом на земле. Девочка всегда была разряжена в пух и прах, она осыпала дочку поцелуями, чуть ли не пожирая ими, она приходила в восторг от любой гримаски, агуканья, от пока еще неуверенных движений ручками и ножками и комментировала малейшее продвижение в развитии Ариадны (для близких — Али) в своем Дневнике. А когда наступило время первых шагов и первых еще не слов даже! — слогов, молодая мама возмечтала завладеть ребенком одна, не деля ни с кем своей вдохновленной страстной любовью власти. Заметив, как малышка начинает улыбаться при появлении на пороге тети Лили (Елизаветы, сестры Сергея Эфрона), Марина с трудом пыталась подавить в себе подозрительность, раздражение и ревность. 5 мая 1913 года она записала в своем «судовом журнале», притворяясь, будто обращается к маленькой девочке, как ко взрослому человеку: «Аля, ты, может быть, прочтешь это взрослой — и невзрослой, как я сейчас, и тебе будет странно и смешно и очень трогательно читать об этом маленьком, очень горьком горе, причиненном тобою, ребенком одного года мне (кому?), двадцати одного. Так слушай же:

Ты всё время повторяешь: «Лиля, Лиля, Лиля», даже сейчас, когда я пишу. Я оскорблена в моей гордости, я забываю, что ты еще не знаешь и еще долго не будешь знать, кто я, я молчу, даже не смотрю на тебя и чувствую, что в первый раз — ревную.

Раньше, когда я ревновала к людям, я не ревновала. Это было очень сладко и немного грустно. И на вопрос, ревнива ли я, я всегда отвечала: «К книгам — да, к людям — нет».

Теперь же в этой смеси гордости, оскорбленного самолюбия, горечи, мнимого безразличия и глубочайшего протеста, я ясно вижу — ревность. Чтобы понять всю необычайность для меня этого чувства, нужно было бы знать меня... лично до 30-го сентября 1913г.

Ялта, 1913 г., понедельник».[1]

Такая захватническая и абсолютно животная любовь к дочери еще и удваивалась в связи с ее покровительственно-любовным отношением к мужу. Ее беспокоили бледность Сергея, его хруп-

---

[1] У автора сноски нет. Здесь цитируется по: Марина Цветаева. Неизданное. Записные книжки в двух томах. Том первый. 1913—1919. М., Эллис Лак, 2000, стр. 11 — первая страница в первой записной книжке. (*Примеч. переводчика.*)

кое здоровье, тонкость его художественного чутья и снисходительность, с которой он принимал все фантазии своей пылкой, изменчивой и капризной жены. Иногда она думала, что у нее на попечении двое детей: маленькая дочка Ариадна и вечный студент Сережа. А он восхищался ею, он понимал ее, он только улыбался в ответ на все ее выходки. Чего же еще желать от человека, фамилию которого носишь, в постели с которым спишь? Полная свобода для обоих, о которой они договорились, делала эту совсем юную пару современной... И ни секунды она не пожалела о том, что связала свою жизнь с жизнью этого мальчика, который пока не знал ни того, что собою представляет на самом деле сейчас, ни того, что станет делать потом, но зато сердца и ума у него хватало с избытком, и это совершенно точно, раз уж она выбрала именно его: интуиция еще никогда ее не подводила. Спустя два года после свадьбы Марина пошлет в письме писателю и христианскому философу Василию Розанову нечто вроде исповеди, и там будут такие строки: «Я никогда бы не могла любить кого-нибудь другого, у меня слишком много тоски и протеста».[1] И она гордо провозглашает в стихах, посвященных Сергею Эфрону:

> Я с вызовом ношу его кольцо.
> Да, в Вечности — жена, не на бумаге.

Материнское счастье, умноженное на счастье в браке, делали Марину совершенно равнодушной к судьбам других членов семьи. Ее настолько мало интересовали единокровные сестра и брат,

---

[1] Письмо от 7 марта 1914 года. (*Примеч. переводчика.*)

словно в ее глазах они сливались с толпой чужих людей, совсем ей не знакомых. Если она и принимала какое-то участие в любовных делах Анастасии, так же, как и она сама, недавно вышедшей замуж и ставшей матерью, то встречаться с нею, быть с нею вместе вовсе не стремилась. Что же до отца, то говоря по-прежнему, что очень к нему привязана, на самом деле Марина была уверена, что он существует не только в прошлом веке, но и на иной планете. Чувственная экзальтация Цветаевой стеной отделяла ее от внешнего мира. К счастью, между постелью и колыбелькой находился письменный стол, к которому, как и в былые дни, ее властно тянуло. Время от времени она брала перо и писала строки, исполненные такого же разочарования, каким дышали ее первые стихи. Не находилось ничего, кроме ностальгии по детству, отвращения к быту, повседневности и неотступной мысли о смерти, что питало бы вдохновение молодой женщины, у которой столь полна, даже переполнена, была реальная жизнь. Приехав снова в Крым, в Коктебель, весной 1913 года, она утверждает, что совершенно не сомневается в том, насколько могущественны ее творческие силы. И именно в этом году, без ложной скромности, так выражает уверенность в будущем своих произведений:

> Моим стихам, написанным так рано,
> Что и не знала я, что я — поэт,
> Сорвавшимся, как брызги из фонтана,
> Как искры из ракет,
>
> Ворвавшимся, как маленькие черти,
> В святилище, где сон и фимиам,
> Моим стихам о юности и смерти, —
> Нечитаным стихам!

Разбросанным в пыли по магазинам,
Где их никто не брал и не берет,
Моим стихам, как драгоценным винам,
Настанет свой черед[1].

Много лет спустя она подтвердит, что была тогда права в столь высокой оценке собственного творчества, записав в Дневнике: «Я непоколебимо верую в свои стихи».[2]

Все в том же 1913 году выходит в свет третий сборник произведений Цветаевой, названный ею «Из двух книг». Сорок стихотворений из «Вечернего альбома» и «Волшебного фонаря» и всего одно новое — обращенное к Валерию Брюсову. Таким образом, можно сказать, что новая книжка почти в точности воспроизводит прежние, но это было бы неточно, поскольку специально для нее Марина пишет предисловие, которое представляет собою поэтическое *кредо* автора:

«... Все мы пройдем. Через пятьдесят лет все мы будем в земле. Будут новые лица под вечным небом. И мне хочется крикнуть всем еще живым:

Пишите, пишите больше! Закрепляйте каждое мгновение, каждый жест, каждый вздох! Но не только жест — и форму руки, его кинувшей; не только вздох — и вырез губ, с которых он, легкий, слетел... Записывайте точнее! Нет ничего не важного!.. Цвет ваших глаз и вашего абажура, разрезательный нож и узор на обоях, драгоценный камень на любимом кольце — все это будет телом

---

[1] Коктебель, 13 мая 1913 года. (*Примеч. переводчика.*) Это стихотворение появится в сборнике под названием «Юношеские стихи» только после смерти Марины Цветаевой. (*Примеч. автора.*)

[2] Цитируется по работе Вероники Лосской «Марина Цветаева, поэтический маршрут». (*Примеч. автора.*)

вашей оставленной в огромном мире бедной, бедной души».[1]

Эта — одновременно примитивная и метафизическая — обеспокоенность тем, чтобы привязать тайные движения мысли к неподвижности и к реальности предметов, окружавших поэта, была характерна для Марины Цветаевой на всем протяжении ее творческого пути. Стихотворения рождались под влиянием момента, который она вот сейчас переживала, событий, с которыми ей вот сейчас пришлось столкнуться, интеллектуальных веяний, модных в то или иное время. И тем не менее она не принадлежала ни к одному из литературных течений, ни к какому литературному цеху. Правда, она не принадлежала и себе самой. Ей часто казалось, будто стихи пишет не она сама, будто слова, срывающиеся с кончика ее пера, приходят откуда-то из иного мира, будто все, ею написанное, ей *дано*, как бы продиктовано. Но — кем? Агностик по характеру и воспитанию, Марина не уточняет этого. Просто говорит (и думает про себя), что именно от некоей высшей силы идут ее озарения: «Я всегда знала все — еще при рождении. У меня всегда было обо всем врожденное знание».[2]

Эта горделивая вера Марины Цветаевой в свой талант еще больше подкреплялась все более и более благожелательным отношением к ней любителей поэзии: растущую любовь к своим стихам и себе самой она ощущала как по разгово-

---

[1] Цитируется по работе Вероники Лосской «Марина Цветаева, поэтический маршрут». (*Примеч. автора.*) Здесь — по названной выше книге А.Саакянц, стр. 42. (*Примеч. переводчика.*)

[2] Цитата не проверена! Сноска в оригинале — на ту же работу Вероники Лосской!

рам в гостиных, так и по публикациям в прессе. Иногда она сожалела, что ее мать, которая так страдала из-за собственной несостоявшейся карьеры в музыке, не находится сейчас рядом, потому что ей казалось: Мария Александровна была бы счастлива узнать о таких успехах дочери в литературной карьере. Ей хотелось бы также, чтобы отец был более чувствителен к похвалам, которые дождем сыпались теперь на молодого поэта. Но тот, как всегда, жертвовал семейными радостями во имя удовлетворения от работы. А она приносила это удовлетворение. Вот и в эти дни профессор Цветаев только что отметил новый знак внимания и уважения со стороны правительства. По случаю пятидесятилетия Румянцевского музея, которым он долго руководил, Ивану Владимировичу было поручено произнести приветствие в адрес этого почтенного учреждения от имени Академии изящных искусств. Однако необходимость снова появиться на публике в официальной обстановке, пожимать руки, произносить речи — нет, это оказалось ему не по силам. Едва закончилось протокольное мероприятие, Цветаев слег. 27 августа 1913 года, когда Иван Владимирович гостил у друзей за городом, у него случился сердечный приступ. Худо-бедно перевезли в Москву, уложили в постель — естественно, дома, в Трехпрудном переулке. Дочери, немедленно явившись туда, обнаружили, что отец очень слаб, но пока в сознании. Между двумя приступами тяжелой одышки он расспрашивал Марину и Асю об их жизни замужних женщин. Счастливы ли они? А может быть, все-таки о чем-то сожалеют? Дочери были очень взволнованы тем, что отец проявляет к ним столько заботы и участия в момент, когда мог бы думать только о себе самом и о том, что ждет его по ту сторону завесы... Чтобы не огорчать Ивана Владимировича, Анастасия не стала рассказывать ему о том, что ошиблась, выйдя замуж за Бориса Трухачева, и что муж грозит разводом, хотя их сынишке был всего год.

Ни уход за больным, ни скорбь окружающих роли не сыграли: профессор Цветаев тихо угас 30 августа 1913 года. Анастасию поразило безмятежное, нет, даже почти торжествующее выражение его лица в гробу. У него был такой вид, будто он наконец-то по-настоящему открывает Музей своей мечты. Иван Владимирович хотел быть похороненным рядом с женой Марией, ушедшей от него тридцатисемилетней, на Ваганьковском кладбище. Так и сделали. Наверное, папа любил маму больше, чем мы думали, размышляла Марина, потому что ее он ведь никогда и никем не заменил. Кончина профессора потрясла его дочерей, теперь они укоряли себя в том, что совсем забросили отца и, может быть, даже и мало ценили. «Милый, дорогой папа! — напишет потом Анастасия в своих «Воспоминаниях». — Он всю жизнь копил для детей, отказывая себе во всем, ездил во втором классе только в России, за границей — в третьем, редко брал извозчика — конка, трамвай и пешком для моциона — и скопленное за жизнь распределил с трогательной отцовской заботливостью и справедливостью... <...> Милый, милый папа! Как мало он увидел от нас ласки, внимания, — как я счастлива, что — за всех нас! — я несколько раз поцеловала ему руку! Как он смущенно отдергивал ее, скромный...»

Прошли дни траура, и отношения между Борисом Трухачевым и Анастасией Цветаевой еще ухудшились: ссора за ссорой, скандал за скандалом. Дело шло к полному разрыву. Покинув жену и ребенка, двадцатилетний супруг потихоньку улизнул. Марина сразу же примчалась на помощь младшей сестре и малышу. Ей хотелось вдохнуть в Асю бодрость, поднять настроение, и она убедила Сергея, что они будут очень счастливы, если, взяв с собою Анастасию и ее сынишку, отправятся в Крым погреться на солнышке. И вот все пятеро уже в Ялте, откуда — естественно — переезжают в Феодосию, поближе к Коктебелю. Юные матери нянчатся со своими младенцами, прогуливаются, грезят, созерцая неизменно спокойные пейзажи, а чтобы развлечься, декламируют в унисон стихи на вечерах, претендующих на звание «художественных». Во время одного из таких выступлений Марина объявила, что сейчас прочтет стихи, посвященные дочери **Але,** и приятно удивленная публика бурными аплодисментами отблагодарила совсем юную женщину за доверие. Описывая этот случай в дневнике, Марина рассказывает: «...вся зала ахнула, а кто-то восторженно крикнул: «Браво!» И добавляет с простодушным тщеславием: «Мне на вид не больше семнадцати лет».[1]

Иногда, чтобы составить компанию сестрам, приходил пешком из Коктебеля Максимилиан Волошин, он рассказывал им новости литературного мира, знакомился с новыми стихами Марины. И радовался тому, что она не растеряла со временем ни своей поэтической юношеской силы, пополам с незрелостью, ни склонности к воль-

---

[1] Цитируется по книге А.Саакянц «Марина Цветаева. Жизнь и творчество», М., Эллис Лак, 1999, стр. 52. (*Примеч. переводчика.*)

ной, полной приключений жизни. Пренебрегая тем, что о ней «скажут люди», Марина пишет:

Заповедей не блюла, не ходила к причастью.
Видно, пока надо мной не пропоют литию, —
Буду грешить — как грешу — как грешила: со страстью!
Господом данными мне чувствами — всеми пятью![1]

Еще полнее и лучше Цветаева выразит свое отрицание морали и религии в длинном письме Василию Васильевичу Розанову, именно с ним Марина предпочитает обсуждать теперь духовные проблемы, которые ее волнуют: «Слушайте, я хочу сказать Вам одну вещь, для Вас, наверное, ужасную: я совсем не верю в существование Бога и загробной жизни.

Отсюда — безнадежность, ужас старости и смерти. Полная неспособность природы — молиться и покоряться. Безумная любовь к жизни, судорожная, лихорадочная жадность жить.

Все, что я сказала, — правда.

Может быть, Вы меня из-за этого оттолкнете. Но ведь я не виновата. Если Бог есть — Он ведь меня создал такой! И если есть загробная жизнь, я в ней, конечно, буду счастливой.

Наказание — за что? Я ничего не делаю нарочно».[2]

В переписке Цветаевой и Розанова содержатся не только подобные размышления, касающиеся области Высокого, области Духа. Марина испытывала потребность поделиться со своим корреспондентом подробностями личной жизни и, забывая о разнице в возрасте (Розанову было тог-

---

[1] Цитируемое стихотворение написано 26 сентября 1915 года, то есть никакого отношения к феодосийскому периоду жизни Цветаевой не имеет. (*Примеч. переводчика.*)

[2] Письмо от 7 марта 1914 года. (*Примеч. автора.*)

да пятьдесят восемь лет, а ей — еще не исполнилось двадцати двух), и потому она в том же письме сообщила ему с обезоруживающей откровенностью: «Да, о себе: я замужем, у меня дочка 1 года — Ариадна (Аля), моему мужу 20 лет. Он необычайно и благородно красив, он прекрасен внешне и внутренно. Прадед его с отцовской стороны был раввином, дед с материнской — великолепным гвардейцем Николая I.

В Сереже (моем муже)[1] соединены — блестяще соединены — две крови: еврейская и русская. Он блестяще одарен, умен, благороден. Душой, манерами, лицом — весь в мать. А мать его была красавицей и героиней.

Мать его — урожденная Дурново.

Сережу я люблю бесконечно и навеки. Дочку свою обожаю. <...>

Милый Василий Васильевич [Розанов], я не хочу, чтобы наша встреча была мимолетной. Пусть она будет на всю жизнь! Чем больше знаешь, тем больше любишь. Потом еще одно: если Вы мне напишете, не старайтесь сделать меня христианкой.

Я сейчас живу совсем другим.

Пусть это Вас не огорчает, а главное, не примите это за «свободомыслие». Если бы Вы поговорили со мной в течение пяти минут, мне бы не пришлось просить Вас об этом. <...>

Хочется сказать Вам еще несколько слов о Сереже. Он очень болезненный, 16-и лет у него начался туберкулез. Теперь процесс у него остановился, но общее состояние здоровья намного

---

[1] В письме этого заключенного в скобки уточнения нет. (*Примеч. переводчика.*)

ниже среднего. Если бы Вы знали, какой это пламенный, великодушный, глубокий юноша! Я постоянно дрожу над ним. От малейшего волнения у него повышается t, он весь — лихорадочная жажда всего. Встретились мы с ним, когда ему было 17, мне 18 лет. За три — или почти три — года совместной жизни — ни одной тени сомнения друг в друге. Наш брак до того не похож на обычный брак, что я совсем не чувствую себя замужем и совсем не переменилась, — люблю все то же и живу все так же, как в 17 лет.

Мы никогда не расстаемся. Наша встреча — чудо... Пишу Вам все это, чтобы Вы не думали о нем как о чужом. Он — мой самый родной на всю жизнь... Только при нем я могу жить так, как живу — совершенно свободная».

В другом письме Марина рассказывает Розанову о двух смертях, тех, что оказались самыми значимыми в ее прошлом: смерти отца и — особенно — смерти матери в 1906 году. Она благоговейно цитирует последние слова ушедшей: «Мне жаль только музыки и солнца!»[1] Перебирая под взглядом Розанова четки своих отроческих воспоминаний, Марина неосознанно ищет покровительства и защиты у человека, с которым едва знакома, но жизненный опыт которого, как ей представляется, мог бы помочь ей избежать ловушек, расставленных в мире взрослых.

То, чего она больше всего в глубине души боится, — понять, что слишком уязвима для требований обычной для всех жизни. Убежденная сторонница свободы нравов в семье, она, разумеется, высоко ценит легкость и прочность уз, соединяю-

---

[1] Не последние, и это ясно из письма!

щих ее с Сергеем, но это вовсе не мешает ей тревожиться о том, насколько он мало приспособлен к битвам, неизбежным в повседневности. Слабое здоровье не позволило ему вовремя закончить учение, и двадцатилетний Эфрон продолжал посещать гимназию, втайне надеясь, что туберкулез поможет ему избавиться от исполнения воинских обязанностей. По счастью, профессор Цветаев оставил после себя небольшой капитал, разделив его между детьми, и каждый из четверых мог теперь жить в относительном благополучии, не особенно задумываясь о завтрашнем дне. На самом деле феодосийское существование представляло собою сплошной праздник в компании отдыхающих, которые мечтали лишь об одном: позабыть все заботы, обязательные для большого города, и предаться незамысловатым радостям, в избытке поставляемым курортной жизнью. А Марину, тем не менее, преследовало смутное ощущение тревоги, дискомфорта. Ей казалось, что все эти люди, бегающие из гостиной в гостиную, из ресторана в ресторан, прогуливающиеся по пляжу или сидящие на скамейках на берегу моря, изо всех сил заставляют себя притворяться беззаботными. Так, словно их веселье способно стать защитным барьером от грядущего бедствия, которое все предвидят, но никто не хочет в этом признаться. Так, словно грозы еще нет, и только откуда-то издалека, совсем издалека доносятся раскаты грома, сотрясая все-таки еще синее-синее небо над головой. Так, словно весь мир роскоши, радостей и всяких пустяков закружился в последнем туре вальса перед тем, как вместе со всем этим пойти на дно во время кораблекрушения.

Одержимая идеей, будто злой рок подстерегает ее на каждом шагу посреди этой беззаботной толпы, Марина увидела первый знак своей правоты в неожиданном приезде в Россию Петра Эфрона, старшего брата Сережи, который до сих пор жил в Париже, где от случая к случаю выходил на сцену как актер. Сжигаемый туберкулезом (общая для семей Эфронов и Цветаевых болезнь), Петр решил вернуться на родину, чтобы здесь умереть. Узнав об этом, Марина и Сергей тут же вернулись в Москву. Сидя у изголовья тяжело больного и прежде ей совершенно незнакомого человека, Марина испытывала глубочайшее сочувствие. Ее преданность умирающему и самоотверженность более всего походила на любовь. Ничто не волновало ее раньше так, как волновал сейчас вид этого молодого существа, готового испустить свой последний вздох. Кто это перед ней: Петр или Сергей, кто лежит обессилевший, кто взглядом вымаливает у нее жалости? Окажется ли она неверной, отдаваясь ему мысленно, отдаваясь теперь, когда, вероятно, его скоро не станет на этом свете? Возвратившись домой от агонизирующего Петра, Марина признается ему: «Я ушла в 7 часов вечера, а сейчас 11 утра, — и все думаю о Вас, все повторяю Ваше нежное имя. (Пусть Петр — камень, для меня Вы — Петенька!)

Откуда эта нежность — не знаю, но знаю — куда: в вечность! <...>

Внутренне я к Вам привыкла, внешне — ужасно нет. Каждый раз, идя к Вам, я все думаю, что *это* надо сказать, и это еще, и это...

Прихожу — и говорю совсем не о том, не так. Слушайте, моя любовь легка.
Вам не будет ни больно, ни скучно.
Я вся целиком во всем, что люблю.

Люблю одной любовью — всей собой — и березку, и вечер, и музыку, и Сережу, и Вас.

Я любовь узнаю по безысходной грусти, по захлебывающемуся: «ах!».

Вы для меня прелестный мальчик, о котором — сколько бы мы ни говорили — я все-таки ничего не знаю, кроме того, что я его люблю»[1].

Четырьмя днями позже, ночью, Марина вновь возвращается к тому же: «Мальчик мой ненаглядный!

Сережа мечется на постели, кусает губы, стонет. Я смотрю на его длинное, нежное, страдальческое лицо и все понимаю: любовь к нему и любовь к Вам.

Мальчики! Вот в чем моя любовь.

Чистым сердцем! Жестоко оскорбленные жизнью! Мальчики без матери!

Хочется соединить в одном *бесконечном* объятии Ваши милые темные головы, сказать Вам без слов: «Люблю обоих, любите оба — навек!»

Петенька, даю Вам свою душу, беру Вашу, верю в их бессмертие.

Пламя, что сжигает меня, сердце, что при мысли о Вас падает, — вечны. Так неожиданно и бесспорно вспыхнула вера. <...>

О, моя деточка! Ничего не могу для Вас сделать, хочу только, *чтобы Вы в меня поверили.* Тогда моя любовь даст Вам силы. <...>

Если бы не Сережа и Аля, за которых я перед Богом отвечаю, я с радостью умерла бы за Вас, за то, чтобы Вы сразу выздоровели.

Так — не сомневаясь — сразу — по первому зову.

Клянусь Вашей, Сережиной и Алиной жизнью, Вы трое — мое святая святых.

---

[1] Письмо от 10 июля 1914 года. (*Примеч. автора.*)

Вот скоро уеду. Ничего не изменится.
Умерла бы — всё бы осталось.
Никогда никуда не уйду от Вас»...[1]

Затем, перейдя от прозы к поэзии, Цветаева посвящает Петру Эфрону цикл стихотворений, воспевая в них свою сверхъестественную страсть. Она надеется, что эти, избранные ею слова будут жить в веках — после человека, которому были предназначены, и после нее самой. Она пишет:

Осыпались листья над Вашей могилой,
И пахнет зимой.
Послушайте, мертвый, послушайте, милый:
Вы всё-таки мой.

Смеетесь! — В блаженной крылатке дорожной!
Луна высока.
Мой — так несомненно и так непреложно,
Как эта рука.

Опять с узелком подойду утром рано
К больничным дверям.
Вы просто уехали в жаркие страны,
К великим морям.

Я Вас целовала! Я Вам колдовала!
Смеюсь над загробною тьмой!
Я смерти не верю! Я жду Вас с вокзала
— Домой.

Пусть листья осыпались, смыты и стерты
На траурных лентах слова.
И, если для целого мира Вы мертвый,
Я тоже мертва.

Я вижу, я чувствую — чую Вас всюду!
— Что ленты от Ваших венков!
— Я Вас не забыла и Вас не забуду
Во веки веков.

---

[1] Письмо от 14 июля 1914 года. (*Примеч. переводчика.*)

Таких обещаний я знаю бесцельность,
Я знаю тщету.
— Письмо в бесконечность.
— Письмо в беспредельность.
— Письмо в пустоту.[1]

16 июля 1914 года[2] бомбой взорвалась новая весть: Австрия объявила войну Сербии. Этого ждали, но все-таки угроза распространения военного конфликта на другие страны была столь сильна, что вся Россия затаила дыхание: а что будет? Вся Россия, но не Марина, которая глаз не спускала с больного, чьи силы таяли день ото дня и чей рассудок постепенно мутнел. Она не читала газет, где говорилось о заключенной только что сделке, она не обращала внимания на циркулирующие в городе слухи, а наводняли Москву этими слухами бесноватые, кричавшие на всех углах о своей ненависти к Австрии и Германии. На самом пике безумия, охватившего страну, Марина бесстрашно писала:

Война, война! — Кажденья у киотов
И стрекот шпор.
Но нету дела мне до царских счетов,
Народных ссор.

На — кажется надтреснутом — канате
Я — маленький плясун.
Я тень от чьей-то тени. Я лунатик
Двух темных лун.[3]

---

[1] Стихотворение написано 4 октября 1914 года. Петр Эфрон скончался 28 июля. (*Примеч. переводчика.*)

[2] Объявление войны между Австро-Венгрией и Сербией официально датируется 15 августа по юлианскому календарю, который используется для исчисления времени в России, тогда как по григорианскому календарю, применяемому во всех остальных странах, это было 28 июля. (*Примеч. автора.*)

[3] Стихотворение из цикла «П.Э.» датировано 16 июля 1914 года.

Агонии Петра Эфрона, казалось, не будет конца. Германия объявила войну России 19 июля 1914 года[1], несколько дней спустя, 28 июля, больной испустил дух — Марина и Сергей были в это время рядом. И именно в тот момент, когда Марине больше всего хотелось погрузиться в траур, поступила ужаснувшая ее новость. Она-то совсем позабыла о войне, но зато война, слепая бойня, была уже на ее пороге, чуть ли не стучалась в дверь. Даже самые хладнокровные мужчины в эти дни теряли голову от истерических выкриков и всякого рода гражданских воззваний, от уже звучавшего *Te Deum*... И зараженные всем этим воинственным бредом молодые люди, в принципе не военнообязанные, те, кого никто и не думал пока привлекать к военным действиям, сотнями приходили записываться добровольцами или просто бежали в армию. А вдруг Сережа с его импульсивным характером тоже сочтет себя обязанным последовать общему движению?

---

[1] По юлианскому календарю, запаздывающему на тринадцать дней в сравнении с григорианским. (*Примеч. автора.*)

V

МИРОВАЯ ВОЙНА
И ОПЫТ ЛЕСБИЙСКОЙ ЛЮБВИ

От недели к неделе опасения Марины подтверждались и крепли. Едва поступили сообщения о первых битвах, все молодые люди, способные носить оружие, стали осаждать пункты призыва в армию. Обладатели огромных состояний соперничали в щедрости, стремясь «помочь делу нашей победы». Девушки из лучших семей поступали на курсы медицинских сестер. Владельцы свободных жилых площадей предлагали — совершенно бесплатно — размещать там раненых. Андрей Иванович Цветаев, старший сын профессора, получивший от отца в наследство дом в Трехпрудном переулке, передал его властям, чтобы устроить в нем госпиталь. Но чуть позже достопочтенное строение было наполовину уничтожено пожаром. Вернувшись в Москву, Марина и Сергей, которые сначала снимали квартиру на Полянке, устроились с куда большим комфортом в доме номер шесть по Борисоглебскому переулку, между Арбатом и Поварской. Сергей поступил в Московский университет (на филологический факультет), а Марина все пыталась жить так, будто нет никакой войны: усердно посещала литературные салоны и редакции газет. Заботиться о хлебе насущном ей не приходилось: завещанный отцом и помещенный ею в банк капитал приносил шесть процентов в месяц, в пересчете на рубли — это около пятисот, тогда как средняя заработная плата рабочего в то время составляла ежемесячно всего двадцать два рубля.[1] И на самом деле — если она постоянно подбадривала Сережу и советовала ему продолжать учиться и сдавать экзамены, то по единственной причине: Марина была уверена, что, пока муж остается студентом, призыв на военную службу ему не грозит. А кроме того, ее вполне устраивало, что он не ходит у нее по пятам целый день и что его часто не бывает дома. Конечно, она все еще испытывала по отношению к Сергею нежную привязанность, но с недавнего времени новая страсть возбуждала, опустошала и одновременно вдохновляла ее. Осенью 1914 года Марина познакомилась с поэтессой Софьей Парнок, тридцатилетней, весьма энергичной и даже несколько агрессивной женщиной, которая не скрывала своих однополых пристрастий и произведения которой уже позволили ей добиться некоторого успеха в литературной среде. Цветаева сразу же была очарована этим смелым и предприимчивым созданием. Для Сергея она всегда играла главенствующую роль, была опорой, поскольку он как мужчина оказался чахлым, вялым и апатичным. А тут — сколько можно было получить удоволь-

---

[1] Цифры взяты из труда Михаила Т.Флоринского «Конец Российской империи» (1931 год). (*Примеч. автора.*)

ствия от того, что тобою властвует Софья, страстная, пышущая здоровьем и требовательная самка! Парнок, которая была на семь лет старше Марины, охотно воспринимала ее как девочку, забавлялась, узнав о какой-то новой ее причуде или прихоти, по-матерински журила за ошибки, восхищалась талантом. Польщенная вниманием сестры по перу, столь же искусной в ласках, сколь и в поэзии, Марина повсюду появлялась с Софьей Парнок и наслаждалась тем, насколько шокированы излишне целомудренные, как ей казалось, знакомые подобной демонстрацией ее противоестественных наклонностей. Но даже те, кто осуждал Марину за непристойность поведения, преклонялись перед ее личностью. Коротко подстриженные каштановые волосы, широкое лицо, прямой взгляд... Она, скорее, заставляла признать себя, чем соблазняла. Встретив Цветаеву на одном из литературных вечеров, где она читала свои последние стихи, молодой литератор Николай Еленев напишет позже: «Ее серые глаза отливали холодом, они были прозрачны, глаза человека, никогда не знавшего страха, а еще меньше — мольбы или подчинения».

Влияние Софьи Парнок на молоденькую любовницу было так велико, что Марине становилось с каждым днем все труднее и труднее обсуждать свою нежную привязанность к этой женщине с Сергеем, а уж тем более — свою пылкую страсть к этой ниоткуда взявшейся подруге. Анализируя впоследствии это роковое и явно безысходное стечение обстоятельств, Цветаева признается: «Я страдала в 22 года из-за Софьи П...; она меня отталкивала, заставляла умолять, попирала ногами, но она меня любила».[1]

Доведенный до исступления изменой жены, которая предпочла ему «лесбиянку», воодушевленный примером товарищей по университету, которые один за другим шли в армию, Сергей пишет сестре: «... каждый день война разрывает мне сердце... если бы я был здоровее — я давно был бы в армии. Сейчас опять поднят вопрос о мобилизации студентов — может быть, и до меня дойдет очередь? (И потом, я ведь знаю, что для Марины это смерть.)»[2] В феврале 1915 года, преодолев болезненную слабость и затруднения с дыханием, Сергей поступает братом милосердия в военный санитарный поезд, который курсирует из Москвы в Белосток, а затем в Варшаву и обратно, то есть отправляется на театр военных действий. Поступок мужа огорчает Марину, приводит в растерянность, даже подавляет в какой-то мере, но одновременно — приносит облегчение. Она чувствует себя одновременно и виновной и счастливой: желания исполняются. В глубине души ей всегда нравилось жить, разрываясь между долгом и наслаждением. А существует ли лучшее средство изгнать из любви обыденность, чем угрызения совести? Чем раскаяние? Ей кажется возбуждающе прекрасным жалеть Сережу, который дрожит от холода, питается чуть ли не отбросами из солдатского котелка и каждую минуту

[1] Цитируется по работам С.Поляковой, воспроизведенным В.Лосской в упоминавшемся сочинении. (*Примеч. автора.*)

[2] Цитируется по книге Анны Саакянц «Марина Цветаева. Жизнь и творчество». М., Эллис Лак, 1999, стр. 79. (*Примеч. автора и переводчика.*)

рискует быть раненым, если не убитым, — да-да, думать обо всем этом, покоясь в объятиях своей подруги. Нежась под ее ласками. Ей с детства не хватало матери, и Софья Парнок сумела заменить покойную, прибавив чувственность к привязанности, привкус греха к понятию о честной независимости. Даже скандалы, даже ссоры, которыми знаменовалась их связь, были необходимы для этой пары, мятеж только сильнее сплачивал двух женщин. Цветаева, смакуя каждую, изложила подробности этого чередования бурь и просветов в тучах в цикле стихотворений, названном ею «Подруга».[1] То сладострастные, то элегические гимны сафической любви, составляющие этот цикл, выражают блуждания страсти, которая ищет себе оправдания. И чувства Марины, когда она писала хотя бы вот эти вот строки, были вполне искренни:

Как я по Вашим узким пальчикам
Водила сонною щекой,
Как Вы меня дразнили мальчиком,
Как я Вам нравилась такой...[2]

Но и посвящая многочисленные стихи спутнице своих ночей, Марина продолжала восхищаться своей дочерью Ариадной и осыпать девочку ласками, видя в ребенке самое совершенное из своих творений, продолжала слать письмо за письмом мужу, не переставая думать о том, как он несчастен из-за того, что находится вдали от нее. Почти безотчетно она выискивала в газетах информацию о событиях в действующей ар-

---

[1] Опубликован в сборнике «Юношеские стихи». (*Примеч. автора.*)

[2] Декабрь 1914 года. (*Примеч. переводчика.*)

мии, чтобы быть в курсе происходящего. Но, несмотря на жуткие заголовки большинства статей и убийственные комментарии журналистов, не могла согласиться с проклятиями в адрес Германии. Органически присущий ей дух противоречия всегда подталкивал Марину к защите того, кого все единодушно приговаривали. Точно так же, как она решила выйти замуж за еврея вопреки антисемитизму, которым была заражена часть ближайшего ее окружения, точно так же, как она бросала вызов общественному мнению, афишируя свою любовь к женщине, сейчас Марина считала необходимым реабилитировать страну, обвиняемую всеми в ужаснейших из преступлений. Преклонение перед немецкой литературой, перед немецкой философской мыслью диктовало ей запрет, когда заходила речь о том, чтобы присоединиться к излишне славянофильскому патриотизму. Как дуэлянт перчатку, она швыряла в лицо читающей публики строки, адресованные Германии:

> Ты миру отдана на травлю,
> И счета нет твоим врагам.
> Ну, как же я тебя оставлю.
> Ну, как же я тебя предам.
>
> И где возьму благоразумье:
> «За око — око, кровь — за кровь», —
> Германия — мое безумье!
> Германия — моя любовь!

Эти стихи, представлявшие собою резкий контраст по отношению к чувствам, испытываемым согражданами Цветаевой, Марина мужественно декламировала на многих частных литературных вечерах. И — странное дело! — никто ни разу ее не упрекнул в этом. На самом деле все объяснялось довольно просто. Порыв первых дней войны, заставлявший людей сплотиться вокруг царя, теперь уступил в тылу место назревающему, но пока еще скрытому скептицизму. Политические партии, временно прекратившие свои распри, когда начались военные действия, снова принялись бешено критиковать друг друга, ссориться и интриговать в коридорах власти. В высших кругах общества неудачи русской армии, преследовавшие ее с мая 1915 года, провоцировали все возраставшее негодование. Уже в открытую говорилось о некомпетентности генералов, дефиците боеприпасов и снаряжения, полной неразберихе на транспорте, снисходительности полиции к вражеским шпионам. Оплакивалось глупое и бессмысленное решение Его Величества, только что взявшего на себя руководство войсками, передав бразды правления гражданскими делами своей заведомо неумелой и неуравновешенной супруге, страдавшей неврозом. Шептались о том, что царица находится целиком во власти Распутина, вынырнувшего внезапно откуда-то из глубин Сибири мужика, этакого ясновидца-проныры, пользующегося для пущего воздействия на Александру Федоровну оккультными силами. Спорили о том, когда дезориентированная, подвергшаяся нападению и полузахваченная врагом, истекающая кровью, окончательно рухнет в бездну. Но тем не менее, предрекая все эти бедствия, интеллектуальная элита продолжала страстно отдаваться занятиям литературой и философией, пропадать на бесконечных дискуссиях о будущем символизма в России, разносить с упоением сплетни, доходившие из Зимнего дворца, и думать, желая все-таки сохранить рассудок, что теперь, когда все катится неведомо куда, интеллигенции остается только ждать, какой оборот примут события.

Вот в такой странной атмосфере тоски и отсутствия ясного представления о чем бы то ни было, стыда и покорности судьбе, фатализма и насмешничества над всеми и всем Марина и Софья Парнок, ставшие неразлучными, отправились в конце 1915 года в Петроград. Изменилось только имя столицы — русифицировала название города вражда к немцам, тут ничего поделать было нельзя, зато сам он остался почти таким же, как в бытность Санкт-Петербургом, накануне всеобщей мобилизации. В театрах, ресторанах, кабаре и гостиных все так же толпился народ. Конечно, по улицам строем проходили готовые пролить на фронте кровь за Бога, царя и отечество солдаты, конечно, по слухам, в больницах, превратившихся в военные госпитали, не хватало коек, чтобы разместить раненых, конечно, многие семьи уже успели потерять близких, но даже те, кто носил траур по дорогим им людям, хотели верить, что жертвы не напрасны.

Софья Парнок самовольно ввела Марину в число редакторов «Северных записок», журнала, где регулярно публиковала свои произведения. Этот ежемесячник левого толка, которым руководил Федор Степун, принимал у себя только самых лучших из петроградских либеральных мыслителей и поэтов. Так сказать, сливки литературного общества. Там можно было встретить как сочувствующего социалистам политика Керенского, так и неисправимого мечтателя Ремизова, как юного поэта со все возрастающей популярностью Есенина, так и более чем авторитетную

Ахматову... Именно с коллективом, группировавшимся вокруг редакции «Северных записок», и встретила Марина Новый, 1916-й год. А 1-го января один из петроградских поэтов-корифеев Михаил Кузмин организовал вечер, на котором Цветаева прочла свои самые новые стихи, и этот вечер стал для московской гостьи полным триумфом. Марина была тем более горда, что чувствовала себя представительницей родной Москвы в самом сердце конкурировавшего с ней великого города на берегах Невы. И потому еще, что здешние любители изящной словесности поклонялись одному нерушимому идолу — молодой женщине, которой едва исполнилось двадцать семь лет, но которая уже была знаменитейшей из знаменитых. Анне Ахматовой. Сейчас ее в северной столице не было, Марину Цветаеву она знала только по стихам и, как говорили, относилась к ее творчеству скорее сдержанно, чем восторженно. Зато Марина, забыв о всякой сдержанности, восхищалась своей блистательной соперницей и горько сожалела только о том, что не может немедленно поприветствовать ее вживую. Она чуть ли не на всех перекрестках вещала, что, читая свои новые стансы, посвященные Германии, думает только об Ахматовой:

> Я знаю правду! Все прежние правды — прочь!
> Не надо людям с людьми на земле бороться.
> Смотрите: вечер, смотрите: уж скоро ночь.
> **О чем** — поэты, любовники, полководцы?
>
> Уж ветер стелется, уже земля в росе,
> Уж скоро звездная в небе застынет вьюга,
> И под землею скоро уснем мы все,
> Кто на земле не давали уснуть друг другу.[1]

---

[1] 3 октября 1915 года. (*Примеч. переводчика.*)

Вспоминая этот вечер, она напишет: «Я читаю так, будто Ахматова здесь же, в комнате. Успех мне необходим. Если сейчас я хочу проложить себе путь к Ахматовой, если в эту минуту я хочу так хорошо, как только возможно, представлять Москву, то не для того, чтобы победить Петербург, но для того, чтобы подарить эту Москву Петербургу, подарить Ахматовой эту Москву, которую я воплощаю в своей личности и своей любви, чтобы склониться перед ней».

Наверное, Софья Парнок испытывала некоторую ревность при виде такой преданности — пусть даже чисто интеллектуальной — своей подруги по отношению к другой писательнице. Хорошо еще, что последней не было здесь и она не могла выслушать эти отчаянные признания юной сестры по перу! Зато если встреча с Ахматовой не удалась, то состоялась другая встреча, на этот раз вполне реальная и имевшая для Марины характер откровения. Поэт Осип Мандельштам, с которым она уже виделась в прошлом году в Коктебеле, появился на праздновании Нового года, и, увидев его в Петрограде, Цветаева ощутила с ним глубокое единение. Он был годом старше ее самой; он был без ума от ее стихов; он сам искрился талантом, планами, оригинальными идеями; но он был женат. Впрочем, разве это препятствие? Ведь она и сама была замужем. Собственно, их отношения навсегда останутся дружескими. Как сладостно желать, оставаясь целомудренным, поручить одной лишь душе наслаждаться приближением другой души, питать себя воздержанием и расстоянием. Некоторые признания на бумаге волнуют плоть куда больше, чем самые пылкие объятия.

Тем не менее после встречи первого января Марина позаботилась о том, чтобы скрыть от подруги смутное чувство, которое она испытывала к Осипу Мандельштаму. Софья Парнок была слишком проницательна для того, чтобы не угадать: ее вот-вот свергнут с трона. Начались взаимные обвинения, упреки, и вскоре молодые женщины пришли к решающему объяснению. В начале марта разрыв совершился. Марина, довольно сильно этим опечаленная, посвятила Софье Парнок прощальное стихотворение. Упрекая подругу, она пишет:

Вы это сделали без зла,
Невинно и непоправимо.
— Я вашей юностью была,
Которая проходит мимо.

Лишившись этой дружеской поддержки и лестной для нее ревности, она возвращается к мужу, который способен все понять, все простить и все забыть. 27 апреля 1916 года она посылает ему в полк стихи, напоминающие отчаянный призыв:

Я пришла к тебе черной полночью,
За последней помощью.
Я — бродяга, родства не помнящий,
Корабль тонущий.

Она вернулась в Москву в том же состоянии неуверенности в своем будущем, не понимая, куда идет ее личная жизнь. У Анастасии в это время тоже были приключения. Расставшись с Борисом Трухачевым, она, не дожидаясь окончания бракоразводной процедуры, поселилась вместе с одним из своих друзей, инженером Маврикием Александровичем Минцем. Борис был в армии;

Маврикий, также мобилизованный, но в тылу, работал по своей специальности, и с утра до вечера его не бывало дома. Анастасия жила вместе с ним в Александрове, городке в ста километрах от Москвы, во Владимирской губернии. Она снова была беременна, изнемогала под грузом усталости и забот и нуждалась в помощи. Марина немедленно бросилась к ней, и сестры в откровенных разговорах (а малыши тем временем путались у них под ногами) обменивались воспоминаниями и комментариями о странностях их параллельных судеб). Война, о которой им так хотелось забыть, напоминала о себе, когда до них издали доносилось мужественное пение солдат, отправляющихся на фронт. В июне Анастасия родила второго сына, Алешу. Малыш был — вылитый Маврикий. Вся компания жила в деревенском доме недалеко от леса. Марина занималась одновременно своей дочерью Ариадной и обоими племянниками, Андреем и Алешей. В повседневных делах ей помогала прислуга. Но времена были трудные, с продовольствием становилось все хуже, и это сказывалось на настроении семьи.

Затем внезапно все словно озарилось: Осип Мандельштам приехал из Петербурга в Москву и вскоре присоединился к семейному кружку на правах всеми любимого дядюшки, который пересказывал молодым женщинам сплетни большого города, читал им свои стихи, благоговейно слушал стихи Марины, играл с детьми и прогуливался по полям. Увы! Вскоре его нервы не выдержали. Может быть, его терзала мысль об этой безжалостной, неумолимой и нескончаемой войне? Его мучили предчувствия, галлюцинации, он упрекал Марину в том, что она слишком увлекалась прогулками по деревенскому кладбищу, и, наконец, объявил, что гнилой климат Александрова ему не подходит, он хочет вернуться в Крым, где солнце излечит его от навязчивых идей.

После его отъезда Марина задалась вопросом, что, собственно, еще удерживает ее в Александрове. Ответ: поэзия! Она никогда еще не писала с такой легкостью и уверенностью. Она сама удивлялась тому, в каком ритме творит: в неделю — пять-шесть стихотворений на самые различные темы. То она воспевала Москву, свой любимый город, где сорок сороков церквей, то сплетала венки в честь удивительной Ахматовой, с которой она так и не встретилась, то обожествляла великого учителя Блока, то, возвращаясь к своим излюбленным темам, говорила об одиночестве, болезни, смерти[1]. И тем не менее в сборнике «Версты I», куда вошли многие лучшие ее стихи, она ни словом не упоминает о войне, которая ежедневно до нее дотягивается. Можно подумать, будто странное суеверие пока удерживает ее от того, чтобы ступить на эту заминированную территорию. 2 июля 1916 года она пишет:

А этот колокол там, что кремлевских тяжеле,
Безостановочно ходит и ходит в груди, —
Это — кто знает? — не знаю — быть может,
                      — должно быть
Мне загоститься не дать на российской земле!

Пророчество, произнесенное ею в тот вечер, не спешило осуществиться. И тем не менее, по мере того как проходили дни, над Россией все тяжелее нависла зловещая туча. Все жили в посто-

---

[1] Циклы «Стихи о Москве», «Ахматовой», «Стихи к Блоку», среди прочего, вошли в сборник «Версты». (*Примеч. автора.*)

янном ожидании событий, которые, казалось, могли быть лишь трагическими. Новости, приходившие с фронта, становились все страшнее. Смены министров не могли успокоить фронды политических кругов. Внезапно в конце декабря 1916 года газеты сообщили об убийстве Распутина. В редакционных комнатах и на улицах шептались о том, что преступление было совершено людьми, стоявшими близко к трону, которым помогал видный член Государственной Думы[1]. Иные, среди лучше информированных людей, вслух говорили, что испытывают облегчение от смерти Распутина, этого наглого типа, чье присутствие до дворце дискредитировало императорскую семью; другие задавались вопросом, не был ли это неудавшийся государственный переворот и не станет ли эта кровавая казнь прелюдией к революции? Среди всей этой истерической суеты Марина думала прежде всего о том, как все эти беспорядки могут сказаться на судьбе ее мужа. Она понятия не имела о том, какой выйдет из этой бури Россия, главное было — чтобы Сережа вышел из нее целым и невредимым. Однако он по-прежнему носил мундир и оставался в зоне боев. Несмотря на то что он был братом милосердия, Сергей рисковал жизнью. Необходимо было вмешательство какого-нибудь важного человека, который мог бы вытащить его оттуда. Был бы жив профессор Цветаев, он мог бы что-то предпринять, у него были связи в высоких кругах. Но Ма-

---

[1] Вскоре после этого станет известно, что участниками заговора были князь Феликс Юсупов, великий князь Дмитрий Павлович, депутат Пуришкевич, которым помогали два более скромных заговорщика, врач Лазоверт и офицер в отпуске по ранению, капитан Сухотин.

рина была одна, ее единственным оружием были перо и бумага. Они писала стихи, а других тем временем убивали. И все же у нее было ощущение, что за этим занятием она теряла меньше времени, чем теряла бы, если бы читала газеты и отмечала на карте продвижение германской армии.

VI

БОЛЬШЕВИСТСКАЯ РЕВОЛЮЦИЯ НА МАРШЕ

«Рыба тухнет с головы...» Разве не надо опасаться врага внутреннего больше, чем приходящего извне? Некоторые в то время задавали себе такой вопрос, понимая, какая непоследовательность, какая бессвязность мыслей царит на самом верху государственной власти. Отзвуком потерь на фронтах стали скандалы в тылу. То здесь, то там слышался шепоток: пора провозгласить сепаратный мир с Германией. Генералы один за другим заявляли о своей неспособности поддерживать моральный дух в войсках, если гражданские будут по-прежнему подавать пример безрассудства и коррупции. Некоторые видели спасение лишь в том, чтобы немедленно подчиниться требованиям либералов. У царя не оставалось выбора: желая предохранить страну от вторжения и анархии, он должен был отречься от престола. И — под двойным давлением: военных и политиков — отрекся от него 2 марта 1917 года в пользу брата Михаила. Но тот отказался принять корону, и теперь расколотой, растерянной нацией силилось хоть как-то руководить жалкое и беспомощное Временное правительство. В Петрограде после образования «совета рабочих и солдат» приступ реваншистской радости привел к немыслимому хаосу. И если некоторые интеллигенты — такие, например, как Андрей Белый и Александр Блок — приветствовали повсеместные и повседневные беспорядки, видя в них зарю будущей цивилизации — цивилизации свободы и справедливости, то других тревожило половодье низменных инстинктов, обуревавших население страны.

Марина Цветаева оплакивала арест царя, которого вместе с семьей заперли в Царскосельском дворце. Как большинство соотечественников, она надеялась, что Керенский, ставший душой Временного правительства, сумеет успокоить народ, навести порядок на улицах, придумает, как обеспечить почетный статус бывшему государю, а главное — остановить вражду с Германией. Но Керенский, напротив того, провозгласил во всеуслышание о своем стремлении вести войну до победного конца. И Марина возмущалась этим упрямством, потому что, по ее мнению, время уходило зря, а Сергей из-за этого рисковал угодить на передовую. Опасаясь потерять свое привилегированное положение медбрата при новом рекрутском наборе и оказаться простым пехотинцем, он только что записался на офицерские курсы при Военной академии в Москве. Вопреки семейной традиции мятежа и анархии, Сергей оставался верным низложенному монарху. Марина поддерживала лояльность мужа по отношению к царю, но отнюдь не потому, что была сторонницей абсолютистской власти, а потому лишь, что догадывалась: Николай II, несмотря на все свои слабости и недостатки, воплощает в себе образ вечной России, которую большевики хотят разрушить до основания. Точно так же, как Цветаева обожала Москву с ее церквями, не посещая проходящих там богослужений, почитала она и царя — символ российского прошлого, но оставалась при этом в стороне от тех, кто официально воскурял ему фимиам. Для нее предать поверженного императора было подлостью, низостью, почти клятвопреступным деянием. С гордостью, с вызовом, с признательностью традициям, в которых выросла, хотя часто и оспаривала их, она напишет:

Надобно смело признаться, Лира!
Мы тяготели к великим мира:
Мачтам, знаменам, церквам, царям,
Бардам, героям, орлам и старцам,
Так, присягнувши на верность — царствам,
Не доверяют Шатра — ветрам.

Знаешь царя — так псаря не жалуй!
Верность как якорем нас держала:
Верность величью — вине — беде,
Верность великой вине венчанной!
Так, присягнувши на верность — Хану,
Не присягают его орде.

Ветреный век мы застали, Лира!
Ветер в клоки изодрав мундиры,
Треплет последний лоскут Шатра…
Новые толпы — иные флаги!
Мы ж остаемся верны присяге,
Ибо дурные вожди — ветра.[1]

---

[1] Стихотворение написано 14 августа 1918 года, входит в сборник «Лебединый стан». (*Примеч. переводчика.*)

Но на самом деле в это время Марина Цветаева была куда менее внимательна к явлению новой России, чем к первым движениям ребенка, которого носила в чреве. Снова беременная, она дрожала за будущее этого ребенка, который рисковал родиться в наихудших условиях. Да и отец был совсем не уверен в завтрашнем дне... Пусть сейчас его прикрывает крыша офицерской школы, но разве, едва получив погоны, он не может быть послан в огненную кашу? Если бы только Керенский притих, умерил свои притязания и отменил ближайшие наступления! Если бы только безумцы России и Германии нашли согласие, водя пальцем по карте! Если бы только Сережа снял мундир и снова стал гражданским лицом, как в благословенные дни мира на земле! Нет, это напрасные мечты... Керенский, такой ловкий на словах, решительно не способен претворять их в жизнь. Больше похож на банального — болтливого и пустого — французика, когда нужен, по крайней мере, «Бонапарт»!

Приезд 2 апреля 1917 года в Петроград Ленина, преследуемого, но победительного вождя большевиков, из духа противоречия вдохновил Марину на нежнейшие стихи, адресованные царевичу Алексею, такому же, как его родители, узнику, томящемуся в Царском Селе. Она умоляла «церковную Россию» сохранить живым и здоровым невинного «ягненка», который чахнет за стенами бывшего императорского дворца, охраняемого красными солдатами[1]. А потом, обращаясь уже к поруганному и униженному монарху, она пишет:

---

[1] Речь идет о стихотворении «За Отрока — за Голубя — за Сына...», написанном 4 апреля 1917 года, в третий день Пасхи, и вошедшем в сборник «Лебединый Стан». (*Примеч. переводчика.*)

ЦАРЮ — НА ПАСХУ

Настежь, настежь
Царские врата!
Сгасла, схлынула чернота.
Чистым жаром
Горит алтарь.
— Христос Воскресе,
Вчерашний царь!

Пал без славы
Орел двуглавый.
— Царь! Вы были не правы.

Помянет потомство
Еще не раз —
Византийское вероломство
Ваших ясных глаз.

Ваши судьи —
Гроза и вал!
Царь! Не люди —
Вас Бог взыскал.

Но нынче Пасха
По всей стране,
Спокойно спите
В своем Селе,
Не видьте красных
Знамен во сне.

Царь! — Потомки
И предки — сон.
Есть — котомка,
Коль отнят — трон.[1]

Наконец 13 апреля 1917 года в Москве, среди полного военного разгрома, среди полного политического смятения Марина в муках рожает дочь — Ирину. И сразу же сообщает о счастливом событии маленькой Ариадне (Але):

_____

[1] А вот это стихотворение из того же сборника датировано: «Москва, 2 апреля 1917, первый день Пасхи». (*Примеч. переводчика.*)

«Милая Аля!

Я очень по тебе соскучилась... Твою сестру Ирину мне принес аист — знаешь, такая большая белая птица с красным клювом, на длинных ногах. У Ирины темные глаза и темные волосы, она спит, ест, кричит и ничего не понимает... Кричит она совсем как Алеша, — тебе понравится... Когда я приеду, я подарю тебе новую книгу».[1]

Однако у Марины совершенно не было времени умиляться рождению нового человека. Живя в дезорганизованной стране, она не могла понять, как и чем защитить своего мужа и себя самое, у кого просить этой защиты. Конечно, большевики во главе со своим вождем Лениным и его приспешником Троцким провалились с попыткой государственного переворота, но не укрепилась и власть Временного правительства. Улица диктовала сверхосторожным и боязливым политикам свою волю. Марина боялась, что в любую минуту по приказу какого-нибудь безответственного комитета Сергея выдернут из его офицерской школы и отправят в кровавую бойню. Доведенная почти до безумия, растерянная, она просит своего лучшего друга Максимилиана Волошина (Макса), предполагая, что у того есть связи в «высших сферах», попробовать добиться для Сережи безопасного, с ее точки зрения, прикомандирования.

«Дорогой Макс! — пишет ему Цветаева. —

_____

[1] Эта — данная в сокращении первая из четырех замечательных записок, переданных Мариной Цветаевой дочери из родильного дома — написана крупными печатными буквами — Аля уже умела читать — 16 апреля 1917 года, четвертая, последняя — 29 апреля. Алеша — младший сын Анастасии Цветаевой. (_Примеч. переводчика._)

У меня к тебе огромная просьба: устрой Сережу в артиллерию на юг. (Через генерала Маркса?) Лучше всего в крепостную артиллерию, если это невозможно — в тяжелую. (Сначала говори о крепостной. Лучше всего бы — в Севастополь. Сейчас Сережа в Москве, в 56 пехотном запасном полку. Лицо, к которому ты обратишься, само укажет тебе на форму перехода. Только, Макс, умоляю тебя — не откладывай. Пишу с согласия Сережи. Жду ответа». Но дни проходили, а Макс не отвечал.[1] А в Москве, между тем, уже не хватало всего. Город нерегулярно снабжался продовольствием. Цены на продукты взлетели запредельно. Всю зиму невозможно было достать дрова, чтобы отопить помещения. Поняв, что ждать дальше бессмысленно, Марина вернулась к прежней теме и опять написала Волошину. Теперь она сама собралась в Крым, но ей надо было, чтобы Сережа поехал вместе с семьей.

«Дорогой Макс,

Убеди Сережу взять отпуск и поехать в Коктебель. Он этим бредит, но сейчас у него какое-то расслабление воли, никак не может решиться. Чувствует он себя отвратительно, в Москве сыро, промозгло, голодно. Отпуск ему, конечно, дадут.

---

[1] Это неточно. Волошин ответил 13 августа, более того, он очень активно пытался помочь С. Эфрону, о чем свидетельствуют не только письма самого Макса, но и сохранившаяся в его коктебельском архиве записка Сергея: «Милый Макс, спасибо нежное за горячее отношение к моему переводу в Крым. Маркс мне уже ответил очень любезным письмом и дал нужную справку. Но в Москве мне чинят препятствия, и, верно, с переводом ничего не выйдет. Может быть, так и нужно. Я сейчас так болен Россией, так оскорблен за нее, что боюсь — Крым будет невыносим...» Цитируется по книге: Марина Цветаева. «Собрание сочинений в семи томах. Том 6-й. Письма. М., Эллис Лак, 1995, стр. 77. (*Примеч. переводчика.*)

Напиши ему, Максинька! Тогда и я поеду — в Феодосию, с детьми. А то я боюсь оставлять его здесь в таком сомнительном состоянии.

Я страшно устала... Просыпаюсь с душевной тошнотой, день как гора... Напиши Сереже, а то — боюсь — поезда встанут»[1].

Пока Марина жаловалась на судьбу Сережи, ставшего пленником своего мундира, Анастасия, уехавшая по настоянию Волошина еще в середине мая с детьми в Феодосию, переживала горе, которое физически и морально совершенно выбило ее из колеи. 21 мая 1917 года она потеряла мужа — Маврикия Минца, умершего от перитонита. В Москву Ася попала только на следующий день после похорон, и надо было немедленно возвращаться в Крым — к детям, оставленным у чужих людей. Они перебрались в Коктебель, к Волошиным. Несколько недель спустя, в июле, оба ее сына заболели дизентерией. Старший, Андрей, выздоровел, маленький Алеша 18 августа умер. Тогда совершенно растерявшаяся Анастасия обратилась к старшей сестре, оставшейся в Москве[2]. Марина усмотрела в этом форс-мажорные обстоятельства и, стремясь решить все дела разом, решила воспользоваться пребыванием в

---

[1] Письмо от 25 августа 1917 года. Опубликовано там же — стр. 62. Авторская сноска: «Цитируется по работе Марии Разумовской «Марина Цветаева, миф и реальность». (*Примеч. переводчика.*)

[2] На самом деле сначала заболел и умер Алеша, а только потом заболел Андрей, и Марина все время была в курсе того, что происходит с сестрой. Вот что она писала, когда Андрюша был болен: «Ася, ты идешь сейчас через пустыню. Ее надо пройти, ты пройдешь. Сделаю все, чтобы приехать к тебе, может быть, поселюсь тоже с детьми на зиму в Феодосии. Жди меня. Ты должна жить». Цитируется по «Воспоминаниям» Анастасии Цветаевой, стр. 572. (*Примеч. переводчика.*)

Крыму для того, чтобы снять квартиру, где обоснуется с детьми, подальше от северных столиц с их беспорядками и голодом. Авантюристка по призванию, она села в поезд, бросив в Москве мужа и обеих дочерей. Пусть они ни о чем не беспокоятся! Как только она найдет в Коктебеле или в Феодосии подходящую квартиру, она вернется за ними троими и унесет на юг — как кошка, спасающая своих котят...

Программа Марины отличалась завидной логикой. Но внезапно неожиданные события помешали ее осуществлению. В ночь с 24-го на 25-е октября 1917 года, когда Цветаева уже находилась в Крыму, народ и Петроградский гарнизон, послушные приказаниям Ленина, взяли штурмом Зимний дворец, резиденцию Временного правительства, бросили в тюрьму ошеломленных министров и привели к власти большевиков с их чванным «лидером». Провинциальные города один за другим также восставали. Повсюду торжествовала революция, погружая Россию в хаос, неразбериху, сея беспорядки, насаждая ненависть и беззаконие. Те, кто осмеливался протестовать, взывая к осознанию гражданского долга, попадали за решетку или оказывались расстрелянными на месте. В Феодосии солдатня праздновала победу, грабя, устраивая попойки и оскорбляя пытавшихся образумить их младших офицеров. А ведь Сергей вот-вот должен был закончить в Москве офицерскую школу! Как и большинство его товарищей, «юнкеров», он, разумеется, не преминет вязаться в борьбу с бунтовщиками... Еще 15 сентября 1917 года он писал семье Волошиных: «...Рвусь в Коктебель всей душою и думаю, что в конце концов вырвусь. Все дело за «текущими событиями». К ужасу Марины, я очень горячо переживаю все, что сейчас происходит, — настолько горячо, что боюсь оставить столицу. <..> Я занят весь день обучением солдат — вещь безнадежная и бесцельная. Об этом стоило бы написать поподробнее, но, увы, боюсь «комиссии по обеспечению нового строя». <..> Здесь все по-прежнему. Голодные хвосты, наглые лица, скандалы, драки, грязи как никогда и толпы солдат в трамваях. Все полны кипучей злобой, которая вот-вот прорвется. <..> Я сейчас так болен Россией, так оскорблен за нее, что боюсь — Крым будет невыносим. Только теперь почувствовал, до чего Россия крепка во мне. <..> С очень многими не могу говорить. Мало кто понимает, что не мы в России, а Россия в нас...»[1]

Эти рассуждения из области высокой политики, переданные Марине Волошиным, только усилили состояние непреходящей тревоги, в котором она находилась с самого начала года. А вдруг мятежники нападут на Сергея и решат наказать его за то, что он хочет надеть офицерские погоны? 31 октября она садится в поезд, направляющийся в Москву. Начинается трехдневное путешествие в тряском и грозящем лопнуть — так он был набит людьми — вагоне. Марина не взяла с собой продуктов, а на станциях, где поезд делал остановки, буфеты пустовали. Нельзя было даже воды, не то что чаю, попить! К счастью, у нее оказались с собой папиросы — и с запасом, потому приходилось курить, чтобы обмануть голод. Но-

[1] Цитируется по книге: Марина Цветаева. «Неизданное. Семья, история в письмах». М., Эллис Лак, 1999, стр. 249—250. (*Примеч. переводчика.*)

вости были чудовищные: позади — массовые аресты приверженцев старого режима, охота на лояльных прежним властям офицеров; впереди — неудержимое наступление немцев и десятки тысяч покойников... Все критикуют, никто не управляет... Насмерть перепуганные услышанным попутчики один за другим покидали вагон и усаживались в поезда, движущиеся в обратном направлении. Но Марина, у которой разламывалась спина, подводило живот, пересыхало горло, упрямствовала в своем решении добраться до Москвы во что бы то ни стало, хоть ползком. Чтобы занять себя хоть чем-то, она записывала в тетрадку рассказ об этой адской экспедиции, чтобы потом показать его Сергею: «Если Вы живы, если мне суждено еще раз с Вами увидеться — слушайте: вчера, подъезжая к Харькову, прочла «Южный край». 9000 убитых. Я не могу рассказать Вам этой ночи, потому что она не кончилась. Сейчас серое утро. Я в коридоре. Поймите! Я еду и пишу Вам и не знаю сейчас — но тут следуют слова, которых я не могу написать...

Я боюсь писать Вам, как мне хочется, потому что расплачусь. Все это страшный сон. Стараюсь спать. Я не знаю, как Вам писать. Когда я Вам пишу, Вы — есть, раз я Вам пишу! А потом — ах! — 56 запасной полк, Кремль. (Помните те огромные ключи, которыми Вы на ночь запирали ворота?) А главное, главное, главное — Вы, Вы сам, Вы с Вашим инстинктом самоистребления. Разве Вы можете сидеть дома? Если бы все остались, Вы бы один пошли. Потому что Вы безупречны. Потому что Вы не можете, чтобы убивали других. Потому что Вы лев, отдающий львиную долю: жизнь — всем другим, зайцам и лисам. Потому что Вы беззаветны и самоохраной брезгуете, потому что «я» для Вас не важно, потому что я все это с первого часа знала!

Если Бог сделает это чудо — оставит Вас в живых, я буду ходить за Вами, как собака.<...> У меня все время чувство — это страшный сон. Я все жду, что вот-вот что-то случится, и не было ни газет, ничего. Что это мне снится, что я проснусь.

Горло сжато, точно пальцами. Все время оттягиваю, растягиваю ворот. Сереженька.

Я написала Ваше имя и не могу писать дальше»[1].

Обращения в этом «Письме в тетрадку», как его называет Марина, в начале нет, только в конце — имя. Само письмо, из которого приведена только часть, — сплошь любовь и отчаяние. Марина ведет этот дневник, думая только о муже, перед которым преклоняется, осуждая тем не менее за утопическое великодушие.

Пока состав таким образом тащился по околеневшей от морозов стране, офицеры и «юнкера» Московского гарнизона сражались с революционерами, столкновения шли от улице к улице, от дома к дому, схватки были кровавыми. И днем и ночью слышались ожесточенные перестрелки. После недельной героической защиты уцелевшие приверженцы монархии оказались — на исходе сил и практически без боеприпасов — лицом к лицу со значительно превосходившим их числом противником. И 12 ноября они капитулировали. Разоружив, их отпустили на все четыре

---

[1] Цитируется по книге: Марина Цветаева. Избранная проза в двух томах. Том первый. Russica Publishers, INC. Нью-Йорк, 1979, стр. 21—22. (*Примеч. переводчика.*)

стороны. Такое вот состоялось временное перемирие. А на следующий день Марина Цветаева как раз и прибыла в Москву. И в тот же вечер нашла мужа, которого приютили знакомые. Войдя в комнату, она увидела его погруженным в глубокий сон, голова была откинута назад, вид изнуренный, зато — ни единой царапинки. Обе девочки тоже были совершенно здоровы.

Избавившись от своей главной тревоги, Марина вернулась к навязчивой идее: раз уж в Москве революционные бури на какое-то время утихли, надо воспользоваться, может быть, очень короткой передышкой, чтобы сбежать с Сергеем в Феодосию и приготовить там позиции для эвакуации всей семьи. А пока она оставит детей под опекой двух сестер мужа — Веры и Елизаветы, той самой Лили, которую с младенчества так обожала Ариадна. Назавтра Сергей был посвящен в проект и с энтузиазмом поддержал его. Но энтузиазм этот подпитывался задней мыслью: молодой офицер уже давно мечтал очутиться на Юге и вступить в добровольческую белую армию, которая вела бои с большевиками. Конечно, это было не совсем то, чего желала бы и на что надеялась Марина, но она старалась не противоречить мужу: на сегодняшний день главное, считала она, — сбежать из осиного гнезда, в которое превратилась Москва.

Сказано — сделано: преодолев все трудности и все препятствия, Марина с Сергеем пустились в дорогу. Впереди — Крым! Но сначала — еще один бесконечный и постоянно прерывающийся переезд через страну. Прибыв в Коктебель, они сразу же попали в «бешеную снеговую бурю», как позже напишет Марина. Макс Волошин и его матушка Пра приняли их так тепло, словно они оказались единственными, кто едва уцелел при землетрясении. Чудеса! Настоящий белый хлеб на столе, горячий ужин! Путешественники набросились на забытые яства, как дикари, и Макс смотрел на то, как они едят, с печальной улыбкой. Но когда он узнал, что Марина собирается вернуться в Москву за девочками, доверенными попечению золовок, лицо его омрачилось: происходящие события казались ему чересчур угрожающими, чтобы позволить подруге немедленно заняться операцией по воссоединению семьи. Пессимизм Волошина удивил Сергея, и тот попросил объяснений. И тогда Макс хорошо поставленным своим голосом рассказал гостю, каким ему представляется будущее родной земли.

« — А теперь, Сережа, будет то-то...

И вкрадчиво, почти радуясь, как добрый колдун детям, картину за картиной — всю русскую революцию на пять лет вперед: террор, гражданская война, расстрелы, заставы, Вандея, озверение, потеря лика, раскрепощенные духи стихий, кровь, кровь, кровь...»[1]

На Марину эта апокалиптическая картина произвела в тот момент сильное впечатление, но Сергей стоял на своем и не собирался отказываться от своей идеи: что бы ни случилось, он хочет влиться в ряды добровольцев, сражающихся с большевиками, а добровольцы собираются на берегах Дона по призыву нескольких авторитетных генералов царской армии... А Пра, в свою

---

[1] Цитируется по очерку Марины Цветаевой «Живое о живом», опубликованному в книге: Марина Цветаева. Избранная проза в двух томах. Том второй. Russica Publishers, INC. Нью-Йорк, 1979, стр. 75. (*Примеч. переводчика.*)

очередь, умоляла Марину, если она хочет, чтобы ее проект осуществился, немедленно уехать в Москву, а главное — поскорее выбраться оттуда с девочками, пока путь на Юг еще открыт.

«— Только вы торопитесь, Марина, тотчас же поезжайте, бросайте все, что там вещи, только тетради и детей, будем с вами зимовать...»[1]

Марина старалась успокоить и того, и другую. Она верила в свою счастливую звезду, а к тому же Крым, который она видела сейчас своими глазами, доказывал, что в России хоть где-то еще можно жить спокойно. Казалось, местные татары игнорируют большевистскую заразу. Они не читают газет и продолжают соблюдать древние обычаи своего народа. И раз уж благоразумие взяло верх здесь, почему бы, в конце концов, ему не взять верх и в других местах?

Сергей, со своей стороны, спешил присоединиться к своим «товарищам по оружию» на Дону. Посадив его в поезд, Марина сама стала готовиться в дорогу. Волошин и не старался удержать ее. Но, проводив до рыдвана, который должен был отвезти Цветаеву на вокзал, произнес:

«— Марина! — Максина нога на подножке рыдвана. — Только очень торопись, помни, что теперь будет две страны: Север и Юг.

Это были его последние слова. Ни Макса, ни Пра я уже больше не видала»[2], — вспоминает Марина Цветаева в 1933 году. А тогда она только послала прощальную улыбку этому очаровательному предвестнику несчастий...

Путешествие по железной дороге обошлось

---

[1] Там же, стр. 75. (*Примеч. переводчика.*)

[2] Там же. (*Примеч. переводчика.*)

без приключений. Вернувшись домой, в Москву, Цветаева убедилась, что и тут в ее отсутствие все было хорошо, начала активно готовиться к окончательному переезду вместе с двумя дочками в Крым, где их ждали Макс и Пра, но... Но страшные события опередили их: буквально за несколько дней война между красными и белыми приняла такой накал и так распространилась по территории России, что какая бы то ни было поездка стала невозможной. В полном соответствии с пророчествами Макса, которым в свое время она не придала значения, страна оказалась разрубленной надвое. И попытка в разгаре этой гражданской войны перебраться из одной России в другую была бы столь же дерзкой и рискованной авантюрой, как намерение перейти линию фронта, разделявшую Россию с Германией. Все средства коммуникации бездействовали. И Марина с ужасом поняла, что находится с двумя маленькими девочками в городе, оккупированном большевиками, в то время как ее муж и отец девочек, за тысячу километров от них, ожесточенно сражается с этими же большевиками. Пленница красных, лишенная всякой поддержки, не обладающая никаким практицизмом, буквально раздавленная своей материнской ответственностью, она должна была предпринимать поистине нечеловеческие усилия, чтобы выжить, не имея надежд ни на что, кроме вдруг да прорвавшегося неожиданно в город письма от Сережи или — столь же проблематичного — успеха одного из будущих стихотворений. Но кто во время такой братоубийственной войны станет интересоваться поэзией всеми покинутой молодой женщины? И вдруг она подумала об Андре Шенье, который, как и она сама, стал жертвой слепого политиканства. Пристыженная видением этого собрата по перу, которого и в бедствиях не оставляло вдохновение, она на свой лад поприветствовала его:

> Андрей Шенье взошел на эшафот.
> А я живу — и это страшный грех.
> Есть времена — железные — для всех.
> И не певец, кто в порохе — поет.
>
> И не отец, кто с сына у ворот
> Дрожа срывает воинский доспех.
> Есть времена, где солнце — смертный грех.
> Не человек — кто в наши дни — живет.[1]

Однако ей казалось, будто благодаря Богом посланной нелепости своей в этих условиях, благодаря небесной неосознанности того, что делаешь, именно поэзия, работа духа может стать спасительным лекарством. Вот оно, исцеление — рядом, под рукой, на кончике пера... Никакой наркотик не даст такого опьянения, какое способны дать ритмы, мечты... Взгляд молодой женщины блуждал от девочек к тетрадкам, и внезапно на нее снизошло озарение, и она подумала: в конце концов, я не так одинока и не в таком плачевном положении, как мне казалось, раз у меня остается моя Поэзия.

---

[1] Стихотворение, открывающее цикл «Андрей Шенье», написано 17 апреля 1918 года. (*Примеч. переводчика.*)

VII

БЕЗ ВЕСТЕЙ ОТ СЕРЕЖИ!

Церковные купола все так же горели на солнце, в гостиных и редакциях газет точно так же болтали о пустяках, чтобы не надо было говорить о важном, ничуть не изменился звук родного русского языка, доносившийся с любого угла любой улицы, Москва осталась прежней, но у Марины было четкое ощущение, что она как-то не совсем в России сейчас живет. Может быть, потому, что царская символика исчезла с фасадов зданий и витрин магазинов? Испуганные буржуа и мещане прятались, словно в чем-то виноваты, даже не знакомые друг с другом люди обращались к случайному собеседнику, непривычно именуя его «товарищем», рабочие ходили гоголем — еще бы, положение-то привилегированное, пролетарская фуражка стала вроде короны, каждый день новый декрет правительства обрушивался на головы ошеломленных и растерянных граждан... Конечно, ноябрьские 1917 года выборы в Учредительное собрание принесли социалистам-революционерам (эсерам) победу над большевиками, которым удалось получить лишь 24 процента голосов, но Ленину было наплевать на эти устаревшие, по его мнению, и пустые соображения. В декабре того же года он объявил в очередном манифесте, что интересы Революции законны даже тогда, когда они противоречат решениям Учредительного собрания. После бурного обмена мнениями он приказал запретить не согласным с ним депутатам вход в зал собраний, хотя все они были избраны на совершенно законных основаниях и составляли большинство этого парламента. Таким образом, добрая воля народа оказалась воплощенной в одном-единственном человеке, которого даже не избирали вождем его сограждане, и эта «добрая воля» заменила собою добрую волю монарха, законность владычества которого покоилась на династическом наследственном праве. Подобная чистка отражала поистине диктаторскую жестокость. И никто не осмелился высказаться против доводов более сильного, чем он сам. Многочисленные интеллектуалы, поспешившие перебежать на сторону новой власти, верили даже (или притворялись, будто верят), что в лице Ленина победил рабочий класс в целом и что благодаря ему Россия выйдет наконец из эпохи сумерек, чтобы подняться, как Франция 89-го года, на высоты духа.

Когда Маяковский, Блок, Белый, Брюсов уже выразили от всего сердца солидарность с новыми хозяевами страны, Марина Цветаева еще не знала, к какому берегу причалить. Всегдашний отказ признать любую официальную власть священной, казалось бы, должен был заставить ее примкнуть к крайне левым, но она приходила в ужас от лавины декретов, которые Ленин с хладнокровием опытного специалиста по сносу зданий обрушивал на страну и ее население. Ни одна организация, ни одно учреждение, какими бы почтенными они ни были, не выдерживали ударов молота этого неистового пророка. Первой его заботой стало создание политической полиции — Чрезвычайная Комиссия, знаменитая ЧК, должна была выслеживать, выявлять и уничтожать врагов коммунизма. Началась эпоха доносов. Один за другим «настоящими патриотами» выдавались чекистам процветающие промышленники, мирные землевладельцы — как помещики, так и просто зажиточные крестьяне, священнослужители, офицеры, чиновники, занимавшие при царе высокие должности, писатели, вызывавшие подозрение своими взглядами... Их приговаривали к смертной казни, даже не дав времени найти себе защитника. Достаточно было распущенного по кварталу слуха, гнусной сплетни — и расстреливали или, в лучшем случае, высылали всякого, кто осмелился, например, легкомысленно отнестись к священной непогрешимости Советов. Обыски, конфискации имущества, грабежи, ссылки превратили Россию в огромный концентрационный лагерь, где каждый шпионил за соседом и где каждый дрожал от страха: а вдруг на рассвете постучат именно в его дверь. Вполне ведь могут узнать, что муж Марины — офицер Белой гвардии... Достаточно чьей-то несдержанности, достаточно перлюстрации любого письма контрольными службами! Со времени отъезда Сергея из Крыма она не получила от него ни единой весточки. Он погиб? Или жив? Как узнать об этом, если твои розыски наверняка привлекут к тебе недоброжелательный интерес чекистских информаторов? Лучше уж втянуть голову в плечи, жаться по стенам и молчать. Ждать.

Однако на другом конце России 12 мая 1918 года Пра и Макс Волошин в Коктебеле получили письмо от Сергея Эфрона, проштемпелеванное в Новочеркасске — к северу от Ростова.

«— Дорогие Пра и Макс, только что вернулся из Армии, с которой совершил фантастический тысячеверстный поход. Я жив и даже не ранен, — это невероятная удача, потому что от ядра Корниловской Армии почти ничего не осталось. <..> Не осталось и одной десятой тех, с кем я вышел из Ростова. <..>

Но о походе после. Теперь о Москве. Я потерял всякую связь с Мариной и сестрами, уверен, что они меня давно похоронили, и эта уверенность не дает мне покоя. Пользовался всяким случаем, чтобы дать знать о себе, но все случаи были очень сомнительны. Пра, дорогая, огромная просьба к Вам — выдумайте с Максом какой-нибудь способ известить Марину и сестер, что я жив. Боюсь подумать о том, как они перемучились это время. Сам я тоже нахожусь в постоянной тревоге о них. <..> Живу сейчас на положении «героя» у очень милых местных буржуев. Положение мое очень неопределенно, пока прикомандирован к чрезвычайной миссии при Донском правительстве. Может быть, придется возвращаться в Армию, которая находится отсюда в верстах семидесяти. Об этом не могу думать без ужаса, ибо нахожусь в растерзанном состоянии. Нам пришлось около семисот верст пройти пешком по такой грязи, о которой не имел до сего времени понятия. Переходы приходилось делать громадные — до 65 верст в сутки. И все это я делал, и как делал! Спать приходилось по 3—4 ч. — не раздевались мы три месяца — шли в большевистском кольце — под постоянным артиллерийским обстрелом. За это время было 46 больших боев. У нас израсходовались патроны и снаряды — приходилось и их брать с бою у большевиков. Заходили мы и в черкесские аулы, и в кубанские станицы и наконец вернулись на Дон. Остановились, как я уже говорил, в 70 верстах от Ростова и Черкасска. Ближе не подходим, потому что здесь немцы.

Наше положение сейчас трудное — что делать? Куда идти? Неужели все эти жертвы принесены даром? Страшно подумать, если это так. <..>

Изголодался по людям. Так бы хотелось повидать совсем своих...»[1]

Не подозревая о деталях провала благих намерений Сережи, Марина старалась забыться в повседневных делах. Хлопоты, которых что ни утро требовало существование семьи, заслоняли от нее все остальные заботы: надо было столько сделать, чтобы приспособиться к жизни в Москве, что порой она и думать не успевала о белых добровольцах, об этих «рыцарях без страха и упрека», вместе с которыми вступил в борьбу за будущее России и ее муж.

Ей повезло, и в то время, когда московские власти принялись методично реквизировать «излишки жилплощади у буржуев», каким-то непонятным образом удалось сохранить для себя и

---

[1] Цитируется по книге: Марина Цветаева. «Неизданное. Семья, история в письмах». М., Эллис Лак, 1999, стр. 271—272. Авторская ссылка: «Письмо процитировано по книге Анны Саакянц «Марина Цветаева, ее жизнь, ее творчество». (*Примеч. переводчика.*)

своих двух дочерей право пользоваться тремя комнатами их квартиры в Борисоглебском переулке. Чахлой печки едва хватало, чтобы согреть воздух в детской. Работать дрожащая от холода Марина забиралась на чердак, где раскинулось настоящее кладбище бумаг, бумажек, книг... «Чердачный дворец мой, дворцовый чердак! Взойдите. Гора рукописных бумаг...» — писала она.

Друзья, приходившие к ней в гости, смеялись, когда она с царственной непринужденностью передвигалась по этой крысиной норе. Время от времени здесь появлялись Владимир Маяковский, Илья Эренбург, и им она, ни секунды не колеблясь, открывала свои сожаления о павшей монархии, злоупотребления и глупость которой было переносить все-таки легче, чем мерзости большевистского режима. А они снисходительно улыбались, слушая ее гневные речи: уважение к таланту и сострадание к нищете такого Поэта пересиливали желание спорить.

Тем не менее... а может быть, и потому вовсе не они помогали Цветаевой в эти трудные дни сохранять веру в будущее. Самой излюбленной ее собеседницей была тогда старшая дочь Ариадна. Эта шестилетняя девчушка обладала такой исключительной рассудительностью, что Марина без всяких сомнений брала ее с собой на литературные вечера, где поэты читали свои стихи. Очарованная личностью матери, Аля, несмотря на то, что по возрасту ей понимать такое было еще явно рановато, вела удивительный дневник, лишний раз доказывающий преждевременную зрелость этого ребенка. В декабре 1918 года она, например, сделала такую запись:

«Моя мать.

Моя мать очень странная.

Моя мать совсем не похожа на мать. Матери всегда любуются на своего ребенка и вообще на детей, а Марина маленьких детей не любит.

У нее светло-русые волосы, они по бокам завиваются. У нее зеленые глаза, нос с горбинкой и розовые губы. У нее стройный рост и руки, которые мне нравятся.

Ее любимый день — Благовещение. Она грустна, быстра, любит Стихи и Музыку. Она пишет стихи. Она терпелива, терпит всегда до крайности. Она сердится и любит. Она всегда куда-то торопится. У нее большая душа. Нежный голос. Быстрая походка. У Марины руки все в кольцах. Марина по ночам читает. У нее глаза почти всегда насмешливые. Она не любит, чтобы к ней приставали с какими-нибудь глупыми вопросами, она тогда очень сердится.

Иногда она ходит как потерянная, но вдруг точно просыпается, начинает говорить и опять точно куда-то уходит»[1].

Поеживаясь под тяжестью этого наивного и одновременно более чем проницательного взгляда, Марина испытывала любовь, смешанную с опасением. Она смотрелась в живое отражение самой себя, словно в зеркало. И — говорила об этом в стихах, посвященных дочери:

Когда-нибудь, прелестное созданье,
Я стану для тебя воспоминаньем,

Там, в памяти твоей голубоокой
Затерянным — так далеко-далёко.

---

[1] Ариадна Эфрон. «Страницы воспоминаний». Цитируется по книге «Марина Цветаева в воспоминаниях современников. Рождение поэта». М., Аграф, 2002, стр. 207.

Забудешь ты мой профиль горбоносый,
И лоб в апофеозе папиросы,

И вечный смех мой, коим всех морочу,
И сотню — на руке моей рабочей —

Серебряных перстней, — чердак-каюту,
Моих бумаг божественную смуту...

Как в страшный год, возвышены Бедою,
Ты — маленькой была, я — молодою.[1]

Думая о дочери, Марина возвращалась памятью к собственной матери, которая заливала ее в детстве требовательным восхищением и более всего на свете желала, чтобы девочка стала музыкантшей, пианисткой-виртуозом. Ей казалось, что вот такое вот стремление к совершенству создания, которое ты произвела на свет, неумолимо переходит в семье от одного поколения к другому. От Марии Мейн к Марине Цветаевой. Так, словно это одна и та же женщина, которая вбила себе в голову, что ее дитя, ее наследница должна посвятить себя искусству и выйти там в первые ряды. Может быть, Ариадна, которая явно имеет склонность к поэтическому творчеству (она уже знает наизусть стихи собственной матери, Блока, Эренбурга), станет когда-нибудь знаменитой? Марина надеялась на это, но от такой перспективы семейного соперничества мороз продирал по коже. Цветаева номер два? Нет, это невозможно! И тем не менее она не уверена, что стала бы протестовать. Отодвигая на время решение этой дилеммы, она хотела пока лишь наслаждаться избранничеством своей дочери, не думая о том, что когда-нибудь ее собственное самолюбие будет

_____
[1] Ноябрь 1919 года.

ранено, если вдруг Ариадна явится вытеснить ее со сцены. А Илья Эренбург так описывает свой первый визит в Борисоглебский переулок:

«Войдя в небольшую квартиру, я растерялся: трудно было представить себе большее запустение. Все жили тогда в тревоге, но внешний быт еще сохранялся, а Марина как будто нарочно разорила свою нору. Все было накидано, покрыто пылью, табачным пеплом. Ко мне подошла маленькая, очень худенькая, бледная девочка и, прижавшись доверчиво, зашептала:

> Какие бледные платья!
> Какая странная тишь!
> И лилий полны объятья,
> И ты без мысли глядишь...

Я похолодел от ужаса: дочке Цветаевой — Але — было тогда лет пять, и она декламировала стихи Блока. Все было неестественным, вымышленным: и квартира, и Аля, и разговоры самой Марины — она оказалась увлеченной политикой, говорила, что агитирует за кадетов...»[1]

Несмотря на полное отсутствие бытовых удобств, на трудности с пропитанием, на придирки властей, Марина в 1918 году виделась со многими людьми. И если можно сказать, что перо ее оставалось активным, то и сердце тоже не бастовало. Всегда быстро воспламеняющаяся, она сначала влюбилась в юного (ему исполнился двадцать один год, когда ей было двадцать пять) поэта Павла Антокольского, который был учеником Вахтангова в Третьей студии Московского Худо-

[1] Илья Эренбург. «Люди, годы, жизнь». Цитируется по книге «Марина Цветаева в воспоминаниях современников. Рождение поэта». М., Аграф, 2002, стр. 125. (*Примеч. переводчика.*)

жественного театра, находившейся в Мансуровском переулке на Остоженке. Погрузившись благодаря ему в волнующую и подвижную артистическую среду, она немедленно переключилась на актера и режиссера Юрия Завадского, посвятила ему несколько стихотворений, вошедших в цикл «Комедьянт»[1], и — стала писать пьесы... Забавляясь тем, как можно заставить беседовать между собою созданные твоей фантазией персонажи, она и не надеялась, что придет время, когда ее маленькие шедевры увидят свет рампы. Но на самом деле главным ее открытием этого периода стала молоденькая актриса Софья Голлидэй (Сонечка). Влюбленность оказалась мгновенной, любовь — разделенной. Софью совершенно покорили авторитет этой похожей на мальчика-подростка поэтессы и уникальность ее личности. Да и Марина позволила себе ответить на эту полуребяческую страсть юной подруги, страсть, где к обоюдному восхищению примешивалось сапфическое чувство, в котором обе стыдились признаться даже самим себе. Об этой истории, нежданно ворвавшейся в ее жизнь, Цветаева рассказала в очередном цикле стихотворений и в поэтичнейшей прозе, названной ею «Повесть о Сонечке».

Все эти дружбы, все эти мимолетные увлечения не смогли исцелить Марину от главного: тайная ее рана — судьба мужа, добровольца Белой армии — никак не затягивалась. Думая о нем и его товарищах по оружию, она сочинила целый сборник стихов «Лебединый Стан», в котором воспевались те, кто рисковал жизнью, стремясь

---

[1] Конец декабря 1918 года.

освободить родину от большевистского ига. Узнав, что после нескольких героических сражений белые войска оказались в ситуации, когда оставалось только сдаться под натиском красных орд, она написала:

Кто уцелел — умрет, кто мертв — воспрянет.
И все потомки, вспомнив старину:
— Где были вы? — Вопрос как громом грянет,
Ответ как громом грянет: — На Дону!

— Что делали? — Да принимали муки,
Потом устали и легли на сон.
И в словаре задумчивые внуки
За словом: долг напишут слово: Дон.[1]

И еще:

— Где лебеди? — А лебеди ушли.
— А вороны? — А вороны остались.
— Куда ушли? — Куда и журавли.
Зачем ушли? — Чтоб крылья не достались.

— А папа где? — Спи, спи, за нами Сон,
Сон на степном коне сейчас приедет.
— Куда возьмет? — На лебединый Дон.
Там у меня — ты знаешь — белый лебедь...[2]

Этими стихами во славу добровольцев, вышедших в крестовый поход против большевизма, Марина старалась убедить и себя саму, что была права, встав на сторону верности и не побоявшись авантюрного пути. Но каждый день ее тревога, ее тоска возрастала: к тому, что вестей от

[1] Стихи написаны 30 марта 1918 года, примечание к ним Поэта: «NB! Мои любимые!». Включены в цикл «Дон». (*Примеч. переводчика.*)

[2] Сборник стихотворений «Лебединый стан» был опубликован в России только в 1990 году. (*Примеч. автора.*) Это стихотворение написано 9 августа 1918 года, входит в цикл «Андрей Шенье». (*Примеч. переводчика.*)

мужа так и не пришло, добавились отсутствие денег, нехватка еды, дров для отопления, а главное — утрата веры в будущее. Революция была безжалостна к вчерашним богачам. И даже тот жалкий капитал, который хранился у Цветаевой в банке, тоже исчез в ходе конфискаций всякого рода. Она существовала, едва сводя концы с концами, продавая последние драгоценности, выстаивая часами в очередях за продуктами, которые выдавались в центрах помощи детям лишенцев, в надежде хоть чем-то прокормить своих двух девочек, единственное ее платье превратилось в лохмотья. Целыми днями она мела, скребла, стирала... Вот как она описывала обычный свой день в конце ноября 1919 года: «...встаю — верхнее окно еле сереет — холод — лужи — пыль от пилы — ведра — кувшины — тряпки — везде детские платья и рубашки. Пилю. Топлю. Мою в ледяной воде картошку, которую варю в самоваре... Самовар ставлю горячими углями, которые выбираю тут же из печки... Потом уборка... потом стирка, мытье посуды: полоскательница и кустарный кувшинчик для «детского сада»... Маршрут: в детский сад (Молчановка, 34) занести посуду, — Староконюшенным на Пречистенку за усиленным (питанием — А.С.), оттуда в Пражскую столовую (на карточку от сапожников), из Пражской (советской) к бывшему Генералову — не дают ли хлеб — оттуда опять в детский сад, за обедом, — оттуда — по черной лестнице, обвешанная кувшинами, судками и жестянками — ни пальца свободного! И еще ужас: не вывалилась из корзиночки сумка с карточками?! — по черной лестнице — домой. Сразу к печке. Угли еще тлеют. Раздуваю. Разогреваю. Все обеды — в одну кастрюльку: суп вроде каши... Кормлю и укладываю Ирину... Кипячу кофе. Пью. Курю... В 10 часов день кончен. Иногда пилю и рублю на завтра. В 11 часов или в 12 часов я тоже в постель. Счастлива лампочкой у самой подушки, тишиной, тетрадкой, папиросой, иногда — хлебом...»[1]

А как только выпадала минутка отдыха, она записывала стихи в тетрадку, чтобы убедить себя: это все еще она, та самая Марина Цветаева, которая когда-то мечтала стать великим поэтом. Однажды ее квартирант, работавший в ЧК, «коммунист, кротчайший и жарчайший», как писала о нем Цветаева, сжалившись над ней, предложил работу — в Народном комиссариате по делам национальностей, Наркомнаце, который находился тогда в «Доме Ростовых» на Поварской. И теперь, с утра до вечера прикованная к рабочему столу, она составляет архив газетных вырезок: «излагаю своими словами Стеклова, Керженцева, отчеты о военнопленных, продвижение Красной Армии и т.д. Излагаю раз, излагаю два (переписываю с «журнала газетных вырезок» на «карточки»), потом наклеиваю эти вырезки на огромные листы...» Работа бессмысленная, Цветаева предполагает, что все это «совершенно бесполезно и рассыпется в прах еще раньше, чем это сожгут».[2]

Но бывало и еще хуже. «14-го ноября. Второй день службы.

Странная служба! Приходишь, упираешься

---

[1] Цитируется по книге А.Саакянц (А.С. — в тексте цитаты) — «Марина Цветаева. Жизнь и творчество». М., Эллис Лак, 1999, стр. 183—184. (*Примеч. переводчика.*)

[2] Марина Цветаева. «Мои службы». Цитируется по книге: Марина Цветаева. Избранная проза в двух томах. Том первый. Russica Publishers, INC. Нью-Йорк, 1979, стр. 52. (*Примеч. переводчика.*)

локтями в стол (кулаками в скулы) и ломаешь себе голову: чем бы таким заняться, чтобы время прошло? Когда я прошу у заведующего работы, я замечаю в нем злобу».[1]

Под любым предлогом сотрудницы Марины выскальзывали за дверь и обегали все окрестные магазины и лавки в надежде, что «выбросят» хоть какие-то продукты. Марина поступала так же, и порой ее одолевали сомнения, что выбрать: мороженую картошку или яйца непредсказуемой свежести... А возвращаясь к своему столу после бесплодных скитаний, она говорила себе, что потеряла время дважды. В самом деле, платили ей так мало и работа в этом Комиссариате по делам национальностей была такой неинтересной, что одна была мечта: спрятавшись за горами папок с бумагами, писать что-то для себя самой. После шести месяцев такой «бездельной деятельности» в Наркомнаце, потом попытки поработать в картотеке учреждения со странным названием «Монпленбеж», несмотря на то что даже крошечная зарплата, которую она приносила домой, отнюдь не была лишней,[2] Марина все-таки не выдержала царивших на ее «службах» скученности, глупости и зависти, а главное — бессмысленной писанины, которая от нее требовалась, и ушла, не дожидаясь, пока ее выгонят. А вспоминая об этом позже и не скрывая юмора, написала так: «Нужно отдать должное: коммунисты доверчивы и терпеливы. В старорежимном учреждении меня бы сразу, разглядев, сразу выгнали. Здесь я сама подаю в

___

[1] Там же, стр. 51.

[2] В «Моих службах» Цветаева приводит список цен на некоторые продукты: фунт муки — 35 рублей, картошки — 10 рублей, луку — 15 рублей, 1 селедка — 25 рублей, а жалованье ее составляло 775 рублей в месяц. (Примеч. переводчика.)

отставку. <...> Не вычли (из жалованья, хотя работа была не сделана. — Н.В.). Нет, руку на сердце положа, от коммунистов я по сей день, лично, зла не видела (может быть, злых не видела!). И не их я ненавижу, а коммунизм. (Вот уже два года, как со всех сторон слышу: «Коммунизм прекрасен, коммунисты ужасны!» В ушах навязло!)», а чуть дальше: «Не я ушла из Картотеки: ноги унесли! Душа — ноги: вне остановки сознания. Это и есть инстинкт».[1]

Марина была счастлива обрести свободу, потому что, оставляя дочерей дома ради того, чтобы отбыть рабочие часы, она находилась в постоянной тревоге. Конечно, Ариадна выглядела достаточно крепкой, пусть и худенькой, и бледненькой, но вот маленькая Ирина безнадежно отставала и в физическом, и даже в умственном развитии. Все время какая-то полусонная или погруженная в себя, девочка не умела говорить и большую часть времени что-то, раскачиваясь, пела: «слух и голос были изумительные» — писала потом Марина сестре. Скорее всего, сказывались последствия полуголодного существования. Но в 1919 году большая часть российских детей оказалась не в лучшем положении. Несмотря на то что в марте 1918 года в Брест-Литовске был подписан сепаратный мирный договор с Германией, условия жизни при советской власти становились все тяжелее и тяжелее. Продолжение гражданской войны обходилось дорого, а упрямое желание Ленина управлять экономикой в точности так же, как общественной жизнью, усиливало разруху, приводило к уничтожению нации и делало политический террор поистине невыносимым. Простой

[1] Там же, стр. 68, 70.

народ потуже затягивал пояса, согревал дыханием озябшие пальцы и задумывался, должен ли он в своей крайней нужде проклинать большевиков, которые поставили родину раком, сторонников царского режима, которые не помешали им это сделать, или злой рок, который чувствует себя в России, как у себя дома.

Марина больше, чем кто-либо, терялась перед сиюминутными материальными трудностями, которые сменяли одна другую. Там, где другие хоть как-то выпутывались, она только еще больше погрязала в нужде. И поскольку она уже просто не могла видеть, как маленькая Ирина, которой вот-вот должно было исполниться три года, чуть ли не умирает с голоду и чахнет день ото дня, то и стала советоваться с друзьями, чем тут можно помочь. Ей дали добрый совет: поместить малышку в детский приют в Кунцеве, неподалеку от Москвы. Там, говорили люди, которым Цветаева безусловно доверяла, за ней будут лучше ухаживать, там ее будут лучше воспитывать, а главное, там ее будут лучше кормить. Уставшая бороться Марина согласилась с разумным, на первый взгляд, предложением и отдала дочку в приют[1]. Вообще-то, никому в этом не признаваясь, она испытала облегчение, оставшись вдвоем со своей дорогой Ариадной. Ничтожность, безликость, болезненность Ирины были для них обеих непомерным грузом, делали младшего ребенка почти чужим в семье. Было ли это потому, что беременность второй дочерью оказалась тяжелой, а роды мучительными, из-за того ли — когда страдания за-

___

[1] На самом деле Цветаева отдала в приют обеих девочек, но через некоторое время забрала тяжело заболевшую Алю. (*Примеч. переводчика.*)

кончились, — Марина восприняла это дитя как наказание, как результат некоей оплошности? С течением времени то, что девочка становилась все более недоразвитой, стало подавлять ее. Она была слишком горда, чтобы жить каждый день вот с таким вот разочарованием в своем материнстве. Когда Цветаева была недовольна каким-то своим стихотворением, она засовывала его в дальний ящик, чтобы поскорее забыть о нем. Вот и Ирину она засунула в такой «ящик» — в кунцевский приют. Ей было достаточно Ариадны. Она сделала свой выбор. Раз и навсегда.[1]

В начале февраля 1920 года Аля заболела дизентерией. Вспоминая, как ее племянник Алеша, сын Анастасии, три года назад умер от этой самой инфекции, обеспокоенная Марина не отходила от постели дочери. И вдруг, когда голова ее была занята только одной навязчивой мыслью, как спасти Алю, на нее обрушилась страшная весть. Маленькая Ирина умерла от истощения в кунцевском приюте. Цветаева сразу же почувствовала себя виновной в том, что выкинула из дому слабого младшего ребенка, чтобы сосредоточить всю заботу на старшей, на дочке, которая всегда была ее любимицей. Охваченная запоздалым раскаянием, она рассказывает о своем горе в одном из писем:

---

[1] Все дальнейшее перевожу так, как написано, более того, кое в чем это подтверждается вроде бы и приведенными в «Воспоминаниях» Анастасии Цветаевой письмами (если придерживаться буквы, а не духа), даже — словами самой младшей сестры, но все-таки лучше обратиться к книге А.Саакянц «Марина Цветаева. Жизнь и творчество» (М., Эллис Лак, 1999, стр. 186—193) и познакомиться с этой историей, изложенной более объективно. (*Примеч. переводчика.*)

«Друзья мои!

У меня большое горе: умерла в приюте Ирина — 3-го февраля, четыре дня назад. И в этом виновата я. Я так была занята Алиной болезнью (малярия — возвращающиеся приступы) — и так боялась ехать в приют (боялась того, что сейчас случилось), что понадеялась на судьбу.

— Помните, Верочка, тогда в моей комнате, на диване, я Вас еще спросила, и Вы ответили «может быть» — и я еще в таком ужасе воскликнула: — «Ну, ради Бога!» — И теперь это свершилось, и ничем не исправишь. Узнала я это случайно, зашла в Лигу Спасения детей на Собачьей площадке разузнать о санатории для Али — и вдруг: рыжая лошадь и сани с соломой — кунцевские — я их узнала. Я взошла, меня позвали. — «Вы госпожа такая-то?» — Я. — И сказали. — Умерла без болезни, от слабости. И я даже на похороны не поехала — у Али в этот день было 40,7 — и — сказать правду?! — я просто не могла. — Ах, господа! — Тут многое можно было бы сказать. Скажу только, что это дурной сон, я все думаю, что проснусь. Временами я совсем забываю, радуюсь, что у Али меньше жар, или погоде — и вдруг — Господи, Боже мой! — Я просто еще не верю! — Живу с сжатым горлом, на краю пропасти. — Многое сейчас понимаю: во всем виноват мой авантюризм, легкое отношение к трудностям, наконец, — здоровье, чудовищная моя выносливость. Когда самому легко, не видишь, что другому трудно. И — наконец! — я была так покинута! У всех есть кто-то: муж, отец, брат — у меня была только Аля, и Аля была больна, и я вся ушла в ее болезнь — и вот Бог наказал. <..>

Другие женщины забывают своих детей из-за

балов — любви — нарядов — праздника жизни. Мой праздник жизни — стихи, но я не из-за стихов забыла Ирину — я 2 месяца ничего не писала! И — самый мой ужас! — что я ее не забыла, не забывала, все время терзалась и спрашивала у Али: — «Аля, как ты думаешь — — — ?» И все время собиралась за ней, и все думала: «Ну, Аля выздоровеет, займусь Ириной!» — А теперь поздно...»[1]

После смерти младшей дочери Марина удвоила нежность по отношению к старшей, единственной, которая у нее оставалась. Анастасия Цветаева в своих воспоминаниях приводит рассказ Марины об этих страшных днях: «В последний раз я видела Ирину в той большой, как сарай, комнате, она шла, покачиваясь, в длинном халате, горела лучина... В Москве я лечила Алю, топила буржуйку креслами красного дерева, она начала поправляться. И однажды в очереди за содой — мыла в Москве не было, я узнала от бабы, что Ирину накануне похоронили... Подходит, всматривается: «А вы не Ириночкина ли мать будете? Мы ее вчера схоронили...» На могилу ее я не поехала, не могла оставить больную Алю. Потом, когда мне дали академический паек... я сказала Але: «Ешь. И без фокусов. Пойми, что я спасла из двух — тебя, двух не смогла. Тебя выбрала... Ты выжила за счет Ирины».[2]

---

[1] Письмо В. К. Звягинцевой и А. С. Ерофееву, приводится не полностью, датировано Цветаевой: «М., 7/20 февраля 1920г., пятница», цитируется по книге: Марина Цветаева. Собрание сочинений в семи томах. Том 6. Письма». М., Эллис Лак, 1995, стр. 153—154. (*Примеч. переводчика.*)

[2] Цитируется по книге: Анастасия Цветаева. «Воспоминания». Стр. 593. (*Примеч. автора и переводчика.*)

Пытаясь сопротивляться горю, унынию, упадку духа, Марина стала вновь появляться на публике и читать стихи, зарабатывая на этом жалкие рубли. Во время большого вечера, организованного Брюсовым в Политехническом музее в честь русских поэтесс, она вышла на эстраду одетая в зеленое подобие подрясника, скорее напоминавшее плащ-пыльник, чем платье, и делавшее ее похожей на высокомерную и злобную монашку. Вздернутый подбородок, туго затянутый юнкерский ремень, через плечо — на ремне же — коричневая кожаная офицерская сумка для полевого бинокля или для папирос, ноги в серых валенках, пальцы, унизанные кольцами... Она прошла на авансцену, пристально смотря на разодетую в пух и прах публику, и орлиный взгляд ее был вызывающим. Брюсов во вступительном слове сказал, что женщины «не умеют петь ни о чем, кроме любви и страсти» — то есть о предмете, который знают лучше всего. И Марина решила доказать ему обратное. Впрочем, вот как она сама об этом рассказывает в посвященном Брюсове очерке «Герой труда»:

«— Товарищи, первой выступит (подчеркнутая пауза) поэт Цветаева.

Стою, как всегда на эстраде, опустив близорукие глаза к высоко поднятой тетрадке, — спокойная — пережидаю (тотчас же наступающую) тишину. И явственнейшей из дикций, убедительнейшим из голосов:

Кто уцелел — умрет, кто мертв — воспрянет... <...>

Секунда пережидания и — рукоплещут. Я, чуть останавливая рукой, — дальше. За Доном — Москва («Кремлевские бока» и «Гришка-вор»), за

Москвой — Андрей Шенье («Андрей Шенье взошел на эшафот»), за Андреем Шенье — Ярославна, за Ярославной — Лебединый стан, так (о седьмом особо) семь стихов подряд. Нужно сказать, что после каждого стиха настала недоуменная секунда тишины (то ли слышу?) и (очевидно, не то!) прорвалась — рукоплещут. Эти рукоплескания меня каждый раз, как Конек-Горбунок — царевича, выносили. Кроме того, подтверждали мое глубочайшее убеждение в том, что с первого раза, да еще с голосу, смысл стихов вообще не доходит, — скажу больше: что для большинства в стихах дело вовсе не в смысле, и — не слишком много скажу, — что на вечере поэтесс дело уже вовсе не в стихах. Здесь же, после предисловия Брюсова (пусть не слушали — слышали!) я могла разрешить себе решительно все... <..> Делая такое явное безумие, я преследовала две, нет, три, четыре цели: 1) семь женских стихов без любви и местоимения «я», 2) проверка бессмысленности стихов для публики, 3) перекличка с каким-нибудь одним, понявшим (хотя бы курсантом!), 4) и главная: исполнение здесь, в Москве 1921г., долга чести. И вне целей, бесцельное — пуще целей! — простое и крайнее чувство: — а ну?

Произнося, вернее, собираясь произнести некоторые строки («Да, ура! За царя! Ура!»), я как с горы летела. Но произнесла, но сейчас — уже не волей моей, а стиха — произнесу. Произношу. Неотвратимость.

Стих, оказавшийся последним, был и моей в тот час, перед красноармейцами — коммунистами — курсантами — моей, жены белого офицера, последней правдой:

«Кричали женщины ура
и в воздух чепчики бросали»...

Руку на сердце положа:
Я не знатная госпожа!
Я — мятежница лбом и чревом.

Каждый встречный, вся площадь, — все! —
Подтвердят, что в дурном родстве
Я с своим родословным древом.

Кремль! Черна чернотой твоей!
Но не скрою, что всех мощей
Преценнее мне — пепел Гришки!

Если ж чепчик кидаю вверх, —
Ах! Не так же ль кричат на всех
Мировых площадях — мальчишки?!

Да, ура! — За царя! — Ура!
Восхитительные утра
Всех, с начала вселенной, въездов!

Выше башен летит чепец!
Но — минуя литой венец
На челе истукана — к звездам![1]

В этом стихе был мой союз с залом, со всеми залами и площадями мира, мое последнее — все розни покрывающее — доверие, взлет всех колпаков — фригийских ли, семейственных ли — поверх всех крепостей и тюрем — я сама — самая я».[2]

Обалдевшая публика ответила вежливыми аплодисментами. Организаторы вечера, не скрывая затруднения, постарались поскорее перейти к следующему номеру программы. Илья Эрен-

---

[1] Стихотворение написано 21 мая 1920 года, входит в цикл «Пригвождена». (*Примеч. переводчика.*)

[2] Цитируется по книге: Марина Цветаева. Избранная проза в двух томах. Том первый. Russica Publishers, INC. Нью-Йорк, 1979, стр. 203—204. (*Примеч. переводчика.*)

бург, вспоминая об этом странном выступлении, писал: «Горделивая поступь, высокий лоб, короткие, стриженные в скобку волосы, может, разудалый паренек, может, только барышня-недотрога. Читая стихи, напевает, последнее слово строк кончая скороговоркой. Хорошо поет паренек, буйные песни любит он — о Калужской, о Стеньке Разине, о разгуле родном. Барышня же предпочитает графиню Де-Ноай и знамена Вандеи. В одном стихотворении Марина Цветаева говорит о двух своих бабках — о простой, родной, кормящей сынков-бурсаков, и о другой — о польской панне, белоручке. Две крови. Одна Марина. Только и делала она, что пела Стеньку-разбойника, а увидев в марте семнадцатого солдатиков, закрыла ставни и заплакала: «Ох, ты моя барская, моя царская тоска». Идст, кажется, пришло от панны: это трогательное романтическое староверство, гербы, величества, искренняя поза Андре Шенье, во что бы то ни стало. Зато от бабки родной — душа, не слова, а голос. Сколько буйства, разгула, бесшабашности вложены в соболезнования о гибели державы.

Я давно разучился интересоваться тем, что именно говорят люди, меня увлекает лишь то, как они это скучное «что» произносят. Слушая стихи Цветаевой, я различаю песни вольницы понизовой, а не скрип блюстительницы гармонии. Эти исступленные возгласы скорей дойдут до сумасшедших полуночников парижских клубов, нежели до брюзжащих маркизов, кобленцкого маринада. Гораздо легче понять Цветаеву, забыв о злободневном и всматриваясь в ее неуступчивый лоб, вслушиваясь в дерзкий гордый голос.

Где-то признается она, что любит смеяться, когда смеяться нельзя. Это «нельзя», запрет, барьер являются живыми токами поэзии своеволия.

Вступив впервые в чинный сонм российских пиитов, или, точнее, в члены почтенного «общества свободной эстетики», она сразу разглядела, чего нельзя было делать, — посягать на непогрешимость Валерия Брюсова, и тотчас же посягнула, ничуть не хуже, чем некогда Артур Рембо на возмущенных парнасцев. Я убежден, что ей по существу неважно, против чего буйствовать, как Везувию, который с одинаковым удовольствием готов поглотить вотчину феодала и образцовую коммуну. Сейчас гербы под запретом, и она их прославляет с мятежным пафосом, с дерзостью, достойной всех великих еретиков, мечтателей, бунтарей.

Но есть в стихах Цветаевой, кроме вызова, кроме удали, непобедимая нежность и любовь. Не к человеку, не к Богу идет она, а к черной, душной от весенних паров земле, к темной России. Мать не выбирают и от нее не отказываются, как от неудобной квартиры. Марина Цветаева знает это, и даже на дыбе не предаст своей родной земли. Обыкновенно Россию мы мыслим либо в схиме, либо с ножом в голенище. Православие или «ни в Бога, ни в черта». Цветаева — язычница светлая и сладостная. Но она не эллинка, а самая подлинная русская, лобызающая не камни Эпира, но смуглую грудь Москвы. Даром ее крестили, даром учили. Жаркая плоть дышит под византийской ризой. Постами и поклонами не вытравили из древнего нутра неуемного смеха. Русь-двоеверка, беглая расстрига, с купальными игрищами, заговорила об этой барышне, которая все еще умиляется перед хорошими манерами бальзамированного жантильома.

Впрочем, все это забудется, и кровавая схватка веков, и ярость сдиравших погоны, и благословение на эти золотые лоскуты молившихся. Прекрасные стихи Марины Цветаевой останутся, как останутся жадность к жизни, воля к распаду, борьба одного против всех и любовь, возвеличенная близостью подходящей к воротам смерти»[1]. Однако, как бы ни восхищался Эренбург поэтом Цветаевой, он вовсе не стоял с ней на одной идеологической платформе. Он уже понял, что Белая армия приговорена, а приговор близок к исполнению, и — полная противоположность Марине — никогда не любил находиться в стане побежденных. Каким бы ни был правящий режим, этот человек прежде всего думал о собственной карьере. А Марина прислушивалась только к собственному сердцу. И если она увлеклась ненадолго молодым художником Николаем Вышеславцевым, то ведь только — как воспоминанием о Сергее, этом виртуальном муже, затерявшемся на бескрайних российских просторах, таких же безмолвных, как покойник, таких же настоящих, как живые люди, как тот, к кому она постоянно возвращалась мыслями. Время от времени из груди ее вырывался крик любви, неудержимый, как рыдание:

[1] Илья Эренбург. «Портреты русских поэтов», автор цитирует по книге Марии Разумовской «Марина Цветаева, миф и реальность», здесь — проверено в Интернете, на сайте «Мир Марины Цветаевой». (*Примеч. переводчика.*)

С. Э.

Писала я на аспидной доске,
И на листочках клевера поблёклых,
И на речном, и на морском песке,
Коньками по льду и кольцом на стеклах, —

И на стволах, которым сотни зим,
И, наконец — чтоб было всем известно! —
Что ты любим, любим, любим! — любим! —
Расписывалась радугой небесной.

Как я хотела, чтобы каждый цвел
В веках со мной! под пальцами моими!
И как потом, склонивши лоб на стол,
Крест-накрест перечеркивала — имя...

Но ты, в руке продажного писца
Зажатое! ты, что мне сердце жалишь!
Непроданное мной! внутри кольца!
Ты — уцелеешь на скрижалях.[1]

Увы! Периодическая, но умеренная помощь французов и англичан, которым хотелось поддержать в их усилиях добровольцев генерала Врангеля, но вовсе не хотелось ввязываться в гражданскую войну, поскольку интересы ее участников впрямую не соотносились с их собственными, ничего не решила: последние бои на Юге России выигрывали большевики-красноармейцы. В ноябре 1920 года Красная Армия форсировала укрепления белых на Перекопском перешейке, победила в сражениях и заняла весь Крым. Великая мечта тех, кто так долго верил в поражение диктатуры пролетариата, рухнула. В спешке отчаливали последние корабли союзников, они уходили в направлении Константинополя, увозя тех, кому удалось уцелеть в самой что ни на есть безжалост-

---

[1] 18 мая 1920 года.

ной бойне. Когда был брошен клич «спасайся-кто-может», Марина все думала, поднялся ли Сережа на борт одного из этих подвернувшихся как нельзя более кстати судов, или тело его — где-то там в степях, покоится в братской могиле, без креста и без таблички с именем...

И вот уже «Русская Ривьера» — этот чудный веселый край, некогда служивший лишь для удовольствий и развлечений, стала местом действия чудовищного сведения счетов между кланами противников. Здесь шпионили, доносили друг на друга, бросали в тюрьмы, расстреливали без суда и следствия под синим крымским небом точно так же, как и под серым и студеным небом Москвы.

17 декабря 1920 года Марина пишет сестре, которая уже три года жила в Крыму и о которой с начала гражданской войны она ничего не знала, в ответ на первое полученное от Анастасии за долгие эти годы письмо: «...Ася! Приезжай в Москву! Ты плохо живешь, у вас еще долго не наладится, у нас налаживается — много хлеба, частые выдачи детям — и — раз ты все равно служишь — я смогу тебе (великолепные связи!) — устроить чудесное место, с большим пайком и дровами. Кроме того, будешь членом Дворца Искусств (дом Сологуба), будешь получать за гроши три приличных обеда. — Прости за быт, хочу сразу покончить с этим. — В Москве не пропадешь: много знакомых и полудрузей, у меня паек — обойдемся.

— Говорю тебе верно.

Я Москву ненавижу, но сейчас ехать не могу, ибо это единственное место, где меня может найти — если жив. — Думаю о нем день и ночь, люблю только тебя и его.

Я очень одинока, хотя вся Москва — знакомые. Не люди. — Верь на слово. — Или уж такие уставшие, что мне, с моим порохом, — неловко, а им — недоуменно.

— Все эти годы — кто-то рядом, но так безлюдно!

— Ни одного воспоминания! — Это на земле не валяется! <..>

Ася! Я совершенно та же, так же меня все обманывают — внешне и внутренно, — только быт совсем отпал, ничего уже не люблю, кроме содержания своей грудной клетки. — К книгам равнодушна, распродала всех своих французов — то, что мне нужно — сама напишу. — Последняя большая вещь «Царь-Девица», — русская и моя. — Стихов — неисчислимое количество, много живых записей...»[1]

Итак, Марина зовет сестру в Москву, где — клянется — они выживут, несмотря на отсутствие каких бы то ни было удобств и нехватку продуктов питания. И говорит, что сама не может сдвинуться с места, потому что — совершенно очевидно — Сережа, если только он жив, станет искать ее именно здесь. Отправив это письмо и не зная, найдет ли оно ту, кому адресовано, Марина впала в тоску. Ей казалось, что теперь уже никогда не избавиться от этого жестокого и неумолимого, как движение маятника, раскачивания, от этих бесконечных и никуда, подобно на-

---

[1] Цитируется по книге: Марина Цветаева. Собрание сочинений в семи томах. Том 6. Письма. М., Эллис Лак, 1995, стр. 191. (*Примеч. переводчика.*)

вязчивой мысли, не девающихся, этих отврати-
тельных до тошноты, подступающей к горлу, метаний между страхом и надеждой. Чтобы выразить свою боль, она изображает себя легендарной
княгиней Ярославной, оплакивающей смерть
мужа — князя Игоря. И посвящает новые стихи
высокому самопожертвованию белых добровольцев:

> Вопль стародавний,
> Плач Ярославны —
> Слышите?
> С башенной вышечки
> Непрерывный
> Вопль — неизбывный:
>
> — Игорь мой! Князь
> Игорь мой! Князь
> Игорь!
>
> Ворон, не сглазь
> Глаз моих — пусть
> Плачут!
> Солнце, мечи
> Стрелы в них — пусть
> Слепнут!
>
> Кончена Русь!
> Игорь мой! Русь!
> Игорь!

* * *

> Лжет летописец, что Игорь опять в дом свой
> Солнцем взошел — обманул нас Боян льстивый.
> Знаешь конец? Там, где Дон и Донец — плещут,
> Пал меж знамен Игорь на сон — вечный.
>
> Белое тело его — ворон клевал.
> Белое дело его — ветер сказал.
>
> Подымайся, ветер, по оврагам,
> Подымайся, ветер, по равнинам,

Торопись, ветрило-вихрь-бродяга,
Над тем Доном, белым Доном лебединым!

Долетай до городской до стенки,
С коей по миру несется плач надгробный.
Не гляди, что подгибаются коленки,
Что тускнеет лик ее солнцеподобный...

— Ветер, ветер!
— Княгиня, весть!
Князь твой мертвый лежит —
За честь!

* * *

Вопль стародавний,
Плач Ярославны —
Слышите?
Вопль ее — ярый,
Плач ее, плач —
Плавный:

— Кто мне заздравную чару
Из рук — выбил?
Старой не быть мне,
Под камешком гнить,
Игорь!

Дёрном-глиной заткните рот
Алый мой — нонче ж.
Кончен
Белый поход.[1]

А закончила «Лебединый Стан» Цветаева таким вот новогодним поздравлением — и не случайно сочинено оно 13-го, а не первого января 1921 года: так же, как не признавала Марина нового написания — без ятей и твердых знаков, не придерживалась она и нового календаря. Все для нее оставалось по-старому...

---

[1] Марина Цветаева — «Плач Ярославны» из цикла «Лебединый Стан». Написано 3 января 1921 года. (*Примеч. автора.*)

С Новым Годом, Лебединый Стан!
Славные обломки!
С Новым Годом — по чужим местам —
Воины с котомкой!

С пеной у рта пляшет, не догнав,
Красная погоня!
С Новым Годом — битая — в бегах
Родина с ладонью!

Приклонись к земле — и вся земля
Песнею заздравной.
Это, Игорь, — Русь через моря
Плачет Ярославной.

Томным станом утомляет грусть:
— Брат мой! — Князь мой! — Сын мой!
— С Новым Годом, молодая Русь
За морем за синим!

А почти двадцать лет спустя Поэтом была сделана вот такая вот приписка к циклу: «Здесь кончается мой Лебединый Стан. Конечно — я могла бы включить в него всю Разлуку, всего Георгия и вообще добрую четверть Ремесла — и наверное еще есть — но — я тогда этого не сделала, кончила свой Лебединый Стан — вместе с тем.

М. Ц.
Dives-sur-Mer, 30 августа 1938»[1]

Комментируя поражения героев «Лебединого Стана», она все еще хочет верить, что выжившие в этой патриотической эпопее увезут через границы свою веру в истинную Россию, на которую иначе, как карикатурой, сегодняшние Москву и Петроград не назовешь. Но при этом мирилась даже с самыми грубыми чертами этой кари-

---

[1] Цитируется по книге: Марина Цветаева. Сочинения. Том 1. Стихотворения и поэмы 1910—1920. М., «Прометей», 1990, стр. 402. (*Примеч. переводчика.*)

катуры, лишь из-за того, что только и именно здесь испытывала счастье, вдыхая еще воздух родины, только и именно здесь могла купаться в звуках родной речи. Единственное и таящееся в самой глубине души, что позволяло тогда Марине выдержать все, было очищающее пламя ее поэтического творчества. Свою философию бытия она выразила в нескольких строфах последнего своего на тот период сборника, посвященного Анне Ахматовой, — «Версты — II»:

Что другим не нужно — несите мне:
Всё должно сгорать на моем огне.
Я и жизнь маню, я и смерть маню
В легкий дар моему огню.

Пламень любит легкие вещества:
Прошлогодний хворост — венки — слова...
Пламень пышет с подобной пищи!
Вы ж восстаньте — пепла чище!

Птица-Феникс я, только в огне пою!
Поддержите высокую жизнь мою!
Высоко горю и горю дотла,
И да будет вам ночь светла.

Ледяной костер, огневой фонтан!
Высоко несу свой высокий стан,
Высоко несу свой высокий сан —
Собеседницы и Наследницы![1]

Но чьей Собеседницей и чьей Наследницей считала себя Марина Цветаева? На самом деле единственной собеседницей своей была она сама, и она же сама была своей единственной наследницей, потому что даже при том, что она, создавая свои творения, черпала из неиссякаемого источника великой русской литературы прошед-

---

[1] Стихотворение написано 2 сентября 1918, а почему сборник — последний, непонятно. (*Примеч. переводчика.*)

шего века, начиная с Пушкина, которому посвятила исполненную восхищения и благодарности книгу, названную просто «Мой Пушкин», на самом деле она изобретала совсем новую поэзию, жонглируя словами, всего фонетического богатства которых ее предшественники не умели использовать. Она творила собственную музыку стиха, — тут вам и преломление звуков, и неожиданные переносы, и текучие строки, и рывки, — музыку, которая очаровывала одних и отталкивала других. Вовсе не ставя себе целью добиться оригинальности любой ценой, она невольно утверждалась в ней — формальной дерзостью в литературе и презрением к любым условностям в повседневной жизни. Она жила и писала, словно плывя против течения, и это придавало совсем новый смысл даже старым словам о боли, любви, дружбе, ностальгии, смерти, — она пробуждала своей поэзией и самим своим существованием людей, не давая им погрузиться с головой в грозившее стать привычным оцепенение.

VIII

СОВЕТЫ — ВЕЗДЕ И ПОВСЮДУ!

В феврале 1921 года Ленин, осознав наконец, что зашел далеко за пределы возможного, подвергнув страну всеобщей коллективизации, решил — чтобы избежать катастрофы — сменить курс и частично смягчить свою доктрину. Решение это было ознаменовано началом НЭПа — новой экономической политики, которая, поддерживая во всем главные принципы большевистского государственного регулирования, все-таки кое-где позволяла робко терпеть проявления частной инициативы. В результате жизнь простых людей ничуть не стала лучше, зато махровым цветом расцвели черный рынок и спекуляция. Как и следовало ожидать, писатели, которые по определению лишены практического смысла, абсолютно ничего не выиграли от того, что их якобы освободили в какой-то степени от тисков государственной власти. Находясь в стороне от коммерческих махинаций, они довольствовались тем, что получили возможность тайком заработать несколько рублей, читая свои произведения на литературных вечерах или в «артистических кафе» — таких, как знаменитое «Домино», лучшим аттракционом в котором они являлись. Публика, чью главную часть составляли спекулянты и шкурники разного сорта или государственные сановники, приходила туда послушать стихи еще выживших по странной случайности, но изголодавшихся до последней степени русских поэтов. Марина нередко участвовала в этих представлениях и радовалась овациям, пусть даже аплодировали ей люди, идеи и образ жизни которых был ей совершенно чужд. На самом деле, приходя в «Домино» или другие заведения того же рода, она рассчитывала на возможность встретить там собратьев по цеху, с которыми ее роднили любовь к искусству, хроническая бедность и страх перед завтрашним днем. Познакомив собравшихся со своими творениями, они обменивались разочарованиями, основанными на сиюминутных трудностях и опасениях за будущее свободной мысли в Советском Союзе[1].

Однако еще оставался маленький лучик надежды: ходили слухи, что в очень редких случаях удается получить паспорт, который позволяет передвигаться по России и даже выезжать за границу. Весной 1921 года после долгих мук Анастасия наконец получила от властей разрешение уехать с сыном из Феодосии и отправиться в Москву, где ее ждала Марина. Встреча их стала сплошным счастьем и сопровождалась потоками слез. Сестры несколько лет не виделись, и теперь Анаста-

---

[1] Которого еще не было: как известно, создан был в декабре 1922 года... Удивительно прозорливы были голодные поэты! Прошу прощения за комментарий — иногда просто удержаться невозможно! - Н. В.

сия с трудом узнавала Марину в этой худой, диковатой и растерянной женщине. «Она стоит под тусклым потолочным окном, и я стою перед ней и смотрю — сквозь невольное смущение встречи, сумятицу чувств и привычку их не показывать — жадно узнаю ее, прежнюю, и ее — новую, неизбежно незнакомую за протекшие годы. Щеки — желтые и опухшие, что ли? Постаревшее ее лицо, стесняющееся своего постарения. Знакомой манерой взгляда светлых, чуть сейчас сощуренных глаз вглядывается в меня...»[1] А одежда! «... Коричневый с татарским узором шушун, такие делала Пра, в талии стянутый ремнем, длинная темная юбка; на ногах — проношенные линялые туфли»[2] — почти нищенские лохмотья... В комнате — «...маленький очажок огня, печурка, варившая, как колдовское зелье, Маринину фасоль (почти единственную пищу ее, добываемую любой ценой на Смоленском рынке) («кормит мозг»), ее черный кофе в татарском феодосийском медном кофейнике и Алины муки: каши».[3] Марина нервно курит одну папиросу за другой и с царственным безразличием относится к холоду, царящему вокруг хаосу и вековой пыли, покрывающей все в ее берлоге. Однажды, оставшись дома одна, Анастасия решила навести порядок, чтобы «не видеть Марину в такой несусветной грязи». «И я кинулась в первый же ее уход из дома убирать: рьяно, яростно чистить, мыть и гладить маленьким заржавленным утюгом полотенца, наволоч-

---

[1] Анастасия Цветаева. «Воспоминания». Стр. 575. (*Примеч. переводчика.*)

[2] Там же, стр. 577.

[3] Там же, стр. 597.

ки, рубашки, чтобы хоть отдаленно белыми стали! Посуду! Паркет!» Вооружившись веником, тряпками, щетками, Ася терла, мыла, выбивалась из сил и, естественно, ожидала комплиментов за свой хозяйственный раж. Но... «Я не успела сделать и половину, когда вернувшаяся Марина — равнодушно? нет, за меня стесняясь (зачем? бесполезно, насильно ей навязать — что? то, что ей совершенно не нужно!):

— Знаешь, Ася, я тебе благодарна, конечно, ты столько трудилась, но я тебе говорю: мне это совершенно не нужно!.. Тебе еще предстоит столько для себя и Андрюши, и (уже негодуя и протестуя): Не трать своих сил!

И было, как привкус душевной тоски, за каждым ее движением, рассказом чувство обиды, глухой, ей мной нанесенной в этих наволочках и рубашках, полотенцах, паркете. И я не повторила своего навязанного труда».[1] По реакции сестры Анастасия поняла, что та не переменилась и что единственная важная для нее в жизни вещь попрежнему — поэзия, остальное ничего не значит.

Поначалу смущенная, мало сказать, сбитая с толку непривычной обстановкой, совершенно растерянная Анастасия взяла себя в руки и постаралась поправить свои дела. Начала с того, что стала работать — правда, жалованье было очень низким: обучала грамоте пожилых и старых женщин в военном учреждении, куда ее устроила Марина. Но она продолжала поиски новой или хотя бы приработков, убежденная, что рано или поздно «все образуется». Но если она не слишком жаловалась на безденежье и нищету, то очень пере-

---

[1] Там же, стр. 597.

живала, что не может больше разделять интересов и вкусов своей сестры. «... один вопрос не смолкал: в чем же разница наша? Разве меньше пережила я в огне гражданской войны, в голодных болезнях, в утрате моих самых близких? С какого-то перепутья Марина и я шагнули по разным дорогам — и ужели теперь не шагать по одной, как встарь?»[1]

Особенно непонятными казались Асе перипетии личной жизни Марины. После мимолетного увлечения молодым красноармейцем Борисом Бессарабовым[2], с красными щеками и голубыми глазами, она немедленно подпала под обаяние старого князя Волконского — холодного и изысканного шестидесятилетнего старика, который признавался, что его вовсе не привлекают женщины. Этот аристократ, в свое время — директор Императорских театров, обладал огромной эрудицией, элегантностью и изящными манерами, резко выделявшими его на фоне общей для Республики товарищей распущенности. Наверное, именно реакцией на волну популизма, захлестнувшую Россию, и объясняется то, как бы-

---

[1] Там же, стр. 598.

[2] Ну, нет моих сил (простите!) — вот что об этом в Асиных же воспоминаниях (стр. 584), слова, сказанные ей Мариной: «... Борис Бессарабов (он не застал тебя, жаль, через людей передал, — ну, ты его тут увидишь) — юный, мужественный, а румянец детский, или, как бывает у девушек, — «кровь с молоком». Настоящая русская душа! Так ко мне привязался! Красноармеец. Как понимает стихи! Друг. Все сделает, что нужно. Редкий человек». — Где тут следы хоть какого увлечения, причем я еще мягко перевела, точнее было бы — каприз, прихоть, страстишка... Можно ли так — мимоходом, и если бы хоть слово при этом было сказано о «Егорушке»... Оттуда же все ясно! А из Записных книжек, что Марина называла Бориса «сыночком», благодарила — за кусок мыла, кусок хлеба, бумагу, тетрадки, за то, как он их сшивал, как переписывал «Царь-Девицу»... Да, и «за любовь» тоже! Но Любовь — а не «страстишку»!

стро, сразу была покорена Марина этим призраком эпохи царизма. Кроме того, имел значение и возраст: князь Волконский был почти вдвое старше ее самой, имело значение то, что он гомосексуалист: все это успокаивало одинокую женщину, считающую себя соломенной вдовой. Чем больше он подчеркивал дистанцию в их отношениях, тем легче ей было умножать свою услужливость, улыбаться ему. Для того чтобы окончательно соблазнить старика, она вдруг предложила стать переписчицей его мемуаров. Ей вовсе не показалось унизительным перейти из статуса поэта в статус добровольного секретаря. И успех этой тактики превзошел все ее надежды. Она делала для него столько и делала это так хорошо, что князя в конце концов тронула ее преданность. И внезапно сдержанность отношений уступила место нежной дружбе. Марина так проанализирует свое чувство к этому человеку в письме литературному критику Александру Бахраху[1]: «Я сама так любила 60-летнего князя Волконского, не выносившего женщин. Всей безответностью, всей беззаветностью любила и, наконец, добыла его — в вечное владение! Одолела упорством любви. (Женщин любить не научился, научился любить любовь.)»[2]. Цветаева дошла даже до того, что посвятила старому князю цикл стихотворений «Ученик», в котором воспевалась эта бестелесная, оторванная от реальной жизни любовь.

Он, однако, никогда не выражал чересчур уж сильного восхищения поэзией Цветаевой. Но

---

[1] Позже он станет писать под псевдонимом Александр Башерак (*Примеч. автора.*) Никаких сведений об этом нигде в цветаеведении я не нашла. (*Примеч. переводчика.*)

[2] Письмо от 10 января 1924 года.

если его и смущала вольность и дерзость ее стиля, он неизменно говорил, что покорен сильной индивидуальностью автора. Несколько лет спустя Волконский посвятит Марине, прямо адресуя его ей, предисловие к своей книге «Быт и Бытие»,[1] написанное с огромным волнением и благодарностью. Князь вспоминает хаос, в котором жила Марина, ее тревогу, страх перед полицейскими обысками дома в Борисоглебском, то беспокойство, которое доминировало в их невиннейших встречах, объясняет, какую роль сыграла она в написании самого этого философского труда.

«Однажды Вы мне написали, что нравится Вам, как я быстро от неприятных вопросов быта перехожу к сверхжизненным вопросам бытия. И тут же я подумал, какое было бы красивое название — «Быт и Бытие». <...> Вы видите, что оно принадлежит Вам.

Но не одно только слово, не один словесный звук Вам принадлежит. Принадлежит Вам и содержание этого звука, то есть раскрытие его содержания.

Это было в те ужасные, гнусные московские года. Вы помните, как мы жили? В какой грязи, в каком беспорядке, в какой бездомности? Да это что! Вы помните нахальство в папахе, врывающееся в квартиру? Помните наглые требования, издевательские вопросы? Помните жуткие звонки, омерзительные обыски, оскорбительность «товарищеского» обхождения? Помните, что такое был шум автомобиля мимо окон: остановится или не остановится? О, эти ночи!.. <...> Была ли хоть одна

---

[1] Книга опубликована в Берлине в 1924 году. (*Примеч. переводчика.*)

заря без жертв, без слез, без ужасов?.. Не могут, не могут принять те, кто не жил там, — не могут. Странно, не умеют люди перенестись в такие условия, в которых сами не были, — не хватает людского воображения. <..> И знаете, еще что я заметил? Людям не нравится слушать про чужие мытарства — скучно, надоело — приелось... О, как легко было бы жить на свете, если бы свои страдания так же легко приедались, как рассказ о чужих!.. Но мы с Вами знаем, мы жили тогда, мы жили там. И страшно было жить, но и стыдно было жить, когда кругом так много умирали. А дышать тем самым воздухом, которым дышали женщины-расстрельщицы? <..> И мы дышали тем же воздухом. И мы жили. И мы выжили... Помните все это? Так вот — это был наш советский быт.

А помните наши вечера, наш гадкий, но милый на керосинке «кофе», наши чтения, наши писания, беседы? Вы читали мне стихи из Ваших будущих сборников. Вы переписывали мои «Странствия» и «Лавры»... Как много было силы в нашей неподатливости, как много в непреклонности награды! Вот это было наше бытие. <..>

Вот, милая Марина, я перечислил причины, по которым посвящаю Вам эту книжку... А коснувшись причин моего к Вам уважения, я раскрыл то, что единству моей благодарности сообщает разнообразие восхищения.

Рим, 25 ноября 1923»[1]

---

[1] Цитируется по книге: «Марина Цветаева в воспоминаниях современников. Рождение поэта». М., Аграф, 2002, стр. 134—137. Автор цитирует по упоминавшейся уже выше книге Марии Разумовской «Марина Цветаева, миф и реальность». (*Примеч. переводчика.*)

Вот в такой атмосфере двусмысленной дружбы, горделивой нищеты и страха за завтрашний день Марина сочиняла стихи для нового своего сборника «Ремесло». В этой более зрелой, чем прежние, книге она снова возвращается к болезненным для нее темам русской революции, безнадежной битвы белых добровольцев, своего леденящего одиночества — в то время, как весь мир вокруг корчится в родовых муках. Но на этот раз, кажется, Марина Цветаева уже окончательно находит и свой собственный язык, и свое собственное дыхание. Вначале она писала в правильном и почти традиционном стиле. Безграничное восхищение Пушкиным, вдохновлявшее ее с детских лет, подталкивало к гармонии, ясности. Потом, мало-помалу, встречи с поэтами нового поколения — такими, как Блок, Белый, Маяковский — отдалили ее от пушкинской прозрачности, чтобы приблизить к более напряженной, более неожиданной, более продуманной, более «темной» манере самовыражения. Отныне разница между искусством Пушкина и искусством Цветаевой становится подобной различию между могучим и плавным течением реки среди равнин и прыжками, завихрениями, водоворотами бурного горного потока. В песне Пушкина восхищаешься ее простотой и естественностью, в песне Цветаевой — поиском, трудом, провокацией. Читая Пушкина, думаешь, что невозможно, используя такие простые слова, лучше передать глубинные мысли автора. Читая Цветаеву, прежде всего ловишь себя на том, что ей для выражения своих чувств требуется словесная акробатика. Любой стих Цветаевой — словно любитель биться об заклад: выйдет — не выйдет, любой представляется немыслимой затеей. Она ищет странные, если не архаичные, термины, соединяет и противопоставляет созвучные слова с противоположным значением, чтобы их столкновение породило незабываемую метафору. Эти постоянные поиски чудинки в словаре граничат с поэтическим каламбуром. Она потрясает основы синтаксиса и просодии, обращая музыку стиха в последовательность кличей. Часто она выкидывает из предложения глагол, и это создает у читателя ощущение, будто поэт, задыхаясь, призывает на помощь или публично исповедуется. Может быть также, заметив сходство двух русских слов, она заставляет их отвечать друг другу, рифмоваться, взрываться, а их противопоставление подсказывает ей образ, о котором она бы в другом случае и не подумала... Так, например, обнаружив, что слово «река» (во множественном числе — «реки») напоминает слово «рука» (во множественном числе — «руки»), она играет тем, что сталкивает их, разрабатывая одну тему, и ассоциирует заломленные руки с небесными реками и лазурными землями, где влюбленный ждет, чтобы она соединилась с ним.[1]

> Всё круче, всё круче
> Заламывать руки!
> Меж нами не версты
> Земные, — разлуки
> Небесные реки, лазурные земли,
> Где друг мой навеки уже —
> Неотъемлем.
>
> Стремит столбовая
> В серебряных сбруях.
> Я рук не ломаю!
> Я только тяну их

---

[1] Стихи из сборника «Ремесло». (*Примеч. автора*).

— Без звука! —
Как дерево-машет-рябина
В разлуку,
Во след журавлиному клину.

Стремит журавлиный,
Стремит безоглядно.
Я спеси не сбавлю!
Я в смерти — нарядной
Пребуду — твоей быстроте златоперой
Последней опорой.
В потерях простора![1]

Или — другой пример. Еще в одном стихотворении, другого цикла,[2] она, используя соседствующие звучания слов «едок» (тот, кто ест) и «ездок» («всадник»), создает образ объятого пламенем ненасытного скакуна («едок»), оседланного огненным же всадником («ездок»), которого также не насытить.

Пожирающий огонь — мой конь!
Он копытами не бьет, не ржет.
Где мой конь дохнул — родник не бьет,
Где мой конь махнул — трава не растет.

Ох, огонь мой конь — несытый ездок!
Ох, огонь на нем — несытый ездок!
С красной гривою свились волоса...
Огневая полоса — в небеса![3]

---

[1] Стихотворение, естественно, не процитированное автором, поскольку совершенно не соответствует концепции, к которой он его притягивает, входит в цикл «Разлука», снабженный посвящением «Сереже», мужу, о котором тогда еще она не знала, жив он или мертв, под ним проставлено — «Июнь». Это 1921 год, только в июле которого (14-го) Марина узнала, что — жив! Так что увидеть в этой боли одну только словесную акробатику... (*Примеч. переводчика.*)

[2] Стихи из сборника «Версты II». (*Примеч. автора*).

[3] Стихотворение написано 14 августа 1918 года. Комментарии излишни. (*Примеч. переводчика.*)

В подобных случаях подстегивали вдохновение Марины именно сюрпризы, которые способна принести фонетика. В результате слагались стихи разом и лаконичные, и резкие, и немелодичные, и полные пропусков, восклицаний, разрывов в строке, — стихи, смысл которых столь же трудно иногда уловить, как избавиться от их звучания в ушах. Можно было бы сказать, что Цветаева своей поэзией не говорит: она кричит. Она кричит от тоски, от боли, от любви, от возмущения, от страха перед нескончаемой угрозой смерти. Много лет спустя, отвечая на вопрос о Цветаевой, которую хорошо знал, поэт Иосиф Бродский говорит собеседнику: «Цветаева — один из самых ритмически разнообразных поэтов. Ритмически богатых, щедрых. Впрочем, «щедрый» — это категория качественная; давайте будем оперировать только количественными категориями, да? Время говорит с индивидуумами разными голосами. У времени есть свой бас, свой тенор. И у него есть свой фальцет. Если угодно, Цветаева — это фальцет времени. Голос, выходящий за пределы нотной грамоты. <..> Этот трагический звук... В конце концов время само понимает, что оно такое. Должно понимать. И давать о себе знать. Отсюда — из этой функции времени — и явилась Цветаева», — и далее, рассуждая о «мужской» и «женской» поэзии, отрицая ее деление по «половому признаку», услышав реплику Волкова: «Мой милый, что тебе я сделала!» — это уже такой женский крик...» — не совсем соглашается: «Знаете — и да, и нет. Конечно, по содержанию — это женщина. Но по сути... По сути — это просто голос трагедии. (Кстати, муза трагедии — женского пола, как и все прочие музы.) Голос колоссального неблагополучия. Иов — женщина или не женщина? Цветаева — Иов в юбке. <...> У Цветаевой звук — всегда самое главное, независимо от того, о чем идет речь. И она права: собственно говоря, всё есть звук, который, в конце концов, сводится к одному: «тик-так, тик-так». Шутка...»

Когда Марина заканчивала правку двух своих сборников — «Версты I» и «Версты II», Илья Эренбург, который сумел доказать свою лояльность советской власти, был послан в командировку за границу и получил паспорт. Перед отъездом он пообещал Марине — там, за рубежом — провести тайное расследование судьбы ее мужа. Она не слишком надеялась на это запоздалое обещание. Но тем не менее в июле месяце 1921 года один писатель, с которым ей уже доводилось встречаться на литературных вечерах, явился без предупреждения в Борисоглебский и постучал в дверь ее квартиры. Это был Борис Пастернак. Остолбенение: он принес письмо от Ильи Эренбурга! А тот написал Марине, что Сергей Эфрон жив-здоров и находится в Праге. Задыхаясь от счастья, Марина поблагодарила неожиданного гостя, в котором увидела не только посланца из мира эмиграции, но — посланника небес. После того как в течение многих лет она подозревала, что муж уже покинул наш бренный мир, пришло время ликовать: он просто покинул родину! Чтобы отметить это событие, она написала — для самой ли себя, для потомства ли, сама точно не понимала, — такие строки:

В сокровищницу
Полунощных глубин
Недрогнувшую
Опускаю ладонь.

Меж водорослей —
Ни приметы его!
Сокровища нету
В морях — моего!

В заоблачную
Песнопенную высь —
Двумолнием
Осмеливаюсь — и вот

Мне жаворонок
Обронил с высоты —
Что за морем ты,
Не за облаком ты!

15 июля[1]

Начиная с этой минуты, ею владела лишь одна навязчивая идея: уехать к мужу за границу. Но для этого выбран был неподходящий момент. Волна подозрительности накатила на интеллектуальную среду. Всякий, кто позволял себе мыслить, всякий, кто позволял себе мечтать, выглядел в глазах всемогущей ЧК ненадежным. Обвиненный в монархизме бывший муж Анны Ахматовой поэт Николай Гумилев был арестован 21 августа, а уже 24-го расстрелян. Ходили слухи, что его экс-жена Ахматова рискует угодить в тюрьму. Некоторые дошли до того, что утверждали, будто и она мертва, «ликвидирована» тайной полицией. А кто-то говорил о самоубийстве...

Марина была в отчаянии. В ней никогда не было и крупицы зависти или ревности к ахматовскому поэтическому дарованию, к успехам сестры по перу. Восхищение ее Ахматовой было настолько искренним, что она и не рассматривала

[1] Марина Цветаева. «Благая весть» («Ремесло») — первое стихотворение цикла, посвященного «С. Э.». (*Примеч. автора и переводчика.*)

ее как соперницу — скорее как союзницу, соратницу в деле служения поэзии, иногда даже — как ее, поэзии, должницу, служанку. К счастью, слухи оказались ложными, и как только интрига была разоблачена, Марина написала Анне Ахматовой: «Дорогая Анна Андреевна! Все эти дни о Вас ходили мрачные слухи, с каждым часом упорней и неопровержимей. Пишу Вам об этом, потому что знаю, что до Вас все равно дойдет — хочу, чтобы по крайней мере дошло верно. Скажу Вам, что единственным — с моего ведома — Вашим другом (друг — действие!) — среди поэтов оказался Маяковский, с видом убитого быка бродивший по картонажу «Кафе Поэтов».

Убитый горем — у него, правда, был такой вид. Он же и дал через знакомых телеграмму с запросом о Вас, и ему я обязана второй нестерпимейшей радостью своей жизни (первая — весть о Сереже, о котором я ничего не знала два года). <..>

Эти дни я — в надежде узнать о Вас — провела в кафе поэтов — что за уроды! что за убожества! что за ублюдки! Тут всё: и гомункулусы, и автоматы, и ржущие кони, и ялтинские проводники с накрашенными губами. <..>

Я, на блокноте, Аксенову: «Господин Аксенов, ради Бога, — достоверность об Ахматовой». (Был слух, что он видел Маяковского.) «Боюсь, что не досижу до конца состязания».

И быстрый кивок Аксенова. Значит — жива.

Дорогая Анна Андреевна, чтобы понять этот мой вчерашний вечер, этот аксеновский — мне — кивок, нужно было бы знать три моих предыдущих дня — несказанных. Страшный сон: хочу проснуться — и не могу. Я ко всем подходила в

упор, вымаливала Вашу жизнь. Еще бы немножко — я бы словами сказала: «Господа, сделайте так, чтобы Ахматова была жива!»... Утешила меня Аля: «Марина! У нее же — сын!»[1]

Чуть позже ареста Гумилева и незадолго до его расстрела пришла страшная весть: другой «великий», Александр Блок, умер в Петербурге, нищий и всеми покинутый.[2] Он уже довольно долго болел и просил у властей разрешения отправиться на лечение за границу. Причину выезда нашли неубедительной — отказали, Блок советской визы не получил. И несколько дней спустя при таинственных обстоятельствах скончался. Марина сразу же написала Ахматовой: «Смерть Блока. Еще ничего не понимаю и долго не буду понимать. Думаю: смерти никто не понимает. Когда человек говорит: смерть, он думает: жизнь... Смерть — это когда меня нет. Я не могу почувствовать, что меня нет. Значит, своей смерти нет. Есть только смерть чужая: т.е. местная пустота, опустевшее место (уехал и где-то живет), т. е. опять-таки жизнь, не смерть, немыслимая, пока ты жив. Его нет здесь (но где-то есть). Его нет — нет, ибо нам ничего не дано понять иначе как через себя, всякое иное понимание — попугайное повторение звуков. <...>

Смерть Блока.

---

[1] Фрагменты письма от «31-го русского августа 1921 года». Цитируется по книге: Марина Цветаева. Собрание сочинений в семи томах. Том 6. Письма». М., Эллис Лак, 1995, стр. 201—203. (*Примеч. переводчика.*)

[2] Александр Блок умер 7 августа. Письмо (сохранился только черновик в тетрадке) Цветаевой Анне Ахматовой об этом датировано 14-м «русского» августа: вряд ли Марина выдерживала бы до конца месяца, чтобы откликнуться на такое событие, — на нее не похоже!

Удивительно не то, что он умер, а то, что он жил. Мало земных примет, мало платья. Он как-то сразу стал ликом, заживо-посмертным (в нашей любви). Ничего не оборвалось — отделилось. Весь он — такое явное торжество духа, такой воочию — дух, что удивительно, как жизнь вообще — допустила? (Быть так в нем — разбитой!).

Смерть Блока я чувствую как вознесение.

Человеческую боль свою глотаю: для него она кончена, не будем и мы думать о ней (отождествлять его с ней). Не хочу его в гробу, хочу его в зорях. (Вытянувшись на той туче.)

Но так как я более человек, чем кто-либо, так как мне дороги все земные приметы (здесь — священные), то нежно прошу Вас: напишите мне правду о его смерти. Здесь дорого всё. В Москве много легенд, отталкиваю. Хочу правды о праведнике».[1]

Что же до Андрея Белого, тот, хотя и был на прекрасном счету в Кремле, решился публично изобличить остервенение, с которым власти преследовали писателей, оставляя прозябать в нищете и умирать одного за другим тех, кто составляет славу нации, назвав это тяжелой ошибкой культурной политики. И — чудо из чудес! — несмотря на столь ясно выраженную «антибольшевистскую» позицию, никто его не тронул.

Таким же чудом стал тот факт, что Марина Цветаева, на всякий случай подавшая ходатайство о том, чтобы ее с дочерью Ариадной выпусти-

---

[1] Цитируется по книге: Марина Цветаева. «Неизданное. Сводные тетради». М., Эллис Лак, 1997, стр. 52—53. (*Примеч. переводчика.*)

ли из России, после долгих хождений по инстанциям наконец получила паспорт, на что к тому времени даже и не рассчитывала. Она немедленно принялась разбирать вещи, раскладывая их на две кучки: те, что хотела взять с собой, и те, с которыми может расстаться. Настроение колебалось между лихорадочным весельем и чуть ли не слезами из-за того, что приходится покидать Москву. Радость — мы сбежим от ужасов советского режима, снова после четырехлетней[1] разлуки увидимся с Сережей! — была смешана с глубокой печалью: вот-вот придется проститься на время или навсегда с русской землей, с русскими воспоминаниями и, как знать, может быть, даже — с русской литературой... Пока девятилетняя Аля бродила по комнатам и, как всякая маленькая девочка, у которой хотят отобрать игрушки, перебирала в уме обиды и огорчения, Марина пыталась убедить себя самое в том, что перед ней открывается новая жизнь и что она не только снова встретится с Сергеем, но и словно бы выйдет за него снова замуж. За московской свадьбой теперь последует заграничная, за карьерой в России — карьера в эмиграции. Выше голову! Иногда Ариадна, всюду ходившая за матерью, замечала какую-нибудь валявшуюся на полу фотографию и собиралась ее поднять. Но Марина со смиренной горечью пресекала эти попытки: «Нет-нет, не стоит! Завтра утром все равно сожжем в печке!»

Была назначена дата отъезда: 11 мая 1922 года. Один из друзей семьи — актер и музыкант (впоследствии, в эмиграции, приняв католичест-

---

[1] В последний раз они виделись 18 февраля 1918 года. (*Примеч. переводчика.*)

во — священник) Алексей Александрович Чабров — пришел помочь Марине с последними приготовлениями. Дальше рассказывает в своих воспоминаниях Ариадна Эфрон:

«Я, налив нашему последнему гостю последний суп, почему-то взялась перемывать оставляемую посуду. Наскоро поев, Чабров отправился за извозчиком. Скоро вернулся, сказал: «Все». Мы заторопились, одеваясь, проверяя в который раз — не забыть бы чего-то самого важного! — и, пытаясь сосредоточиться перед дорогой, по обряду присели, кто на что, погрузившись в секундное неподвижное молчание. «Ну — с Богом!» — сказала Марина, и, схватившись за вещи, мы потащили их вниз. <...>

Когда проезжали белую церковку Бориса и Глеба, Марина сказала: «Перекрестись, Аля!» — и перекрестилась сама. Так и крестилась всю дорогу на каждую церковь, прощаясь с Москвой.

На Кудринской площади заметили время: четыре часа. «Аля! Не опоздаем?» — «Нет, Марина!»

Молчим, смотрим по сторонам на такие привычные, а нынче неузнаваемые, утекающие, как во сне, улицы, улочки, переулки, бледно и ровно освещенные однообразной пасмурностью дня, на редких прохожих, на встречные повозки, на все, что — вот оно, рукой подать! и уже позади.

Третья Мещанская. «Аля, опаздываем!» — «Что Вы, Марина!»

Наконец Виндавский (теперь Рижский) вокзал, продолговатое, со множеством торжественных окон здание, кажущееся мне похожим на какой-нибудь подмосковный дворец, если убрать всех пассажиров. Носильщик подхватывает наш скромный багаж; подходим к коменданту, который, проверив Маринины документы, выдает пропуск.

Наша платформа — немноголюдна и как-то немногословна; ни шума, ни давки, хотя поезд уже подан».[1]

На платформе мать и дочь суетятся вокруг багажа: не забыли ли чего в Борисоглебском? Вагон оказался не спальным, кушеток не было. Усевшись друг напротив друга, мать и дочь с нетерпением ожидали отправления поезда. Раздался третий, предписанный уставом железных дорог звонок, поезд тронулся, и Марина закрыла глаза — словно бы перед прыжком в пропасть. Ариадна с тревогой наблюдала за ней. За оконным стеклом в черном безоблачном небе сияла луна. Локомотив тащился медленно, останавливаясь на каждом полустанке. Их предупредили: «Держите язык за зубами: в вашем купе наверняка едет кто-то из чекистов, не болтайте лишнего». Путешествие до Берлина длилось четыре дня! На каждой станции девочка прилипала к окну, чтобы рассмотреть людей, дома, деревья — всё уже такое нерусское. Марина не шевелилась. Сжав зубы, она печально думала о том, что ей еще нет и тридцати лет и что следующий свой день рождения она отметит уже не в Москве, а в Берлине или где-то еще, во всяком случае — далеко от родины. Надо ли ей по этому поводу радоваться или грустить? Время от времени она поднимала глаза и смотрела на сетку, где лежал багаж. Чемодан с рукописями был

---

[1] Ариадна Эфрон. «Страницы воспоминаний». Цитируется по книге «Марина Цветаева в воспоминаниях современников. Рождение поэта». М., Аграф, 2002, стр. 247 (*Примеч. переводчика.*)

здесь — вот он, рукой можно дотянуться. Значит, она все-таки не совсем покинула Россию.

Ослепительным солнечным днем 15 мая 1922 года московский поезд подошел к берлинскому вокзалу. Отныне Марина Цветаева стала эмигранткой.

IX

ОДНО ИЗГНАНИЕ ЗА ДРУГИМ: ГЕРМАНИЯ, ЧЕХОСЛОВАКИЯ

Открывая для себя улицы Берлина, Ариадна удивлялась чистоте и порядку в городе, контрастировавшим с пестротой и суетой Москвы. Ее мать, наоборот, не успела даже заметить, что они за границей, потому что именно Россия, сама Россия приняла ее по приезде в центре Германии. Все такой же предусмотрительный, Илья Эренбург забронировал им комнату в семейном пансионе на Траутенауштрассе, 9[1], где жил со своей женой. Не дав ей времени передохнуть, Эренбург ввел новоприбывшую в колонию изгнанников из России, где офицеры Белой армии соседствовали с интеллектуалами, бежавшими от преследований, чинимых советской властью, и колеблющимися «туристами», еще не решившими, к кому им примкнуть. Объединенные общим несчастьем и

---

[1] На самом деле сначала поселил у себя на Прагерплац в пансионе «Прагердиле», где мать и дочь действительно занимали одну комнату, и переехали они в гостиницу — двухкомнатный номер с балконом — только после отъезда Эренбургов на летний отдых и приезда в Берлин Сергея, то есть после 7 июня 1922 года. (*Примеч. переводчика.*)

общей ностальгией, социалисты-революционеры, монархисты, анархисты и оппортунисты воспользовались дезорганизацией германской экономики после перемирия 1918 года, чтобы малость поживиться за счет страны, разоренной инфляцией. Приток этих беженцев был таков, что им были немедленно и широко распахнуты двери многочисленных русских издательств, русских типографий, русских газет и журналов. Жадная до информации публика с нетерпением ожидала всего, что здесь печаталось. Влюбленные в литературу изгнанники группировались в излюбленном своем квартале: на Прагерплац в кафе «Прагердиле». За всеми столиками, утопавшими в табачном дыму, в зале, пропахшем пивом, говорили о вчерашней России, о сегодняшней России, о завтрашней России с такой свободой, какая в Москве или Петрограде непременно привела бы в тюрьму или к стенке. Проникнув вслед за Ильей Эренбургом в эту разогретую спорами атмосферу, Марина сразу же почувствовала себя как дома. Все в Берлине знали ее и восхищались ею. Приветствуя вхождение Поэта в круг политических изгнанников, русские издательства Берлина — «Огоньки» и «Геликон» — выпустили в свет почти одновременно два ее сборника: «Стихи к Блоку» и «Разлука». Оба имели грандиозный успех. «Знатоки» помещали Цветаеву в один ряд с Ахматовой. Некоторые находили ее творчество даже более волнующим, оригинальным и «современным», чем творчество великой поэтессы, оставшейся в России. Пока Ариадна, опьяненная наслаждением от того, что можно съесть апельсин или выпить свежего пенящегося пива, открывала для себя эти маленькие радости бытия, Марина с не меньшим удовольствием обнаруживала, что все вокруг нее только и стараются облегчить ей знакомство с Западом.

Молодой Абрам Вишняк, руководивший маленьким издательским домом «Геликон» (под таким прозвищем Вишняк, кстати, и выступает как в письмах Марины, так и в воспоминаниях Ариадны[1]), создал из нее буквально культового персонажа, возвел на такой пьедестал, что Марина — в знак признательности — немедленно влюбилась в этого пылкого своего поклонника. В ожидании Сергея, который томился в Праге, разрабатывая весьма проблематичные планы воссоединения с Мариной, она посылает ему целую серию пламенных писем (впоследствии она объединит их в сборник под названием «Флорентийские ночи»[2]), затем — несколько стихотворений, сочиненных для других адресатов, но перепосвященных одним росчерком пера. Ее физическое влечение к этому новоприбывшему было таково, что она выразила его в письме без малейшего стыда: «Вино

---

[1] Не случайно: А.С.Эфрон пишет в «Страницах воспоминаний»: «..в «Прагердиле» издателей величали именами издательств, а не наоборот!». Цитируется по книге: «Марина Цветаева в воспоминаниях современников. Рождение поэта». М., Аграф, 2002, стр. 259. (*Примеч. переводчика.*)

[2] В 1932 году Марина Цветаева перевела на французский язык и обработала эти письма, придав им вид эпистолярной повести. Рукописный текст писем сохранился только в ее Сводных Тетрадях (за 1932 год), французский — в виде авторизованной машинописи. По-французски под названием «Девять писем с десятым, невернувшимся, и одиннадцатым — полученным» (именно так названы русские оригиналы в Тетради) удалось опубликовать их только в 1985 году. Существуют два обратных перевода: Р.Родиной «Флорентийские ночи» (журнал «Новый мир», 1985, №8) и Ю.Клюкина «Девять писем с десятым, невернувшимся, и одиннадцатым — полученным — и Послесловием» («Болшево», 1992, №2 — здесь текст выверен с русским). (*Примеч. переводчика.*)

высвобождает во мне женскую сущность (самое трудное и скрытое во мне). Женская сущность — это жест (прежде чем подумать!). Зоркость не убита, но блаженное право на слепость»[1]. Ариадна наблюдала за любовными похождениями матери со смешанным чувством детской ревности и женской досады. Но девочку успокаивало то, что она быстро распознала в Абраме человека податливого, легко поддающегося влиянию, тогда как мать была для нее верхом энергичности и прозорливости. «Геликон всегда разрываем на две части, — записала она уже тогда, десятилетняя, и опубликовала через много лет в «Страницах воспоминаний», — бытом и душой. Быт — это та гирька, которая держит его на земле и без которой, ему кажется, он бы сразу оторвался ввысь, как Андрей Белый. На самом деле он может и не разрываться — души у него мало, так как ему нужен покой, отдых, уют, а этого как раз душа не дает.

Когда Марина заходит в его контору, она — как та Душа, которая тревожит и отнимает покой и поднимает человека до себя, не опускаясь к нему. В Марининой дружбе нет баюканья и вталкиванья в люльку. Она выталкивает из люльки даже ребенка, с которым она говорит, причем божественно уверена, что баюкает его — а от таких баюканий может и не поздоровиться. Марина с Геликоном говорит, как Титан, и она ему непонятна, как жителю Востока — Северный полюс, и так же заманчива. От ее слов он чувствует, что посреди его бытовых и тяжелых дел есть просвет

---

[1] Цитируется по книге: Марина Цветаева. «Неизданное. Сводные тетради». М., Эллис Лак, 1997, стр. 93. (*Примеч. переводчика.*)

и что-то не повседневное. Я видала, что он к Марине тянется, как к солнцу, всем своим помятым стебельком. А между тем солнце далеко, потому что все Маринино существо — это сдержанность и сжатые зубы, а сам он гибкий и мягкий, как росток горошка».[1]

Впрочем, эта литературная идиллия длилась недолго. Большая часть Марининых страстей была столь же ослепительна, сколь и кратковременна. Отношения ее с Ильей Эренбургом, более чем сердечные вначале, тоже очень скоро разрушились: если поэзия их объединяла, то политика — разделяла. Эренбург, который никогда понастоящему не осуждал захвата власти большевиками, не советовал Цветаевой публиковать «Лебединый Стан», потому что включенные в этот цикл стихи казались ему вдохновленными монархической лжеархаикой. Одновременно взволнованная и раздраженная этой критикой, Марина пообещала придержать выход в свет этой работы, созданной некогда в честь героизма товарищей по оружию ее мужа. Зато, когда в Берлин прибыл Андрей Белый, она восприняла его как всегдашнего друга, хотя в России не была особенно близка с ним. Белый предпринял это путешествие, чтобы встретиться с бывшей женой, с которой они расстались шесть лет назад. Заботы о примирении с супругой, однако, не мешали ему пристально следить за событиями литературной жизни. Он только что прочел «Разлуку» и не уставал восхвалять этот поэтический труд. «Позволь-

---

[1] Цитируется по книге: «Марина Цветаева в воспоминаниях современников. Рождение поэта». М., Аграф, 2002, стр. 259—260. (*Примеч. переводчика.*)

те мне высказать глубокое восхищение перед совершенно крылатой мелодией Вашей книги... Давно я не имел такого эстетического наслаждения... весь вечер под властью чар ее», — писал Белый Цветаевой 16 мая 1922 года. Почти сразу же после этого письма, 21 мая, в берлинской газете «Голос России» появилась его статья, названная «Поэтесса-певица», о том, что в стихах главное — это «порывистый жест», «порыв» и что стихи Цветаевой, как вся русская поэзия, «от ритма и образа явно восходят к мелодии, утраченной со времен трубадуров». А заканчивалась эта статья так: «... если Блок есть ритмист, если пластик по существу Гумилев, если звучник есть Хлебников, то Марина Цветаева — композиторша и певица... Мелодии... Марины Цветаевой неотвязны, настойчивы... Мелодию предпочитаю я живописи и инструменту; и потому-то хотелось бы слушать пение Марины Цветаевой лично... и тем более, что мы можем приветствовать ее здесь, в Берлине»[1].

Марина признавалась позже в очерке «Пленный дух», написанном в 1934 году после смерти Бориса Николаевича Бугаева (Андрея Белого), что не поняла тогда трех четвертей статьи — всех доказательств, всего ритмического исследования, — как не понимала никогда и никаких теоретических изысканий на свой счет, и призналась в этом ее автору. А он — в ответ: «Значит, вы чудо? Настоящее чудо поэта? И это дается — мне? За что? Вы знаете, что ваша книга изумительна, что у меня от нее физическое сердцебиение. Вы знаете,

---

[1] Цитируется по книге: А. Саакянц. «Марина Цветаева. Жизнь и творчество», М., Эллис Лак, 1999, стр. 300. (*Примеч. переводчика.*)

что это не книга, а песня; голос, самый чистый из всех, которые я когда-либо слышал. Голос самой тоски... <..> Ведь — никакого искусства, и рифмы, в конце концов, бедные... Руки-разлуки — кто не рифмовал? Ведь каждый... ублюдок лучше срифмует... Но разве дело в этом? <..> Стихи должны быть единственной возможностью выражения и постоянной насущной потребностью, человек должен быть на стихи обречен, как волк на вой. Тогда — поэт. А вы, вы — птица! Вы поете! Вы во мне каждой строкой поете... я вас остановить в себе не могу», и — чуть дальше: «Ведь я после вашей «Разлуки» опять стихи пишу. Я думаю — я не поэт. Я могу годами не писать стихов. Значит, не поэт. А тут, после вашей «Разлуки» — хлынуло. Остановить не могу. Я пишу вас — дальше. Это будет целая книга: «После Разлуки», — после разлуки — с нею, и «Разлуки» — вашей... Я мысленно посвящаю ее вам, и если не проставляю посвящения, то только потому, что она ваша, из вас, я не могу дарить вам вашего, это было бы — нескромно»[1]. Может ли быть оценка выше, если исходит от поэта?

Такую же горячность проявил, высказывая свое мнение о «Разлуке», другой поэт-эмигрант, молодой Марк Слоним, который в пражском журнале «Воля России»[2] подчеркивал, что новая книга Марины Цветаевой — художественное яв-

---

[1] Цитируется по книге: Марина Цветаева. «Избранная проза в двух томах». Том второй, Russica Publishers, INC, 1979, стр. 100 и 106. (*Примеч. переводчика.*)

[2] Сначала это была ежедневная газета, затем она стала еженедельником, а потом — самым большим русским журналом в Праге, постоянным сотрудником которого, несмотря на сопротивление некоторых коллег — ярых эсеров, Слониму удалось сделать приехавшую в Чехословакию Марину. (*Примеч. переводчика.*)

ление мирового значения. Марина была взволнована этим комплиментом еще в большей степени, чем мнениями иных критиков, потому что незнакомый ей автор жил в Праге, а она уже обдумывала идею переселиться туда сама. В самом деле, раз Сережа поселился в этом городе и даже продолжает там свои университетские занятия, то почему они должны жить врозь? К тому же все говорят, будто в Чехословакии, где президентом Масарик, очень дружелюбно относятся к беженцам из России, принимают с огромным великодушием всех, кто пострадал от большевистской диктатуры, и даже будто правительство этой братской страны официально назначает пособие тем представителям русской интеллигенции, которые просят в Чехословакии убежища.

Потом эту информации Марине подтвердит и Сергей Эфрон, который, получив наконец разрешение на выезд из Праги, сообщил, что скоро прибудет в Берлин. Мать и дочь стали готовиться к его приезду, как к большому празднику. И вот как маленькая Ариадна описывает встречу родителей: «Точная дата приезда моего отца в Берлин в памяти не сохранилась. Что-то произошло тогда: то ли запоздала телеграмма о его прибытии, то ли Марина куда-то отлучалась в час ее получения, только помню, что весть, со дня на день ожидавшаяся, застигла Марину врасплох, и мы с ней не просто поехали, а кинулись сломя голову встречать Сережу, торопясь, теряясь, путая направления. Кто-то предложил поехать с нами и тоже было засуетился, но Марина от провожатых отказалась: Сережу она должна была встретить сама, без посторонних.

Когда мы, с дрожащими от волнения и спешки поджилками, ворвались на вокзал, он был безлюден и бесполезно-гулок, как собор по окончании мессы. Сережин поезд ушел, и ушел давно. <...> Мы вышли на белую от солнца, пустынную площадь, и солнечный свет, отраженный всеми ее плоскостями, больно ударил по глазам. Мы почувствовали палящую городскую жару, слабость в коленках и громадную пустоту внутри — от этой невстречи. Марина стала слепо и растерянно нашаривать в сумке папиросы и бренчать спичками. Лицо ее потускнело. И тут мы услыхали Сережин голос: «Марина! Мариночка!» Откуда-то с другого конца площади бежал, маша нам рукой, высокий, худой человек, и я, уже зная, что это — папа, еще не узнавала его, потому что была совсем маленькая, когда мы расстались, и помнила его другим, вернее — иным, и пока тот образ — моего младенческого восприятия — пытался совпасть с образом этого, движущегося к нам человека, Сережа уже добежал до нас, с искаженным от счастья лицом, и обнял Марину, медленно раскрывшую ему навстречу руки, словно оцепеневшие.

Долго, долго стояли они, намертво обнявшись, и только потом стали медленно вытирать друг другу ладонями щеки, мокрые от слез.

С отцом, недолго прогостившим в Берлине, я виделась мало; он проводил все время с Мариной, со мной же был молчаливо-ласков; задумчиво, далеко уходя мыслями, гладил меня по голове, то «по шерсти», то «против шерсти». <...>

В вечер Сережиного приезда пили шампанское... Сережа, которому осенью должно было исполниться 29 лет, все еще выглядел мальчиком, только что перенесшим тяжелую болезнь, — так он был худ и большеглаз и — так еще сиротлив, несмотря на Марину, сидевшую рядом. Она же казалась взрослой — раз и навсегда! — вплоть до нитей ранней седины, уже резко мерцавшей в ее волосах».[1]

В течение нескольких дней, проведенных в Берлине, Сергею Эфрону удалось окончательно убедить Марину в том, что их будущее — всех троих — это Чехословакия, где царит атмосфера особого расположения к друзьям-славянам. Ему нужно возвращаться в Пражский университет, если он хочет получить все-таки высшее образование. Что же до Ариадны, то там она сможет учиться в одной из замечательных русских школ. Нет, конечно же, нигде не будет им так хорошо, нигде не станут к ним относиться лучше, чем в этой свободной и гостеприимной стране! И Марина, пусть даже еще и испытывавшая особую нежность, такую давнюю, к Германии — колыбели романтизма, родине Гёте, Шиллера, Гейне, — Марина позволила мужу увлечь себя проектом переезда.

Последним искушением — оно же рай для самолюбия — стало полученное ею еще в Берлине письмо от Бориса Пастернака, который, подобно другим, тоже выражал восторг по прочтении «Разлуки». Она была тронута, но, как всегда откровенная, призналась неожиданному корреспонденту, что плохо знакома с его поэтическим творчеством. Он сразу же прислал ей свой сбор-

---

[1] Ариадна Эфрон. «Страницы воспоминаний». Цитируется по книге: «Марина Цветаева в воспоминаниях современников. Рождение поэта». М., Аграф, 2002, стр. 262—264. (*Примеч. переводчика.*)

ник «Сестра моя — жизнь». Едва открыв книгу, Марина испытала шок. Открытие! Нет, откровение! Пастернак — теперь она была в этом совершенно уверена — просто брат-близнец ей по характеру и по масштабу дарования. Она пожалела, что они так редко встречались в России. Ей бы хотелось встретиться с ним хотя бы здесь, тем более что вот он пишет: собирается скоро в Германию. Казалось бы, такая перспектива должна была обрадовать Марину, но она ее испугала, привела в ужас. Риск разочарования леденил душу. Будет ли он «самим собой» в этой прокуренной и шумной среде русских посетителей кафе «Прагердиле»? Да... Если уж до конца признаваться себе во всем, то лучше бежать от него... И, безумно желая остаться, она стала лихорадочно готовиться к отъезду, а ни о чем не подозревавший Сергей помогал ей.

На самом деле, подводя итоги одиннадцати недель, проведенных в Берлине, Марина поняла, что зажатая в тиски дружбы с русскими эмигрантами, она вовсе не интересовалась жизнью города: ни разу не была в театре, в концерте, в музее (только в Зоосаде), не видела ни единого памятника, не познакомилась ни с одним немецким писателем. Ее берлинское счастье заключалось в том, что она много написала и вволю наговорилась. Наверное, потому она решила устроить праздник хотя бы для дочери — меньше чем за неделю до их последнего берлинского дня. Праздником этим стал... Луна-парк.

«... Луна-парк? при Марининой неприязни к «публичности» развлечений, да и к самим развлечениям разряда ярмарочных? Может быть, дело было в том, что помимо аттракционов, обычных для парков такого рода, там наличествовал и необычный: с немецкой дотошностью выполненный — в естественную величину — макет целого квартала средневекового германского города; это должно было привлечь Марину с ее неизменной тягой к былому как истоку, обоснованию настоящего и грядущего; а может быть, ей просто захотелось порадовать меня? Так или иначе, однажды, в конце жаркого июля, мы, под водительством Людмилы Евгеньевны Чириковой[1], отправились в Луна-парк — с самыми серьезными намерениями: все неподвижное осмотреть, на всем движущемся покататься.

Начали с карусели... покружились на колесницах: потом перебрались на лошадок, сперва мерно покачивавшихся, но вскоре пустившихся в галоп, как в пляс. Гордо и грациозно сидела в позолоченном седле моя строгая мама с замкнутым, каменным (потому что кругом были люди) лицом, отнюдь не веселясь, а как бы выполняя некий торжественный обряд...

Не веселилась Марина и попав в комнату смеха, пристально, с несколько брезгливым любопытством разглядывая нас всех троих, по воле кривых зеркал превращавшихся то в Дон Кихотов, то в Санчо Панс, то в какие-то, стоящие на голове, самовары с пуговицами.

Тир ей понравился — как нравились вообще проявления ловкости, меткости — не только умственной, но и физической, как нравились дви-

---

[1] Ч и р и к о в а Л. Е. (1896—1995) — художник-график, ученица И.Билибина, оформляла в 1922 году книгу Цветаевой «Царь-Девица». (*Примеч. переводчика.*)

жения и действия, из которых была исключена приблизительность...

Были жонглеры в палатках и фокусники в балаганчиках; борцы; гимнасты; были акробаты, с кошачьей упругостью ступавшие по проволоке, косо перерезавшей небо над аллеей, как стекло — алмазом; были какие-то усовершенствованные, сиявшие никелем качели, на которых мы взлетали в воздух (качели Марина любила с тарусского детства)... <..>

Когда взрослые отчаялись от развлечений, а я только-только начала ими насыщаться, мы прибрели в тот край парка, в котором ничего не показывали, никуда не зазывали, ни на чем и ни во что не играли, и сели на жесткую травку под соснами, у светлого озерца. Оглядевшись, Марина сказала Людмиле Евгеньевне: «По-моему, и в природе нет отдыха. Вот я думаю: когда буду умирать, у меня будет такое же чувство, как здесь, сейчас, на этом берегу; печали? — торжественности? — и весь грохот, и все кружения — позади?» — «Но ведь это и есть — отдых?..»[1]

Потом осталось сделать последние визиты друзьям — рукопожатия, поцелуи, обещания, решение каких-то хозяйственных вопросов, и вот 31 июля 1922 года Марина, ее дочь и ее муж отбывают в Прагу...

Удивительная страна: уже не Россия, но еще не Европа. Эмигрантов принимают как родственников-погорельцев. Русские ученые читают

---

[1] Ариадна Эфрон. «Страницы воспоминаний». Цитируется по книге: «Марина Цветаева в воспоминаниях современников. Рождение поэта». М., Аграф, 2002, стр. 266—267. (*Примеч. переводчика.*)

лекции в пражском Карловом университете; русских студентов селят в ветхих строениях, предназначавшихся для пленных во время войны с немцами; некоторые русские писатели получали от государства ежемесячное пособие, позволявшее им продолжать работу; частная чешско-русская организация «Еднота», возглавляемая Анной Тесковой, чешской писательницей, почти с рождения и до двенадцати лет жившей с родителями в Москве и навсегда сохранившей яркие впечатления о российском детстве, занималась тем, что старалась всячески сблизить свою интеллигенцию с эмигрантами-интеллектуалами из России; православная Церковь, во главе которой здесь стоял архиерей Сергей Королев, стремилась поддерживать веру во всех несчастных, которых вынудили покинуть родину. Все и всё в Праге словно бы свидетельствовало о поддерживаемой правительством общности духа русских людей и духа населения Чехословакии, сложившейся независимо от границ между государствами — над этими границами. Надо полагать, что на этой Богом благословенной земле сердце должно говорить громче рассудка. Так и было. Среди изгнанников те, кто, проклиная большевистский режим, всетаки придерживался левых идей, образовали союз и выпускали журнал «Воля России», в то время как оставшиеся приверженцами монархии, хотя и не одобряли этих неисправимых смутьянов, но никогда не стремились спровоцировать или задеть их. В тех и в других голос крови был в то время сильнее голоса политиков. Можно принадлежать одному племени и состоять в разных партиях.

Перестав быть одиноким, Сергей больше не

мог жить в развалюхе-казарме — общежитии «Свободарна» — вместе с другими русскими студентами, там семья кое-как просуществовала всего несколько дней (сам Эфрон, правда, оставался там на четыре дня в неделю). Но цены на жилье в Праге были столь высоки, что семье пришлось перебраться на другой берег речки Бероунки, в маленькую деревушку Мокропсы неподалеку от столицы: здесь многие эмигранты уже свили себе гнездо. Эфроны за несколько недель переезжали трижды и в конце концов поселились в низенькой комнатке с тремя окошками, зато поблизости от леса и скал, особенно полюбившихся Марине и Але. Каждое или почти каждое утро Сергей рано утром выходил из дому, чтобы отправиться в Прагу — на лекции в Карловом университете. Оставшись вдвоем с дочерью, Марина старалась как-то убить время: бродила по деревне и окрестностям, готовила на большой изразцовой печке, писала, мечтала... Озабоченная чересчур большим количеством хозяйственных забот, Цветаева в это время к тому же еще обнаружила, что Ариадна, которая чуть ли не с младенческих лет была ее неизменной союзницей, исповедницей, собеседницей, почти точным ее подобием, мало-помалу отрывается от нее и находит абсурдное удовольствие в том, чтобы играть в куклы, а это, по мнению матери, грозило тем, что — о ужас! — она может стать таким же ребенком, как все прочие. И еще Марина с горечью констатировала, что совместная жизнь с Сережей, которого она так идеализировала в течение всех долгих лет разлуки, ей не очень-то нравится, да и как могла понравиться совместная жизнь женщине, уже привыкшей к одиночеству и независимости...

Но дело было не только в этом. Гражданская война, лишения, болезни превратили очаровательного и восторженного юношу былых времен в сломленного, тревожно-мнительного, вечно сомневающегося в себе самом и других человека. В то время как Марина не переставала восхищаться его преданностью добровольческому делу, он стал задумываться о том, правильно ли выбрал лагерь, не встал ли на «неверный путь»[1]. В конце концов, размышлял он, со стороны Красных было проявлено столько же отваги, самоотверженности и жестокости, сколько и со стороны Белых. Но, по крайней мере, большевики сейчас находятся у себя дома, тогда как их противники, приверженцы проигранного дела, прозябают париями за границей. Сергею потребовалось незаурядное мужество, чтобы продолжать свои занятия философией, которые, как он считал, скорее всего ни к чему не приведут. В прошлом году ему исполнилось тридцать лет, человек без родины, человек без будущего. Как жить с таким грузом на плечах? Марина сама становилась все более беспокойной, но притворялась, что настроение хорошее, чтобы поднять дух близким. Осознавая эту смиренную повседневную — уже гранича-

---

[1] Просто уже клевета на Сергея Эфрона. Достаточно прочесть — более позднюю даже — статью его «Эмиграция» (журнал «Своими путями», Прага, 1925, №8, у нас в книге: Сергей Эфрон. «Записки добровольца», М., Возвращение, 1998, стр. 187—196), чтобы убедиться, что сомнений в правильности избранного пути при — действительно! — желании когда-нибудь вернуться на родину (а у кого из эмигрантов тогдашних ее не было?) и полном осознании невозможности этого: «Не страх перед Чекой меня (да и большинство моих соратников) останавливает, а капитуляция перед чекистами — отказ от своей правды. Меж мной и полпредством лежит препятствие непереходимое: *могила Добровольческой Армии*». (*Примеч. переводчика.*)

щую с доблестью! — стойкость, Ариадна вспомнит потом с благодарностью о некоторых моментах особенной семейной близости: «Так мы зимовали в этой комнате с зелеными рамами и низким небеленым потолком — у глухой старушки с собакой Румыгой. Зимовали хорошо, тесно, дружно, пусть и трудно. Трудности мне стали видны впоследствии, девочкой я их просто не понимала, может быть, потому, что легкой жизни и не знала; то, что на мою долю приходилась часть домашней работы, считала не только естественным — радостным; то, что у меня было всего два платья, не вынуждало меня мечтать о третьем — а оно было бы кстати, хотя бы потому, что случалось мне виснуть на заборах, и цепляться за сучья, и потом, заливаясь слезами, зашивать с великой тщательностью прорехи; то, что редки были подарки и гостинцы, только повышало их волшебную ценность в моих глазах.

Главное же: мужественная бедность Марины и Сережи, достоинство, выдержка и зачастую юмор, с которыми они боролись со всеми повседневными тяготами, поддерживая и ободряя друг друга, вызывали у меня такое жаркое чувство любви к ним и соратничества с ними, что уже это само по себе было счастьем. Счастьем были вечера, которые иногда проводили мы вместе, у стола, освобожденного от еды и посуды, весело протертого влажной тряпкой, уютно и торжественно возглавленного керосиновой лампой с блестящим стеклом и круглым жестяным щитком — рефлектором; Сережа читал нам вслух привозимые им из Праги книги; Марина и я, слушая, штопали, чинили, латали. С тех пор и навсегда весь Гоголь, Диккенсовы «Домби и сын» и «Крошка Доррит» слышатся мне с отцовского голоса и чуть припахивают керосином и вытопленной хворостом печкой».[1]

Даже тогда, когда вся троица покинула Мокропсы, чтобы обосноваться — опять на время! — в каком-то другом столичном предместье, в какой-то другой деревушке, живые и исполненные нежности вечерние разговоры за чисто вымытым после еды столом повторялись — к великой радости ребенка. Тем не менее, даже орудуя — реже или чаще — тряпкой и метлой, Цветаева не превращалась в домашнюю хозяйку. Если она и принимала для себя необходимость этого подневольного труда, то смыслом существования для нее все равно оставалось сочинительство, оно же было ее утешением, ее наркотиком. Литература... При всяком удобном случае она отправлялась в Прагу, где Марк Слоним всегда радовался встречам с ней в редакции журнала «Воля России». И не только там. Начиная разговор в четырех стенах, они продолжали его в кафе «Славия» или на набережных Влтавы — излюбленных местах свиданий интеллигенции. И разговоры эти продолжались часами. Слоним так вспоминал Цветаеву уже после трагической ее гибели: «К жизни она была не приспособлена, но бремя свое несла честно, упорно — из сильно развитого чувства долга — по отношению к мужу, детям, семье. Быт и все повинности физического труда ненавидела, мелкие заботы не давали ей возможности отдаться писанию, она теряла время и силы на ненужное,

---

[1] Ариадна Эфрон. «Страницы воспоминаний». Цитируется по книге: «Марина Цветаева в воспоминаниях современников. Рождение поэта». М., Аграф, 2002, стр. 300—301. (*Примеч. переводчика.*)

изматывающее и предвидела, что никогда ей не удастся творить без помех, на свободе.

Однажды в Медоне, в 1929 году, я спросил ее, когда она даст рукопись о Гончаровой для «Воли России». Она пожала плечами и ответила: «Если удастся выкроить время, через две недели». И потом, помолчав, с усмешкой и горечью добавила: «Вот у Бодлера поэт — это альбатрос — ну, какой же я альбатрос, просто общипанная пичуга, замерзающая от холода, а вернее всего — потусторонний дух, случайно попавший на эту чуждую, страшную землю»... Она сама себя называла «столпником», избравшим малую пядь земли для утверждения своей правды, или же «крылатой, но безрукой», ибо могла летать, но поденщиной заниматься не умела. <...> Она была трижды изгнанницей, ибо в эмиграции была чужой и как человек, трудный, неспособный к простым человеческим отношениям, и как романтик, тоскующий в земном плену, и как поэт, выполняющий свое послание. <...>

М. И. была чрезвычайно умна. У нее был острый, сильный и резкий ум — соединявший трезвость, ясность со способностью к отвлеченности и общим идеям, логическую последовательность с неожиданным взрывом интуиции... Она была исключительным и в то же время очень трудным, многие говорили — утомительным, собеседником. Она искала и ценила людей, понимавших ее с полуслова, в ней жило некое интеллектуальное нетерпение, точно ей было неохота истолковывать брошенные наугад мысль или образ. Их надо было подхватывать на лету, разговор превращался в словесный теннис, приходилось все время быть начеку и отбивать метафоры, цитаты и афоризмы, догадываться о сути по намекам, отрывкам.

Как и в поэзии, М.И. перескакивала от посылки к заключению, опуская промежуточные звенья. Самое главное для нее была молниеносная реакция — своя или чужая, иначе пропадал весь азарт игры, все возбуждение от быстроты и озарений. Я порою чувствовал себя усталым от двух-трех часов такого напряжения и по молодости лет как-то стыдился этого как признака неполноценности и скрывал это. Лишь много лет спустя я услышал от других схожие признания об этих литературных турнирах. Впрочем, иногда М.И. просто рассказывала о недавних впечатлениях или о своем прошлом — о последнем — обрывками, и тут проявлялся ее юмор, ее любовь к шутке, к изображению глупости и наивности ее соседей, но смех ее нередко звучал издевкой и сарказмом. Я не ощущал доброты в ее речах».[1]

Благодаря Слониму читатели «Воли России», сочувствовавшие социалистам, смогли познакомиться с последними творениями Цветаевой, которая часто смущала их агрессивной современностью своего стиля. А некоторые не понимали, зачем «левому» изданию упорно помещать на своих страницах стихи женщины, столь явно скомпрометировавшей себя безудержной симпатией к Белой армии. Почти сразу же после приезда в Чехословакию Марина опубликовала там «Деревья» (цикл, посвященный «моему чешскому дру-

---

[1] Марк Слоним. «О Марине Цветаевой». Цитируется по книге: «Марина Цветаева в воспоминаниях современников. Годы эмиграции». М., Аграф, 2002, стр. 105—106; 110. (*Примеч. переводчика.*)

гу, Анне Антоновне Тесковой»).[1] Затем стала сочинять эпическую поэму «Молодец».[2] Другая ее поэма, поэма-сказка «Царь-Девица»[3], выделяется из ряда предшествовавших ей произведений поистине фольклорным вдохновением. Критики, в большинстве своем доброжелательные, отмечали здесь искренность национального звучания, интонации, говорили об этой вещи как о прекрасном отражении русской души, драгоценном эхе прошлого. Эти похвалы раздражали Марину. Она-то считала, что в ее последней работе важны вовсе не живописные напоминания об ушедшей России, а поэтическое послание, полное тоски и любви, которое она передавала таким образом новым поколениям.

Это послание — Марина была твердо убеждена — способен был понять сегодня только один человек. Борис Пастернак. Время от времени он приезжал в Берлин. Была ли она права в своем стремлении сбежать из этого города, чтобы устоять перед искушением новой встречи с ним? Чтобы оправдать эту героическую уловку, Цветаева без конца повторяла себе: их встреча могла только разрушить то таинственное и чудесное духовное единение, какое установилось между ними в переписке. Расстояние, которое разделяет их,

---

[1] Все стихи цикла написаны в сентябре-октябре 1922 года, два последних, созданных 7 и 9 мая 1923 года, как указывает Цветаева в сноске, «...перенесены сюда из будущего по внутренней принадлежности». Цитируется по книге: Марина Цветаева. Сочинения. Том 2. М., ПТО «Центр», 1992, стр. 221. (*Примеч. переводчика.*)

[2] Книга выпущена пражским издательством «Пламя» в 1923 году. (*Примеч. переводчика.*)

[3] Написана в Москве 1 июля — 4 сентября (по старому стилю) 1920 года, опубликована в Праге вторым изданием, первое было — еще в России. (*Примеч. переводчика.*)

лучшее средство сохранить то, что по-настоящему следовало бы назвать любовью. Она писала ему об этом. Они обменивались страстными посланиями, где играли в прятки восхищение и желание. Получив сборник Пастернака «Темы и вариации», Марина задрожала с головы до ног, как от интимной ласки: «Дорогой Пастернак! Это письмо будет о Ваших писаниях и — если хватит места и охота не пропадет! — немножко о своих. Ваша книга — ожог. Та[1] — ливень, а эта — ожог: мне больно было, и я не дула. (Другие — кольдкремом мажут, картофельной мукой присыпают! — под-ле-цы!) Ну, вот, обожглась, обожглась и загорелась, — и сна нет, и дня нет. Только Вы, Вы один. Я сама — собиратель, сама не от себя, сама всю жизнь от себя (рвусь!) и успокаиваюсь только, когда уж ни одной зги моей — во мне. Милый Пастернак, — разрешите перескок: Вы — явление природы. Сейчас объясню почему. Проверяю на себе: никогда ничего не беру из вторых рук, а люди — это вторые руки, поэты — третьи. Стало быть, Вы так и не вжились — ни во что! И — конечно — Ваши стихи не человеческие: ни приметы. Бог задумал Вас дубом, а сделал человеком, и в Вас ударяют все молнии (есть такие дубы!), а Вы должны жить».[2] А еще раньше она решилась на такое признание: «Я не скажу, что Вы мне необходимы. Вы в моей жизни необходимы, куда бы я ни думала, фонарь сам встанет. Я выколдую фонарь. Тогда, осенью, я совсем не смущалась, что все это без Вашего ведома и соизволения. Я не

---

[1] «Сестра моя — жизнь». (*Примеч. переводчика.*)

[2] Письмо от 11 нового февраля 1923 года. Цитируется по книге: Марина Цветаева. Собрание сочинений в семи томах. Том 6. Письма., М., Эллис Лак, стр. 233. (*Примеч. переводчика.*)

волей своей вызывала Вас, если «хочешь» — можно (и должно!) расхотеть, хотенье — вздор. Что-то во мне хотело».[1] И раньше того — утверждала, что переписка способна соединять их теснее любых земных объятий: «Мой любимый вид общения — потусторонний: видеть во сне. А второе — переписка. Письмо как некий вид потустороннего общения менее совершенно, нежели сон, но законы те же. Ни то, ни другое — не по заказу: снится и пишется не когда нам хочется, а когда хочется: письму — быть написанным, сну — быть увиденным. (Мои письма всегда хотят быть написанными!)»[2]

Когда 23 марта 1923 года Цветаева узнала, что Пастернак решил порвать с эмигрантской средой и вернуться в Москву, она была потрясена и подавлена. Ему хотелось увидеться с нею до отъезда, и он умолял Марину приехать в Берлин попрощаться. Но у нее не было денег на билет, дочь и муж нуждались в ней, домашние дела съедали все время, да и не была она уверена, что сможет в короткий срок получить визу. Короче, тысяча причин, более или менее уважительных, чтобы не ехать. Она предпочла отказаться сама и с грехом пополам объяснила, чем вызван отказ, своему незаменимому другу: «Дорогой Пастернак, я не приеду, — у меня советский паспорт и нет свидетельства об умирающем родственнике в Берлине, и нет связей, чтобы это осилить, — в лучшем случае виза длится две недели. <...> Не приеду, потому что поздно, потому что беспомощна... потому

---

[1] Письмо от 10 нового февраля 1923 г. Там же, стр. 228. (*Примеч. переводчика.*)

[2] Письмо от 19 нового ноября 1922 г. Там же, стр. 225. (*Примеч. переводчика.*)

что это моя судьба — потеря. <...> Вы не шутите только. Я себя знаю. Пастернак, я сейчас возвращалась черной проселочной дорогой (ходила справляться о визе у только что ездивших) — шла ощупью: грязь, ямы, темные фонарные столбы. Пастернак, я с такой силой думала о Вас, нет, не о Вас, о себе без Вас, об этих фонарях и дорогах без Вас, — ах, Пастернак, ведь ноги миллиарды верст пройдут, пока мы встретимся! (Простите за такой взрыв правды, пишу, как перед смертью.)

Предстоит огромная бессонница Весны и Лета, я себя знаю, каждое дерево, которое я облюбую глазами, будет — Вы. Как с этим жить? Дело не в том, что Вы — там, а я — здесь, дело в том, что Вы будете там, что я никогда не буду знать, есть Вы или нет. Тоска по Вас и страх за Вас, дикий страх, я себя знаю.

Пастернак, это началось с «Сестры», я Вам писала. Но тогда, летом, я остановила, перерубила отъездом в другую страну, в другую жизнь, а теперь моя жизнь — Вы, и мне некуда уехать.

Теперь, резко. Что именно? В чем дело? Я честна и ясна, слова — клянусь! — для этого не знаю. Перепробую все! (Насколько не знаю — увидите из февральских стихов.) Встреча с Вами была бы для меня некоторым освобождением от Вас же, законным. — Вам ясно? Выдохом! Я бы (от Вас же!) выдышалась в Вас. Вы только не сердитесь! Это не чрезмерные слова, это безмерные чувства: чувства, уже исключающие понятие меры! — И я говорю меньше, чем есть.

А теперь просто: я живой человек, и мне очень больно. Где-то на высотах себя — лед (отрешение!), в глубине, в сердцевине — боль. Эти дни (сегодня 9-е) до Вашего отъезда я буду очень мучиться».[1]

Безутешная из-за бегства своего «заоблачного», своего «вершинного» брата, она посвящает ему один за другим два цикла стихотворений — «Провода» и «Поэты». Во фрагменте стихотворения из первого цикла мы находим строки, в которых Цветаева обыгрывает фонетическое сходство между словом «проводы», означающим прощание, и словом «провода» — телеграфные линии. Она пишет:

> О, по каким морям и городам
> Тебя искать? (Незримого — незрячей!)
> Я проводы доверю проводам,
> И в телеграфный столб упершись — плачу.[2]

Но в цикле «Поэты», впрочем, она спрашивает себя не без горькой иронии:

> Что же мне делать, слепцу и пасынку,
> В мире, где каждый и отч, и зряч,
> Где по анафемам, как по насыпям —
> Страсти! где насморком
> Назван — плач!
>
> Что же мне делать, ребром и промыслом
> Певчей! — как провод! загар! Сибирь!
> По наважденьям своим — как по мосту!
> Их невесомостью
> В мире гирь.
>
> Что же мне делать, певцу и первенцу,
> В мире, где наичернейший — сер!
> Где вдохновенье хранят, как в термосе!
> С этой безмерностью
> В мире мер?![3]

---

[1] Письмо, помеченное: «Мокропсы, 9-го нового марта 1923 г.». Там же, стр. 237—239. (*Примеч. переводчика.*)

[2] 15 марта 1923 года.

[3] 23 апреля 1923 года.

В то самое время, когда Цветаева так нуждалась в поддержке, многие издатели, опасаясь, вероятно, реакции Советов, колебались: публиковать ли ее воспоминания о революции, которую она пережила в Москве. Даже Геликон, такой всегда дружелюбный, испугался «политической ангажированности» ее личных дневников. И она, возмутившись этим, немедленно написала Роману Гулю, русскому журналисту, эмигрировавшему в Берлин: «Два слова о делах. Геликон ответил, условия великолепные... но: вне политики. Ответила в свою очередь. Москва 1917г. — 1919г. — что я, в люльке качалась? Мне было 24—26 лет, у меня были глаза, уши, руки и ноги: и этими глазами я видела, и этими ушами я слышала, и этими руками я рубила (и записывала!), и этими ногами я с утра до вечера ходила по рынкам и по заставам — куда только не носили!

ПОЛИТИКИ в книге нет: есть страстная правда: пристрастная правда холода, голода, гнева, Года! У меня младшая девочка умерла с голоду в приюте — это тоже «политика» (приют большевистский).

Ах, Геликон и К ! Эстеты! Ручек не желающие замарать! Пишу ему окончательно, прошу: отпустите душу на покаяние! Пишу, что жалею, что он не издаст, но что калечить книги не могу.

В книге у меня из «политики»: 1) поездка на реквизиционный пункт (КРАСНЫЙ), — офицеры-евреи, русские красноармейцы, крестьяне, вагон, грабежи, разговоры. Евреи встают гнусные. Такими и были. 2) Моя служба в «Наркомнаце» (сплошь юмор. Жутковатый). 3) тысяча мелких сцен: в очередях, на площадях, на рынках (уличное впечатление от расстрела Царя, например), рыночные цены — весь быт революционной Москвы. И еще: встречи с белыми офицерами, впечатления Октябрьской Годовщины (первой и второй), размышления по поводу покушения на Ленина, воспоминания о некоем Каннегиссере (убийце Урицкого). Это я говорю о «политике». А вне — всё: сны, разговоры с Алей, встречи с людьми, собственная душа — вся я. Это не политическая книга, ни секунды. Это — живая душа в мертвой петле — и все-таки живая. Фон — мрачен, не я его выдумала»[1].

Несмотря на протесты Марины, книга целиком долго оставалась неизданной.[2]

Зато сборник «Ремесло» удостоился живейших похвал и читателей, и критики. Журналистка Вера Лурье превозносила Марину до небес: «Несмотря на всю дерзость, всю отвагу, на почти мужскую жесткость, в Цветаевой сохраняется что-то бесконечно женственное. Только женщина способна на такое самопожертвование, на такие — порывом вызванные — поступки. [...] И насколько бледной представляется женственность Анны Ахматовой, когда сравниваешь ее проявления с цветаевскими вихрями любви! Она [Цветаева] обещает так много... От всего сердца, с нежной и

---

[1] Письмо, написанное в ночь с 5-го на 6-е марта 1923 года. (*Примеч. автора.*) Цитируется по книге: Марина Цветаева. Собрание сочинений в семи томах. Том 6. Письма. М., Эллис Лак, стр. 523. (*Примеч. переводчика.*)

[2] Отрывки из этого текста были опубликованы в эмигрантских газетах в 1924 и 1925 годах. (*Примеч. автора.*) Часть упоминаемых Цветаевой в письме Гулю тем нашла отражение в очерках «Октябрь в вагоне», «Мои службы» и др. Вместе с отрывками из книги «Земные приметы» (так она должна была называться) они напечатаны в первом томе двухтомника «Марина Цветаева. Избранная проза в двух томах. 1917—1937», Russica Publishers, INC., Нью-Йорк, 1979. (*Примеч. переводчика.*)

искренней любовью я хочу сказать: спаси и сохрани, Господь, ее саму и ее музу!»

Ничуть не менее восторженной оказалась реакция юного критика Александра Бахраха, опубликовавшего рецензию в газете «Дни». Взволнованная обрушившейся на нее лавиной похвал, Марина отсылает автору статьи в «Днях» благодарственное письмо. И вот уже ее уносит за облака новая любовно-поэтическая переписка. На этот раз адресату всего двадцать лет. 14 июля 1923 года Цветаева пишет ему: «Дружочек, у меня так много слова (так много чувств) к Вам. Это волшебная игра. Это полное va banque — чего? — и вот задумалась: не сердца, оно слишком малое в моей жизни! — может быть, его у меня вовсе нет, но есть что-то другое, чего много, чего никогда не истрачу — душа? Не знаю, как его зовут, но, кроме него, у меня нет ничего. И вот этим «последним». <..> Вы — чужой, но я взяла Вас в свою жизнь, я хожу с Вами по пыльному шоссе деревни и по дымным улицам Праги, я Вам рассказываю (насказываю!), я не хочу Вам зла, я не сделаю Вам зла, я хочу, чтобы Вы росли большой и чудный и, забыв меня, никогда не расставались с тем — иным — моим миром! <..> Я хочу дитя от Вас — чуда. Чуда доверия, чуда понимания, чуда отрешения. Я хочу, чтобы Вы, в свои двадцать лет, были семидесятилетним стариком — и одновременно семилетним мальчиком, я не хочу возраста, счета, борьбы, барьеров.

Я не знаю, кто Вы, я ничего не знаю о Вашей жизни, я с Вами совершенно свободна, я говорю с духом.

Друг, это величайший соблазн, мало кто его выдерживает. Суметь не отнести на свой личный счет то, что направлено на Ваш свет — вечный. Не заподозрить — ни в чем. Не внести быта. Иметь мужество взять то, что так дается. Войти в этот мир — вслепую».[1]

И — одиннадцать дней спустя: «Я хочу Вас безупречным, т.е. гордым и свободным настолько, чтобы идти под упрек, как солдат под выстрелы: души моей не убьешь!»[2]

Вероятно, перепуганный пылом женщины, явно пытавшейся им завладеть, Бахрах решил состорожничать и не подавать признаков жизни. Не получив ответов на множество писем, Марина, оскорбленная молчанием, встает на дыбы: «Я за этот месяц исстрадалась, — дает она ему понять 27 августа. — Ни на одно из своих последних писем я не получила ответа. <..> Друг, я не маленькая девочка (хотя — в чем-то никогда не вырасту), жгла, обжигалась, горела, страдала — все было! — но ТАК разбиваться, как я разбилась о Вас, всем размахом доверия — о стену! — никогда. Я оборвалась с Вас, как с горы».

Наконец она сообщает, что вот-вот уедет из деревни, где живет сейчас, в Прагу, потому что Ариадне необходимо поступить в гимназию и продолжать учебу. Все этапы своего разочарования Марина фиксировала день за днем в тексте, названном ею «Бюллетень болезни». Однако она все время надеялась получить письмо с объяснениями и извинениями. Идея о таком письме стала настолько навязчивой, что 11 августа 1923 года она выразила свое нетерпение и свою тоску в стихах:

---

[1] Письмо от 14 — 15 июля 1923 года. Цитируется по книге: Марина Цветаева. Собрание сочинений в семи томах. Том 6. Письма. М., Эллис Лак, стр. 565—566. (*Примеч. переводчика.*)

[2] Письмо от 25 нового июля 1923 года. Там же, стр. 572. (*Примеч. переводчика.*)

ПИСЬМО

Так писем не ждут,
Так ждут — письма.
Тряпичный лоскут,
Вокруг тесьма
Из клея. Внутри — словцо.
И счастье. И это — всё.

Так счастья не ждут,
Так ждут — конца:
Солдатский салют
И в грудь — свинца
Три дольки. В глазах красно.
И только. И это — всё.

Не счастья — стара!
Цвет — ветер сдул!
Квадрата двора
И черных дул.

(Квадрата письма:
Чернил и чар!)
Для смертного сна
Никто не стар!

Квадрата письма.

28 августа 1923 она адресовала малодушному Бахраху еще одно — теперь уже прощальное письмо: «Кончено! Я накануне большого нового города (может быть — большого нового горя?!) и большой новой в нем жизни, накануне новой себя».

Затем, с философским спокойствием, она принялась укладывать вещи в чемоданы и связывать узлы, стараясь не показывать мужу и дочери, что до краев полна унижением и отчаянием.

X

НЕЗАКОННЫЕ СВЯЗИ
И ЗАКОННЫЙ СЫН

Приехав в Прагу, Марина обнаружила, что жить ей с мужем предстоит в крошечной квартирке в доме номер 1373 по Шведской улице. Чтобы оплачивать жилье, еду и другие повседневные нужды, она совершенно беззастенчиво рассчитывала на помощь благотворительных организаций, «подкармливавших» эмигрантов, на официальное пособие, выдаваемое чешским правительством, на щедрость некоторых сочувствующих ей друзей и на жалкие гонорары, которые надеялась получать в местных газетах и журналах. Но первой ее заботой было отправить Ариадну в русскую гимназию-пансион в Моравской Тшебове, так решил отец, потому что воспитателями в этой школе работали бывшие однополчане Сергея. Моравска Тшебова была маленьким, аккуратным, приобщенным к культуре городком поблизости от германской границы. Разлучаясь с дочерью, Марина очень боялась, что такой «домашний ребенок», как Аля, не сможет вписаться в среду, присущую классической гимназии. Но опасения оказались напрасными: девочка во всеуслышание заявляла, что в восторге от возможности быть с ровесниками, всегда готовыми поиграть, поболтать, пошалить, подразниться, поссориться, помириться... Всегда готовыми помечтать о романтических приключениях... Подобный конформизм у ребенка, который казался ей и которого она хотела бы видеть исключительным, чрезвычайно огорчал мать, разрушая все ее амбиции. Неспособная скрыть разочарование, она растерянно жалуется Бахраху: «Аля уже принята, сразу вжилась, счастлива, ее глаза единодушно объявлены звездами, и она, на вопрос детей (пятисот!), кто и откуда, сразу ответила: «Звезда — и с небес!» Она очень красива и очень свободна, ни секунды смущения, сама непосредственность, ее будут любить, потому что она ни в ком не нуждается. Я всю жизнь напролет любила сама, и еще больше ненавидела, и с рождения хотела умереть, это было трудное детство и мрачное отрочество, я в Але ничего не узнаю, но знаю одно: она будет счастлива. Я этого никогда для себя не хотела.

И вот — десять лет жизни как рукой сняты. Это почти что катастрофа. Меня это расставание делает моложе, десятилетний опыт снят, я вновь начинаю свою жизнь, без ответственности за другого, чувство ненужности делает меня пустой и легкой, еще меньше вешу, еще меньше есмь».[1]

Чуть позже, приехав навестить дочь в гимназии, она спрашивает в упор: «Тебе нравится?» И вот

[1] Письмо от 9-го сентября 1923 года. Цитируется по книге: Марина Цветаева. Собрание сочинений в семи томах. Том 6. Письма. М., Эллис Лак, стр. 605. (*Примеч. переводчика.*)

что дальше об этом пишет Ариадна: «— Очень! — от всей души ответила я.

— И напрасно. От всего этого задохнуться можно. Все — подделка под что-то, и — под соседей. Добропорядочный трафарет. Немецкое мещанство...[1] <..>

Да, она приглядывалась ко мне со стороны, вела счет моим словам и словечкам с чужих голосов, моим новым повадкам, всем инородностям, развязностям, вульгарностям, беглостям, пустяковостям, облепившим мой кораблик, впервые пущенный в самостоятельное плаванье. Да, я, дитя ее души, опора ее души, подлинностью своей заменявшая ей Сережу все годы его отсутствия; я, одаренная редчайшим из дарований — способностью любить ее так, как ей нужно быть любимой; я, отроду понимавшая то, что знать не положено, знавшая то, чему не была обучена, слышавшая, как трава растет и как зреют в небе звезды, угадывавшая материнскую боль у самого ее истока; я, заполнявшая свои тетради ею, — я, которою она исписывала свои... — я становилась обыкновенной девочкой».[2]

Но как ее дочь, которой было от кого унаследовать совсем другое, могла радоваться тому, что походит на других? Поведение, совершенно нормальное для одиннадцатилетнего ребенка, укрепляло Марину в мысли о том, что ее собствен-

---

[1] В этом «нравится?» речь, естественно, идет вовсе не о гимназии, а о городке — Марина впервые за четыре месяца безвыходной интернатской жизни вывела дочь за пределы школы — и «городок показался мне раем», пишет А. С. Эфрон. (*Примеч. переводчика.*)

[2] Цитируется по книге «Марина Цветаева в воспоминаниях современников. Рождение поэта». М., Аграф, 2002, стр. 308—309. (*Примеч. переводчика.*)

ная судьба — особая, исключительная, способная послужить уроком, трагичная. Измучившись неясностью и дурными предчувствиями, она снова пишет Бахраху и снова открывает ему душу, без большой надежды оказаться услышанной: «Ведь я не для жизни. У меня всё — пожар! Я могу вести десять отношений (хороши «отношения»!) сразу и каждого, из глубочайшей глубины, уверять, что он — единственный. А малейшего поворота головы от себя — не терплю. Мне БОЛЬНО, понимаете? Я ободранный человек, а вы все в броне. У всех вас: искусство, общественность, дружбы, развлечения, семья, долг, у меня, на глубину, НИ-ЧЕ-ГО. Все спадает, как кожа, а под кожей — живое мясо или огонь: я, Психея. Я ни в одну форму не умещаюсь — даже в наипросторнейшую своих стихов! Не могу жить. Все не как у людей. Могу жить только во сне, в простом сне, который снится... Я не сказки рассказываю, мне снятся чудные и страшные сны, с любовью, со смертью, это моя настоящая жизнь, без случайностей, вся роковая, где все сбывается.

Что мне делать — с этим?! — в жизни. Целую — и за тридевять земель, другой отодвинулся на миллиметр — и внутри: «Не любит — устал — не мой — умереть». О, все время: умереть, от всего!

Этого — вы ждали? И это ли вы любите, когда говорите (а м.б. и не говорили) о любви. И разве это — можно любить?»[1]

Наверное, читая это слезное послание, Бахрах задумывался. Чего Марина от него хочет, дой-

---

[1] Письмо от 10 сентября 1923 года. Цитируется по книге: Марина Цветаева. Собрание сочинений в семи томах. Том 6. Письма. М., Эллис Лак, стр. 607. (*Примеч. переводчика.*)

ти — до каких пределов, когда вот так вот множит свои стенания и свои требования. Он опасался внезапного появления в Берлине поэтессы, чей пыл имел как-то однажды неосторожность поощрить. Однако 20 сентября, спустя всего десять дней после получения этих ламентаций, почтальон принес ему письмо о резком и бесповоротном разрыве. Неужели — от той же самой женщины, которая еще вчера отчаивалась из-за того, что он любит ее не так, как она того заслуживает? Неужели это она пишет сейчас заточенным, как кинжал, пером:

«Мой дорогой друг!

Соберите все свое мужество в две руки и выслушайте меня: что-то кончено.

Теперь самое тяжелое сделано, слушайте дальше.

Я люблю другого — проще, грубее и правдивее не скажешь.

Перестала ли я Вас любить? Нет. Вы не изменились и не изменилась — я. Изменилось одно: моя болевая сосредоточенность на Вас. Вы не перестали существовать для меня, я перестала существовать в Вас. Мой час с Вами кончен, остается моя вечность с Вами. О, на этом помедлите! Есть, кроме страстей, еще и просторы. В просторах сейчас моя встреча с Вами. <..>

Как это случилось? О, друг, как это случается?! Я рванулась, другой ответил, я услышала большие слова, проще которых нет и которые я, может быть, в первый раз за жизнь слышу. «Связь?» Не знаю. Я и ветром в ветвях связана. От руки — до губ — и где же предел? И есть ли предел? Земные дороги коротки. Что из этого выйдет — не знаю. Знаю: большая боль. Иду на страдание».[1]

Конечно, разрыв отношений, проделанный с такой, поистине хирургической, точностью и чистотой операции, принес облегчение Бахраху, который, восхищаясь поэтическим дарованием Марины Цветаевой, был просто в ужасе от самой идеи продолжать эти отношения с настолько непредсказуемым и привязчивым существом. А она, со своей стороны, гордилась тем, что успела дать отставку воздыхателю, прежде чем он оттолкнул ее. Выиграла в скорости. Спасла честь. Впрочем, идет ли речь о чести хоть в малейшей степени, если на карте — любовная страсть?

Место Бахраха занял некий Константин Родзевич. Двадцатидевятилетний бывший офицер Белой Армии, затем эмигрировавший в Прагу, он стал сокурсником Сергея Эфрона по университету. Скорее всего, и познакомилась-то Марина с этим любезным, серьезным, бесцветным и настолько, насколько вообще в жизни возможно, «непоэтичным» человеком именно благодаря мужу. Он был прямой противоположностью тому, что она всегда искала в мужчинах. Но какое это имело значение! Просто попался на пути в тот момент, когда Марина испытывала особенно острую необходимость в мужском присутствии рядом. И набросилась на него, как измученный жаждой на стакан свежей воды. И — как всегда — этот порыв к утолению жажды истиной вдохно-

---

[1] Письмо от 20 сентября 1923 года, на котором далеко не закончилась, как уже говорилось, переписка и дружба с Бахрахом. Цитируется по книге: Марина Цветаева. Собрание сочинений в семи томах. Том 6. Письма. М., Эллис Лак, стр. 608—609. (*Примеч. переводчика.*)

вил ее на новые стихи. Ей показалось, будто Родзевич — ну, точь-в-точь статуя рыцаря Брунсвика на Карловом мосту, и она посвятила ему стихотворение «Пражский рыцарь», говоря о нем, как о веками «стерегущем реку» — просто реку, Влтаву, и реку дней, как о «караульном на посту разлук», веками слушающем клятвы и прощанья влюбленных. За этим стихотворением последовали и другие, их диктовала страсть Цветаевой к бывшему офицеру царской армии, товарищу по учебе ее мужа. Она возносила его на облака, она сравнивала свои горести в «Поэме Горы» с вершиной, которая прикрывает горизонт... А в «Поэме Конца» воспевала неизбежность краха каждой человеческой любви... Эти почти молитвенные обращения раскрывали ее предчувствия: того, что роман с Родзевичем будет коротким, того, что он кончится драматически. И действительно, после нескольких недель тайной связи она поняла, что идет по неверному пути, и отпустила того, который сумел воспользоваться ее телом, не затронув ее души.

Но кому поведать о новом фиаско своих чувств? Конечно же, Бахраху! Пусть она и отвадила его неожиданно и без всякого предупреждения, она считала, что именно он поймет ее, как никто другой: «Милый друг, я очень несчастна. Я рассталась с тем, любя и любимая, в полный разгар любви, не рассталась — оторвалась! В полный разгар любви, без надежды на встречу.[1] Разбив и его и свою

[1] Просто — для сведения: разрыв Цветаевой с Родзевичем произошел, как — основываясь на записи матери — полагает А.С.Эфрон, 12 декабря 1923 года. «Поэма Горы» датируется автором «1 января — 1 февраля 1924 года», «Поэма Конца» — 1 февраля — 8 июня 1924 года. О каких «предчувствиях» говорит Труайя? (*Примеч. переводчика.*)

232

жизнь. Любить сама не могу, ибо люблю его, и не хочу, ибо люблю его. Ничего не хочу, кроме него, а его никогда не будет. Это такое первое расставание за жизнь, потому что, любя, захотел всего: жизни, простой совместной жизни, то, о чем никогда не «догадывался» никто из меня любивших. — Будь моей. — И мое: — увы!»[1]

Хотя Сергей держался в стороне от этой запутанной ситуации, разумеется, он не мог совсем уж ничего не знать о том, что происходило с женой. Но, как обычно, он не позволял своим чувствам проявляться открыто, терпеливо сносил удары судьбы и продолжал сопровождать жену на все встречи и литературные вечера, где ей хотелось показаться. А в эти последние месяцы у нее было особенно много встреч с русскими писателями, приезжавшими в Прагу. Ее удостоили своим вниманием, если не искренней симпатией, поочередно Максим Горький, Иван Бунин, Владислав Ходасевич, Нина Берберова, Владимир Набоков. Когда Сергей оказывался вместе с Мариной на людях, он, как бы ни страдал от разлада семейной жизни, все равно был таким же красноречивым и веселым, каким его привыкли видеть. Но, улыбаясь при посторонних, он без колебаний поверял свои волнения близким. Вот какие признания мы находим, к примеру, в его длинном письме другу — Максимилиану Волошину: «Дорогой мой Макс, Твое прекрасное, ласковое письмо получил уже давно и вот все это время никак не мог тебе ответить. Единственный чело-

---

[1] Письмо от 10 января 1924 года. Цитируется по книге: Марина Цветаева. Собрание сочинений в семи томах. Том 6. Письма. М., Эллис Лак, стр. 621—622. (*Примеч. переводчика.*)

век, которому я мог бы сказать все, конечно, Ты, но и тебе говорить трудно. Трудно, ибо в этой области для меня сказанное становится свершившимся, и, хотя надежды у меня нет никакой, простая человеческая слабость меня сдерживала. Сказанное требует от меня определенных действий и поступков, и здесь я теряюсь. И моя слабость и полная беспомощность и слепость Марины, жалость к ней, чувство безнадежного тупика, в который она себя загнала, моя неспособность ей помочь решительно и резко, невозможность найти хороший исход — все ведет к стоянию на мертвой точке. Получилось так, что каждый выход из распутья может привести к гибели.

Марина — человек страстей. Гораздо в большей степени, чем раньше — до моего отъезда. Отдаваться с головой своему урагану для нее стало необходимостью, воздухом ее жизни... Почти всегда (теперь так же, как и раньше), вернее, всегда все строится на самообмане. Человек выдумывается, и ураган начался. Если ничтожество и ограниченность возбудителя урагана обнаруживаются скоро, Марина предается ураганному же отчаянию. Состояние, при котором появление нового возбудителя облегчается. Что — не важно, важно как. Не сущность, не источник, а ритм, бешеный ритм. Сегодня отчаяние, завтра восторг, любовь, отдавание себя с головой, и через день снова отчаяние. И это все при зорком, холодном (пожалуй, вольтеровски циничном) уме. Вчерашние возбудители сегодня остроумно и зло высмеиваются (почти всегда справедливо). Все заносится в книгу. Все спокойно, математически отливается в формулу. Громадная печь, для разогревания которой нужны дрова, дрова и дрова. Ненужная зола выбрасывается, а качество дров не столь важно. Тяга пока хорошая — все обращается в пламя. Дрова похуже — скорее сгорают, получше дольше. <...>

Последний этап — для меня и для нее самый тяжкий — встреча с моим другом по Константинополю и Праге, с человеком ей совершенно далеким, который долго ею был встречаем с насмешкой. Мой недельный отъезд послужил внешней причиной для начала нового урагана. Узнал я случайно. Хотя об этом были осведомлены ею в письмах ее друзья. Нужно было каким-либо образом покончить с совместной нелепой жизнью, напитанной ложью, неумелой конспирацией и прочими, и прочими ядами. <...>

О моем решении разъехаться я и сообщил Марине. Две недели она была в безумии. Рвалась от одного к другому. (На это время она переехала к знакомым.) Не спала ночей, похудела, впервые я видел ее в таком отчаянии. И наконец объявила мне, что уйти от меня не может, ибо сознание, что я где-то нахожусь в одиночестве, не даст ей ни минуты не только счастья, но просто покоя. (Увы, — я знал, что это так и будет.) Быть твердым здесь я мог бы, если бы Марина попадала к человеку, которому я верил. Я же знал, что другой (маленький Казанова) через неделю Марину бросит, а при Маринином состоянии это было бы равносильно смерти.

Марина рвется к смерти. Земля давно ушла из-под ее ног. Она об этом говорит непрерывно. Да если бы и не говорила, для меня это было бы очевидным. Она вернулась. Все ее мысли с другим. Отсутствие другого подогревает ее чувство. Я знаю — она уверена, что лишилась своего счастья. Конечно, до очередной скорой встречи. Сейчас живет стихами к нему».[1]

И снова, потрясенный бедствием, которое переживает любимая им женщина, Эфрон капитулирует: «По отношению ко мне слепость абсолютная. Невозможность подойти, очень часто раздражение, почти злоба. Я одновременно и спасательный круг, и жернов на шее. Освободить ее от жернова нельзя, не вырвав последней соломинки, за которую она держится.

Жизнь моя сплошная пытка. Я в тумане. Не знаю, на что решиться. Каждый последующий день хуже предыдущего. Тягостное «одиночество вдвоем». Непосредственное чувство жизни убивается жалостью и чувством ответственности. Каждый час я меняю свои решения. Может быть, это просто слабость моя? Не знаю. Я слишком стар, чтобы быть жестоким, и слишком молод, чтобы присутствуя отсутствовать. Но мое сегодня — сплошное гниение. Я разбит до такой степени, что от всего в жизни отвращаюсь, как тифозный. Какое-то медленное самоубийство. <..>

Она уверена, что сейчас жертвенно, отказавшись от своего счастья — кует мое. Стараясь внешне сохранить форму совместной жизни, она думает меня удовлетворить этим. Если бы ты знал, как это запутанно-тяжко. Чувство свалившейся тяжести не оставляет меня ни на секунду. Все вокруг меня отравлено. Ни одного сильного желания — сплошная боль. Свалившаяся на мою голову потеря тем страшнее, что последние годы мои,

---

[1] Письмо, начатое в декабре 1923 года и законченное 22 января 1924 года. Автор, ссылаясь на работы И.Кудровой и В.Лосской, ошибочно датирует его только 1924 годом. Здесь цитируется по книге: Марина Цветаева. «Неизданное. Семья, история в письмах». М., Эллис Лак, 1999, стр. 306—307. (*Примеч. переводчика.*)

которые прошли на твоих глазах, я жил, может быть, более всего Мариной. Я так сильно и прямолинейно и незыблемо любил ее, что боялся лишь ее смерти.

Марина сделалась такой неотъемлемой частью меня, что сейчас, стараясь над разъединением наших путей, я испытываю чувство такой опустошенности, такой внутренней изодранности, что пытаюсь жить с зажмуренными глазами. Не чувствовать себя — может быть, единственное мое желание».[1]

Сергей жалуется также и своей сестре, оставшейся в Москве: «В Праге мне плохо. Живу здесь, как под колпаком. Из русских знаю очень многих, но мало к кому тянет. А вообще к людям очень сильно тянет. И в Россию страшно как тянет. Никогда не думал, что так сильно во мне русское. Как скоро, думаешь, можно мне будет вернуться? Не в смысле безопасности, а в смысле моральной возможности. Я готов ждать еще два года. Боюсь, дальше сил не хватит».[2] И еще: «Я уже писал тебе, что у меня чувство, что все москвичи меня позабыли. Я знаю, что меж нами лежат годы, разделяющие больше, чем тысячи и тысячи верст. Но все же больно».[3]

Наперекор стихиям, Сергей оставался прикованным к своей жене. Творческая страсть Марины теперь вспыхнула с новой силой: она начала писать трагедию о Тезее и трех женщинах, пос-

---

[1] Там же, стр. 307—308.

[2] Письмо Е.Я.Эфрон (Лиле) от 6 апреля 1924 года. Там же, стр. 312. (*Примеч. переводчика.*)

[3] Письмо Е.Я.Эфрон, датируемое осенью 1924 года. Там же, стр. 314. У Труайя цитата из этого письма заканчивается словами: «Я знаю, что один виноват в подобном положении вещей. Но мне больно!», но таких слов нигде найти не удалось... (*Примеч. переводчика.*)

ледовательно прошедших через его судьбу: Ариадне, Федре и Елене[1]. Ее настолько захватила работа, что она легко отказалась от всех домашних обязанностей, переложив их на плечи дочери, которую забрали из пансиона. Впрочем, вскоре семья перебралась в предместье Праги — Вшеноры. Сергей поднимался на заре и — с равными пунктуальностью и упорством — продолжал свои университетские занятия. Кроме того, он занимался созданием и выпуском нового журнала[2] «Своими путями», сориентированного на «левых», и вступил в ассоциацию русских писателей, живущих в Чехословакии.[3] Марина, в свою очередь, продолжала сотрудничать с «Волей России». За статьи и стихи ей платили мало, но, по крайней мере, у нее не создавалось ощущения, будто она впустую гнет спину. Заточенная в маленьком вшенорском домике, Цветаева целыми днями проклинает нехватку денег, одиночество и хозяйственные повинности. Лениво сметая пыль, она не устает повторять себе, что орудием духовной женщины должна быть не метелка из перьев, а перо в руке. Домашнее рабство казалось ей еще более тягостным, потому что она снова была беременна. Роды предвиделись в феврале 1925 года. Мальчик или

---

[1] Все бы ничего, вот только работать над «Тезеем» Марина Цветаева начала еще летом 1923 года, именно тогда были сделаны первые наброски, что явствует из ее письма Бахраху от 23 августа. А в конце 1923 года, наоборот, остановила эту работу, чтобы вернуться к ней в июле следующего года. (*Примеч. переводчика.*)

[2] Труайя ошибочно называет его «студенческим» — сам С.Я.Эфрон этот журнал, первый номер которого вышел в ноябре 1924 года, характеризует в письме сестре как «литературно-критический». (*Примеч. переводчика.*)

[3] В книге А.Саакянц «Марина Цветаева. Жизнь и творчество», М., Эллис Лак, 1999, стр. 394, об этом написано так: «вошел в правление ученых и журналистов». (*Примеч. переводчика.*)

девочка? Сергей предпочел бы мальчика. Она тоже. Пусть все переменится! Пусть все станет по-другому! Бедный Сережа, она просто обязана сделать это для него! В ожидании Марина прикидывает, скольких забот и скольких расходов будет стоить этот лишний рот. Она вяжет, считает дни и — к тому же — старается писать. Но ребенок, растущий в чреве, мешает ей отдаться целиком поэме, которая созревает в ее голове. Что важнее? На этот раз она решает, что сотворение жизни должно иметь приоритет перед сотворением литературного произведения. Ее трогает то, что Ариадна, весьма далекая от обычной детской ревности к будущему новорожденному, наоборот, чрезвычайно взволнована его ожидающимся появлением на свет: «У Али восхитительная деликатность называть моего будущего сына: «Ваш сын», а не «мой брат», этим указывая его принадлежность, его местоположение в жизни, обезоруживая, предвосхищая и предотвращая мою материнскую ревность (единственную, в которой страдание не превышается — не погашается — презрением!)».[1]

По мере того как приближался срок родов, Марина, которая все-таки по натуре была диковата, вдруг открыла для себя, какой поддержкой может быть женская дружба. Взволнованная ее бедностью и неопытностью, Анна Тескова проявляет к подруге истинно сестринскую любовь. Другие соседки приходят на помощь в ведении домашнего хозяйства. В какой-то момент Цветаева внезапно решает, что может надеяться на возвращение пламенной, как ей казалось, страсти со стороны Марка Слонима. Она говорит, что

---

[1] Цитируется по книге: Марина Цветаева. «Неизданное. Сводные тетради». М., Эллис Лак, 1997, стр. 326. (*Примеч. переводчика.*)

нуждается в крепком, лучше — мужском плече, чтобы прижаться к нему после разрыва с Родзевичем. Увы! Проявив большое сочувствие к этой обезображенной беременностью, но стремящейся по-прежнему быть любимой женщине, Слоним пошел на попятный. Он отмечает в своих воспоминаниях: «Наша личная дружба... прошла через ряд изменений. Она переживала их трудно, мучительно, и ей нужно было, как она говорила, «дружественное плечо, в которое можно зарыться, уткнуться — и забыться», надо было на кого-то опереться. Ей показалось, что я могу дать ей эту душевную поддержку, тем более что и я в это время разошелся с моей первой женой, и в приблизительном сходстве личных осложнений М. И. увидала залог взаимного понимания. Но тут произошло столкновение наших индивидуальностей, темпераментов и устремлений. Во-первых, как обычно, М. И. создала обо мне некую иллюзию: она представляла себе меня как воплощение духовности и всяческих добродетелей, совершенно не зная ни моей личной жизни, ни моих наклонностей или страстей или пороков. Поднявшись в заоблачную высь, она недолго в ней парила, и приземление, как всегда, причинило ей ушибы и страдания. Во-вторых, она от близких требовала безраздельной отдачи, безоглядного растворения, включая жертву, причем хотела, чтобы принес ее не слабый, а сильный человек, слабого она бы презирала».[1] Отступление Слонима было тем более искренним, что в это время его захватила другая любовь, он увлекся другой женщиной, и у

---

[1] Марк Слоним. «О Марине Цветаевой». Цитируется по книге: «Марина Цветаева в воспоминаниях современников. Годы эмиграции», М., Аграф, 2002, стр. 112. (*Примеч. переводчика.*)

него не было никакого желания воскрешать давно угасшие чувства. Узнав, что у нее есть соперница, Марина забыла о беременности и дала волю гневу, послав «неблагодарному» мстительное стихотворение под названием «Попытка ревности»:

Как живется вам с другою, —
Проще ведь? — Удар весла! —
Линией береговою
Скоро ль память отошла

Обо мне, плавучем острове
(По небу — не по водам!)
Души, души! быть вам сестрами,
Не любовницами — вам!

Как живется вам с простою
Женщиною? Без божеств?
Государыню с престола
Свергши (с оного сошед),

Как живется вам — хлопочется —
Ежится? Встается — как?
С пошлиной бессмертной пошлости
Как справляетесь, бедняк?

«Судорог да перебоев —
Хватит! Дом себе найму».
Как живется вам с любою —
Избранному моему!

Свойственнее и съедобнее
Снедь? Приестся — не пеняй...
Как живется вам с подобием —
Вам, поправшему Синай!

Как живется вам с чужою,
Здешнею? Ребром — люба?
Стыд Зевесовой вожжою
Не охлестывает лба?

Как живется вам — здоровится —
Можется? Поется — как?
С язвою бессмертной совести
Как справляетесь, бедняк?

Как живется вам с товаром
Рыночным? Оброк — крутой?
После мраморов Каррары
Как живется вам с трухой

Гипсовой? (Из глыбы высечен
Бог — и начисто разбит!)
Как живется вам с стотысячной —
Вам, познавшему Лилит?

Рыночною новизною
Сыты ли? К волшбам остыв,
Как живется вам с земною
Женщиною, без шестых

Чувств?
Ну, за голову: счастливы?
Нет? В провале без глубин —
Как живется, милый? Тяжче ли,
Так же ли, как мне с другим?[1]

Однако очень скоро перспектива близких родовых мук заставила Марину забыть о раненом самолюбии. Она решила, что будет целиком принадлежать сыну, которого произведет на свет. Но кто был на самом деле отец ребенка? Сергей? Род-

---

[1] Стихотворение написано 19 ноября 1924 года. Хочется по этому поводу еще раз процитировать М.Слонима (там же, стр. 113): «М.И. писала: «Я хотела бы друга на всю жизнь и на каждый час (возможность каждого часа). Кто бы мне ВСЕГДА, даже на смертном одре, радовался». А я знал, что наши жизненные пути не совпадают, только порою скрещиваются и что у нас обоих совершенно неодинаковые судьбы. Отсюда ее ошибочное мнение, будто я ее оттолкнул, более того, променял на ничтожных женщин, предпочел «труху гипсовую каррарскому мрамору»... А после прославления принялась говорить мне колкости при свиданиях и ругать за глаза. Одно время она это делала почти со злобой, во всяком случае со страстью, со своим всегдашним упорством в последовательности и непоследовательности, в возведении пьедесталов и разрушении статуй. Я знаю, ей это было нелегко, ведь я продолжал помогать ей, чем мог, и защищал ее во всех моих публичных выступлениях. Но прошло несколько лет, прежде чем она сменила гнев на милость и уверовала в надежность моей дружбы». (*Примеч. переводчика.*)

зевич? Пастернак? Этого она точно не знала и нимало об этом не беспокоилась. Она полагала, что значение для женщины имеет только тот плод, что созревает в ее чреве, а вовсе не то, какой именно мужчина оплодотворил эту женщину. Поскольку нужен был официальный родитель, Сергей и был назначен на эту роль. Так же, как он стал добровольцем Белой Армии, не имея особых политических убеждений, сейчас он станет отцом, вовсе этого не желая. В нем жила тайная склонность быть дублером, подставным лицом... И Марина была признательна мужу за то, что он не придавал значения «пустым формальностям».

Тем не менее одна деталь в разработанном пылким воображением жены сценарии беспокоила Сергея. Марина непременно хотела назвать сына — потому что речь могла идти только о сыне! — прекрасным именем Борис, явно в честь Пастернака. Впрочем, она и сама призналась в этом, написав любимому поэту и другу в одном из писем прошедшего года: «...подарите мне Ваше прекрасное имя: Борис (княжеское!), чтобы я на все лады — всем деревьям — и всем ветрам! Злоупотреблять я им не буду»[1]. Однако, несмотря на настойчивые просьбы Марины, Сергей, объявленный миру законным отцом, заявил, что мальчик будет носить другое имя — не пастернаковское. Полезли в святцы, и после долгих споров Марина наконец согласилась в крайнем случае назвать ребенка Георгием. Но почему был выбран имен-

---

[1] Фрагмент из большого письма Пастернаку от 9 нового марта 1923 г., датированный «10-го нового марта, утром». Цитируется по книге: Марина Цветаева. Собрание сочинений в семи томах. Том 6. Письма. М., Эллис Лак, 1995, стр. 240. (*Примеч. переводчика.*)

но «Георгий»? Может быть, потому, что, насколько было известно Сергею, среди мужчин, которыми в последнее время увлекалась его жена, не было ни одного с таким именем. Впрочем, была и другая причина: в ряду легендарных русских героев было много Георгиев, а главное — святой победитель дракона, и ребенок мог бы встать в этот ряд. Хоть какая-то гарантия![1]

Когда был улажен вопрос с именем, Марине ничего не оставалось, как только набраться терпения. Долгожданное событие свершилось 1 фев-

---

[1] А вот как говорит Марина Ивановна о том же: «Борис! 1-го февраля, в воскресенье, в полдень родился мой сын Георгий. Борисом он был девять месяцев в моем чреве и десять дней на свете, но желание Сережи (*не* требование) было назвать его Георгием — и я уступила. И после этого — облегчение. Знаете, какое чувство во мне работало? Смута, дикая неловкость: Вас, Любовь, вводить в семью, приручать дикого зверя — любовь, обезвреживать барса (Барсик — так было — было бы! — уменьшительное). Ясно и просто: назови я его Борис, я бы навсегда простилась с Будущим: Вами, Борис, и сыном от Вас. Так, назвав этого Георгием, я сохранила права на Бориса (Борис остался во мне). — Вы бы ведь не могли назвать свою дочь Мариной? Чтобы все звали и знали? Сделать общим достоянием? Обезвредить, узаконить? Борисом он был, пока никто этого не знал. Сказав, приревновала к звуку. Георгий — моя дань долгу, доблести и добровольчеству, моя *трагическая* добрая воля. Это тоже я, не отрекаюсь. Но не *Ваша* я. Ваша я (*я*) — в Борисе». Письмо Б.Л.Пастернаку от 14 февраля 1925 года. Там же, стр. 242. И еще: «Союз предложил назвать сына Иван, Лутохин д.с.п. предлагает Далмат, я хотела Борис, вышел — Георгий. Борисом он был 9 месяцев во мне и 10 дней на свете. Но — уступила. Уступила из смутного и неуклонно растущего во мне чувства некоей несправедливости, неполноты, нецельности поступка. Борисом (в честь Б.П.) он был бы только мой, этим именем я бы отмежевала его от всех. Радость С. меня растрогала и победила: раз радость — то уж полная радость, и дар — полный дар. <..> Хороша звуковая часть: Георгий Сергеевич Эфрон — вроде раската грома. Св. Георгий — покровитель Москвы и белых войск. Ему я своего будущего сына тогда, в Москве, посвятила... Георгий — символ Добровольчества. Цитируется по книге: Марина Цветаева. «Неизданное. Сводные тетради». М., Эллис Лак, 1997, стр. 338. (*Примеч. переводчика.*)

раля 1925 года, за две недели до срока. Едва начались первые схватки, соседки окружили молодую женщину, призывая быть мужественной и сделать усилие. Вскоре их собралось уже семь в маленькой комнатке, превратившейся в гинекей, полный милосердного оживления. Собрав остатки гордости и воли, Марина отказалась кричать. Приход доктора Альтшуллера подбодрил как роженицу, так и самодеятельных акушерок. Ребенок появился на свет в полдень. Марина, хоть и была до последней степени измучена, сияла от счастья. Всю следующую ночь она не спала — только повторяла, словно в радостном бреду: «Мой сын! Мой сын!» А как только собралась с силами, чтобы взять в руки перо, написала: «Если бы мне сейчас пришлось умереть, я бы дико жалела мальчика, которого люблю какою-то тоскливою, умиленною, благодарною любовью. Алю бы я жалела за другое и по-другому. Больше всего жалела бы детей, значит — в человеческом — больше всего — мать. Аля бы меня никогда не забыла, мальчик бы меня никогда не вспомнил».[1] И чуть дальше — такое замечание: «Мальчиков нужно баловать — им, может быть, на войну придется».[2]

Обожая своего малыша, Марина все-таки продолжала сожалеть о том, что пришлось назвать его Георгием, а не Борисом, как хотелось ей. «Жаль! — пишет она Ольге Черновой, молодой эмигрантке,

---

[1] Запись от 10 марта 1925 года — и до этого Цветаевой написано очень много всякого-разного: и в тетрадках, и в письмах. Цитируется по книге: Марина Цветаева. «Неизданное. Сводные тетради». М., Эллис Лак, 1997, стр. 345. (*Примеч. переводчика.*)

[2] Там же, стр. 353. Чуть дальше! (*Примеч. переводчика.*)

с которой познакомилась в Праге и очень быстро подружилась. — С Б. П. мне вместе не жить. Знаю. По той же причине, по тем же обеим причинам (Сережа и я), почему Борис не Борис, а Георгий: трагическая невозможность оставить Сережу и вторая, не менее трагическая, из любви устроить жизнь, из вечности — дробление суток. С Б. П. мне не жить, но сына от него я хочу, чтобы он в нем через меня жил. Если это не сбудется, не сбылась моя жизнь».[1]

Испытывающая чувство глубокой неудовлетворенности, неспособная и дальше скрывать свои порывы, Марина — весьма неосторожно — поверяет свою тайну самому Пастернаку в письме от 14 февраля 1925 года: «Борис, все эти годы живу с Вами, с Вашей душой...»[2], и замечает в черновой тетради — для себя одной[3] — «Борюшка, я еще никому из любимых (?) не говорила ты — разве в шутку, от неловкости и явности внезапных пустот, — заткнуть дыру. Я вся на Вы, а с Вами, тобою это ты неудержимо рвется, мой большой брат.

---

[1] Письмо О. Е. Черновой из Вшенор от 28-го февраля 1925 года. Цитируется по книге: Марина Цветаева. Собрание сочинений в семи томах. Том 6. Письма. М., Эллис Лак, 1995, стр. 725. Интересен комментарий к последней фразе А.Саакянц: «Грубым примитивизмом было бы понимать эти слова в буквальном смысле. Разумеется, здесь речь идет о духовной связи двух заоблачных вершин «в мире, где всяк взгорблен и взмылен». Из книги «Марина Цветаева. Жизнь и творчество». М., Эллис Лак, 1999, стр. 406. (*Примеч. переводчика.*)

[2] Цитируется по книге: Марина Цветаева. Собрание сочинений в семи томах. Том 6. Письма. М., Эллис Лак, 1995, стр. 242. (*Примеч. переводчика.*)

[3] Вот только этот текст тоже вошел в письмо Пастернаку от 14 февраля... С пометкой «*до* Георгия».

Ты мне насквозь родной, такой же страшно, жутко родной, как я сама, без всякого уюта, как горы. (Это не объяснение в любви, а объяснение в судьбе.) <...>

Борис Пастернак — это так же верно, как Монблан и Эльбрус: ведь они не сдвинутся! А Везувий, Борис, сдвигающий и не сдвигающийся! Все можно понять через природу, всего человека, — даже тебя, даже меня. <...> ... моя жизнь — неустанный разговор с тобой».[1]

В то время, как мнимый отец, Борис Пастернак, продолжал жить своей жизнью советского писателя в Москве, а отец официальный, Сергей Эфрон, сдавать экзамен за экзаменом в Карловом университете, соседки и подруги — в равной степени чешские и русские — суетились вокруг все еще лежавшей в постели Марины. И вся самая тяжелая домашняя работа легла на плечи тринадцатилетней Ариадны. Ей пришлось бросить учебу и исполнять роль матери у колыбели младенца. 12 июня 1925 года Георгия наконец крестили во Вшенорах. Крестной матерью стала Ольга Чернова, бывшая жена председателя российской партии социалистов-революционеров, крестным отцом — высоко почитаемый русский писатель Алексей Ремизов, с которым Марина свела знакомство в Праге.

Несмотря на формальности, связанные с православным таинством крещения, Марина отказывалась в интимной обстановке называть своего сына Георгием. Она придумала для него прозвище — Мур, памятуя о коте из сказки Гофмана

---

[1] Цитируется по книге: Марина Цветаева. Собрание сочинений в семи томах. Том 6. Письма. М., Эллис Лак, 1995, стр. 243—245. (*Примеч. переводчика.*)

«Житейские воззрения кота Мурра»[1]. На всю жизнь он так и останется для нее этим легендарным мурлыкой.

Поднявшись на ноги, Марина взяла на себя традиционные материнские обязанности, выгуливая Мура в коляске по ухабистым улицам Вшенор. Заботы о ребенке, кормление его и ласки, не прекращавшиеся от писка до писка новорожденного, не отвлекли ее надолго от работы над большой эзотерической и сатирической поэмой, которую она принялась писать, — над «Крысоловом». Чтобы отомстить бессердечным обитателям воображаемого города, молодой музыкант, Зеленый охотник, которому за то, что он освободит Гаммельн от крыс, бургомистр пообещал руку своей дочери, а потом отказался отдать ему ее, играя на своей волшебной дудочке, увел за собой к Озеру всех городских детей, в том числе — бургомистрову дочку, и они утонули. Поэту захотелось использовать подходящий случай, чтобы подвергнуть бичеванию под видом богатых и эгоистичных жителей мифического города немецких обывателей, которые были объектом наблюдения для Марины в первые годы ее изгнания. Что же до крыс, то они, по замыслу автора, должны были символизировать кишащих за границей большевиков. Цветаевой казалось, что, не будь их, этих неисправимых хищников и грабителей, все

---

[1] «О Муре: во-первых — Мур, бесповоротно. Борис-Георгий-Барсик-Мур. Все вело к Муру. Во-первых, в родстве с моим именем, во-вторых, Kater Murr — Германия, в-третьих — само, вне символики, как утро в комнату. Словом — Мур», — так объясняла сама Цветаева в письме О.Колбасиной-Черновой от 10 мая 1925 года. Цитируется по книге: Марина Цветаева. Собрание сочинений в семи томах. Том 6. Письма. М., Эллис Лак, 1995, стр. 740. (*Примеч. переводчика.*)

в ее жизни было бы куда как проще и светлее. Прижимая к груди ребенка, она повторяла ему с бешенством отчаяния: «Мур, ты дурак, ты ничего не понимаешь, Мур, только еду. И еще: ты — эмигрант, Мур, сын эмигранта, так будет в паспорте. А паспорт у тебя будет волчий. Но волк — хорошо, лучше, чем овца, у твоего святого тоже был волк — любимый, этот волк теперь в раю. Потому что есть и волчий рай — Мур, для паршивых овец, для таких, как я».[1] Во время работы над «Крысоловом» Марина узнала о смерти в России ее давнего идеологического противника Валерия Брюсова. Его кончина нимало не расстроила ее, наоборот, вдохновила на очерк «Герой труда», в котором она ясно изложила свою враждебность коммунистическим доктринам. Подобная позиция вызвала в советской прессе поток статей с осуждением Цветаевой. До тех пор, пусть даже она и считалась эмигранткой, в СССР ее ценили как талантливого литератора. Отныне ее сочинения подверглись анафеме. В это же самое время муж Марины подвергся ожесточенной атаке со стороны одного из крупнейших русских периодических изданий — парижской газеты «Возрождение». Его упрекали в том, что он опубликовал в маленькой студенческой газетке, которую выпускал в Праге[2], несколько строк, которые были сочтены скандально пробольшевистскими. Возмущенная этим безосновательным обвинением, Марина взялась за перо и, заступаясь за Сергея, написала язвительный памфлет, клеймящий рус-

---

[1] Там же, стр. 742.

[2] Речь шла о номере журнала «Своими путями» за май-июнь 1925 года. (*Примеч. переводчика.*)

скую прессу Парижа. Она вызывала еще больше злобы в свой адрес, ответив на вопросы анкеты, опубликованной в журнале «Своими путями» и посвященной отношению эмигрантов к современной России. Абсолютно безразличная к последствиям своего поступка, она заявляла там: «Россия не есть условность территории, а непреложность памяти и крови. Не быть в России, забыть Россию — может бояться лишь тот, кто Россию мыслит вне себя. В ком она внутри, — тот потеряет ее лишь вместе с жизнью.

Писателям, как А. Н. Толстой, то есть чистым бытовикам, необходимо — ежели писание им дороже всего — какими угодно средствами в России быть, чтобы воочию и воушию наблюдать частности спешащего бытового часа.

Лирикам же, эпикам и сказочникам, самой природой творчества своего дальнозорким, лучше видеть Россию издалека — всю — от князя Игоря до Ленина — чем кипящей в сомнительном и слепящем котле настоящего.

Кроме того, писателю там лучше, где ему меньше всего мешают писать (дышать).

Вопрос о возврате в Россию — лишь частность вопроса о любви-вблизи и любви-издалека, о любви-воочию пусть искаженного до потери лика, и о любви в духе, восстанавливающей лик. О любви-невтерпеж, сплошь на уступках, и о любви нетерпящей — искажения того, что любишь.

«Но когда пожар, не помогают издалека!» Единственное орудие писателя — слово. Всякое иное вмешательство будет уже подвигом гражданским (Гумилев). Так, если в писателе сильнее муж, — в России дело есть. И героическое! Если же в нем одолевает художник, то в Россию он поедет молчать, в лучшем случае — умалчивать, в (морально) наилучшем — говорить в стенах «Чека».

«Но пишут же в России!»

Да, с урезами цензуры, под угрозой литературного доноса, и приходится только дивиться героической жизнеспособности так называемых советских писателей, пишущих, как трава растет из-под тюремных плит, — невзирая и вопреки.

Что до меня — вернусь в Россию не допущенным «пережитком», а желанным и жданным гостем».[1]

Этой горделивой декларацией Цветаева подтверждала, что она против всякого узкого национализма, что ее любви к России наплевать на любые границы и что ее поэзия, несмотря на московские свои корни, принадлежит всему миру.

Однако климат Восточной Европы отнюдь не был благоприятен для тонких откровений такого рода. Во Франции, как и в Чехословакии, эмигранты, еще страдающие от последствий русской революции, с трудом понимали, а тем более — принимали, тот факт, что поэтесса, покинувшая свою страну, и бывший офицер Белой Армии отказываются приговорить чохом всех приверженцев большевизма. Их обоих стали подозревать во «флирте» с ленинскими агентами. У них стали выискивать признаки «предательства» в каждой строке. И может быть, именно охлаждение отношений с друзьями, которое Марина почувствовала в это время, заставило ее искать более гостеприимный кров в другом месте, искать иное убе-

---

[1] Цитируется по книге: Марина Цветаева. Избранная проза в двух томах. 1917—1937, том второй, RUSSICA PUBLISERS, INC, New York, 1979, стр. 305—306. (*Примеч. переводчика.*)

жище? В течение всего 1925 года она мечтает о побеге отсюда. «Живу трудно, удушенная черной и мелкой работой, разбито внимание, нет времени ни думать, ни писать... — пишет она Ольге Черновой. — Сережа скоро возвращается. Ему необходимо не жить в Чехии, уже возобновился процесс, здесь — сгорит. О зиме здесь не хочу думать: гибельна, всячески, для всех. Аля тупеет (черная работа, гуси), я озлеваю (тоже), Сережа вылезает из последних жил, а бедный Мур — и подумать не могу о нем в копоти, грязи, сырости, мерзости. Растить ребенка в подвале — растить большевика, в лучшем случае вообще — бомбиста. И будет прав».[1]

Тем не менее она пока не могла окончательно решиться на переезд: парализовала мысль о трудностях, с которыми придется столкнуться, сменив одну страну на другую. Но Париж привлекал ее, потому что Франция, которая победоносно вышла из войны, как думали все, должна была теперь повернуться к поискам счастья и построению светлого будущего. Все рассказывали опять-таки, как там хорошо живется. А кроме того, Марина очень рассчитывала на сплотившихся в тени Эйфелевой башни друзей в писательской среде.

Они ей помогут, в этом нельзя сомневаться. Да и по-французски она с детства говорит свободно, и это главный козырь в ее игре. Но сумеет ли она, перебравшись во Францию, организовать свой быт в новом для нее климате? «Еду с Алей и Муром (самовольное уменьшение от Георгия), —

[1] Письмо от 14 августа 1925 года. (*Примеч. автора.*) Цитируется по книге: Марина Цветаева. Собрание сочинений в семи томах. Том 6. Письма. М., Эллис Лак, 1995, стр. 750. (*Примеч. переводчика.*)

пишет она Анне Тесковой, — два взрослых билета — и виза — и перевозка — и предъотъездная уплата долгов... Но раз нужно, — думаю, — уеду. <..>

Отъезд — предполагаемый — после двадцатого этого месяца. Как поеду — не знаю: ужасающе — неприспособлена... Не едет ли, случайно, кто-нибудь из Ваших знакомых? Не знаю, например, как устроить с питанием Георгия? Ест он 4 раза в сутки, и ему все нужно греть. Как это делается? Спиртовку ведь жечь нельзя. Впервые я была в Париже шестнадцати лет — одна — влюбленная в Наполеона — и не нуждавшаяся ни в теплой, ни в холодной пище. — Сто лет назад».[1]

К счастью, милосердные и расторопные друзья занялись административными формальностями. Слоним, хорошо знакомый с французским консулом, предпринял необходимые усилия для получения виз. Сначала поедет Марина, взяв с собой детей, а Сережа — за ними, с интервалом в несколько дней. Слониму удалось, кроме того, выторговать у чешского правительства предварительную выплату пособия, предназначенного для русских писателей, и получить от «Воли России» обещание аванса за публикацию будущих произведений Марины Цветаевой. И наконец Ольга Чернова, верная подруга в самые мрачные времена, заверила Марину, что для начала та может поселиться в ее парижской квартире.

Анна Андреева, жена писателя Леонида Андреева, поедет с ними. А Сергей поклялся, что недолго останется вдали от семьи. Вроде бы все труд-

---

[1] Письмо от 1 октября 1925 года. Цитируется по книге: Марина Цветаева. Собрание сочинений в семи томах. Том 6. Письма. М., Эллис Лак, 1995, стр. 340. Цитата, как всегда, перевранна — в сторону усугубления... (*Примеч. переводчика.*)

ности преодолены и нет уже никаких препятствий к отъезду. Однако 31 октября 1925 года, садясь в поезд с Ариадной и Муром, Марина внезапно почувствовала, будто предает Прагу, изменяет тому городу, который так полюбила, и — еще больше удаляется от Москвы. Чехословакия все-таки — в каком-то смысле — окраина России, ее предместье... А Франция — совсем другая вселенная, настоящая «заграница», полное перемещение в пространстве. Когда поезд тронулся, Марина задрожала, охваченная страхом, словно бы предупреждавшим о том, что ждет впереди. Ей почудилось, что надежды на возвращение в родную страну с каждым оборотом колес становится все меньше и меньше, что переходное состояние очень скоро станет окончательным и что, покидая свой временный кров, она начинает неумолимо двигаться к «концу».

XI

ПАРИЖ

Париж, открывшийся Марине, приехавшей туда в День Всех Святых 1925 года, оказался — увы! — совсем не таким, каким грезился ей в Чехословакии, да и не таким, какой она знала по первому своему пребыванию здесь — семнадцатилетней. Гостеприимство подруги, Ольги Черновой, позволило ей поселиться с детьми в трехкомнатной квартире, которую та занимала на улице Руве, в 19-м округе, поблизости от канала Сен-Дени. Ей, Ариадне и маленькому Муру отведена была отдельная комната. В двух других жили сама Ольга Чернова и три ее дочери. Две семьи постарались с юмором и хорошим настроением принимать все неудобства, к которым ведет теснота. Но как бы ни была благодарна Марина той, что предоставила ей крышу над головой, она страдала от недостатка места и была так занята по хозяйству, что не имела ни минуты, чтобы высунуть нос наружу. Шум, который исходил от хозяек дома, какими бы они ни были милыми, их хождения взад-вперед за стенкой, даже само чувство их дружбы и сочувствия — не только действенное, но и тяготящее, — все это стесняло, все это мешало писать. И свою поэму «Крысолов» Цветаева заканчивала с огромным трудом. Может, именно этот тип, который бродит там, в рабочем квартале, куда она приземлилась за неимением лучшего, — одна из крыс, которых Марина описывает? Может быть, крысолов поведет детей, зачарованных звуками его флейты, именно сюда — к соседнему каналу? Она с тоской думала о том, что с ней станет, если вдохновение угаснет в такой затхлой атмосфере. И ее письмо Анне Тесковой от 7 декабря 1925 года — это почти сплошь жалоба на парижское заточение. «Вторично написать [Вам] не собралась не по отсутствию желания, но по абсолютной занятости: я в Париже месяц с неделей и еще не видела Notre-Dame!

До 4-го декабря... писала и переписывала поэму. Остальное — как во Вшенорах: варка Мурке каши, одеванье и раздеванье, гулянье, купанье — люди, большей частью не нужные — бесплодные хлопоты по устройству вечера (снять зал — 600 франков и треть дохода, есть даровые, частные, но никто не дает. Так, уже три отказа.) Дни летят.

Квартал, где мы живем, ужасен, точно из бульварного романа «Лондонские трущобы». Гнилой канал, неба не видать из-за труб, сплошная копоть и сплошной грохот (грузовые автомобили). Гулять негде — ни кустика. Есть парк, за 40 минут ходьбы, в холод нельзя. Так и гуляем — вдоль гниющего канала.

Отопление газовое (печка), то есть 200 франков в месяц.

Марина
Цветаева
и Сергей
Эфрон,
1912 г.

Марина
Цветаева.

Сергей Эфрон,
в офицерской форме,
1917 г.

Марина Цветаева
с сестрой Анастасией
и детьми.
Н а в е р х у: Сергей
Эфрон и Маврикий
Минц.

Дом Цветаевых в Тарусе.

Марина с дочерью Ариадной.

Марина с сыном
Муром. 1935 г.

Марина с Муром.
1933 г.

Ариадна на фоне Нотр-Дам, 1930 г.

Марина Цветаева.

Дом, в котором Марина покончила с собой.

Как видите — мало радости...»[1]

Несколько дней спустя она изливает свое бешенство в стихотворении:

Тише, хвала!
Дверью не хлопать,
Слава!
Стола
Угол — и локоть.

Сутолочь, стоп!
Сердце, уймись!
Локоть — и лоб.
Локоть — и мысль.

Юность — любить.
Старость — погреться:
Некогда — быть,
Некуда деться.

Хоть бы закут —
Только без прочих!
Краны — текут,
Стулья — грохочут.

Рты говорят:
Кашей во рту
Благодарят
«За красоту».

Знали бы вы,
Ближний и дальний,
Как головы
Собственной жаль мне —

Бога в орде!
Степь — каземат —
Рай — это где
Не говорят!

[1] Цитируется по книге: Марина Цветаева. Собрание сочинений в семи томах. Том 6. Письма. М., Эллис Лак, 1995, стр. 343. (*Примеч. переводчика.*)

Юбочник — скот —
Лавочник — частность!
Богом мне — тот
Будет, кто даст мне

— Не времени!
Дни сочтены! —
Для тишины —
Четыре стены.[1]

Однако мало-помалу Марина сумела наладить свой быт, стала распределять время и занятия так, чтобы улучить часок для короткого «выхода в свет», и начала встречаться с русскими эмигрантами. Ее приняли уважительно и доброжелательно. Восхищались ее талантом, были готовы представить ей колонки в парижских газетах. Марина очень быстро научилась распознавать, какими общественными веяниями управляется деятельность ее находящихся в изгнании соотечественников. Они образовывали некий маленький союз друзей по несчастью, объединенных общей памятью и находящихся за пределами, как бы на полях книги под названием «французское общество». Главенствовали в этой колонии, ревностно отстаивающей свою исключительность, интеллектуалы. Они силились заработать себе на пропитание, не отрекаясь ни от впитанных с молоком матери устоев, ни от привязанности к прошлому. Перешедшие непосредственно из периода величия в полный упадок, лишившись состояний и надежд на будущее в России, они — даже не принимая недовольного вида — становились простыми рабочими у Рено, водили такси (но для этого надо было сначала научиться хорошо раз-

---

[1] Стихотворение написано 26 января 1926 года.

бираться в лабиринтах парижских улиц!), мыли посуду в ресторанах, накрывали столы в кабаре, обслуживали общественные туалеты, женщины шли в портнихи, белошвейки, модистки, няньки, гувернантки... Русские врачи, даже известные, вынуждены были, наравне со студентами-медиками, сдавать экзамены, чтобы получить право легально заниматься своим делом. Бывшие офицеры русской армии записывались солдатами в Иностранный легион. Бывшие профессора Московского и Санкт-Петербургского университетов были счастливы, когда им удавалось найти частные уроки, они учили детей, бродя из дома в дом, и лишь редким из них случалось найти место в весьма немногих русских гимназиях, открытых после революции благодаря щедрости нескольких благотворителей.

Почти во всех семьях пытались сохранить свою национальную принадлежность, заставляя детей изучать русский язык и русскую культуру. Те из изгнанников, кто владел бойким пером и кому хватало ума и остроумия, старались поместить статьи — Боже, как мало за них платили! — в печати, поддерживаемой диаспорой. Но навязчивой идеей всех без исключения было — получить законное разрешение на работу. Большую часть времени они тратили на столкновения с глухими стенами административной власти — ничто не могло пройти без осложнений, ворчали, что приходится проводить долгие часы в коридорах Префектуры, а в конце концов обнаруживали, что все это зря, потому как требовалось такое количество бумаг и бумажек, какого им, отрезанным от родины и не способным чаще всего предъявить даже свидетельство о рождении, было никак не добыть.

Единственными документами у многих были «нансеновские паспорта» — временные удостоверения личности, введенные Лигой Наций по инициативе Фритьофа Нансена и выдававшиеся на основании специальных Женевских соглашений 1922 года апатридам и беженцам. Эти «паспорта» позволяли эмигрантам оставаться в той стране, которая их приняла, но позаботиться о том, чтобы найти себе кров и работу, они должны были сами. Тем не менее, проклиная все эти хлопоты, они были безумно счастливы, что их терпит народ, к счастью, весьма к ним расположенный, и им не приходила в голову мысль о протесте против несправедливости со стороны властей, — а такое случалось, и нередко. Они порой даже позволяли себе иронизировать над трудностями тех своих соотечественников, которые не могли приспособиться к «заграничной» жизни. Любимыми авторами в широких кругах русских эмигрантов были сатирики — такие, как Тэффи и Дон Амиадо, которые высмеивали — пусть и довольно дружелюбно — чувство потерянности в новой обстановке и неловкости, совершаемые им подобными. Смеяться над собой им казалось самым верным средством для того, чтобы сохранить свою истинную природу. Они полагали своим первым долгом сделать все возможное для того, чтобы границы их души были столь же непроницаемы, сколь и географические границы, запрещавшие им отныне вернуться к себе домой. Обращенные в прошлое и довольные собой, все эти иностранцы жили замкнуто, обособленно, на самообеспечении. Они практически не встречались с французами, каждое воскресенье посещали службы в православном храме на улице Дарю, читали только русскую прессу, интересовались только российской политикой, а если заболевали, звали к себе только русских врачей.

Окунувшись с головой в эту трясину, засосавшую уже многих изгнанников, Цветаева, которая всегда была склонна к восхищению жертвами, начала с того, что стала кичиться объединяющей ее с ними физической и моральной нищетой. Она ощущала такое родство с ними, что сочинила гимн во славу «самых невезучих»:

> Кто — мы? Потонул в медведях
> Тот край, потонул в полозьях.
> Кто — мы? Не из тех, что ездят —
> Вот — мы! А из тех, что возят:
>
> Возницы. В раненьях жгучих
> В грязь вбитые — за везучесть.
>
> Везло! Через Дон — так голым
> Льдом. Хвать — так всегда патроном
> Последним. Привар — несолон.
> Хлеб — вышел. Уж так везло нам!
>
> Всю Русь в наведенных дулах
> Несли на плечах сутулых.
>
> Не вывезли! Пешим дралом —
> В ночь, выхаркнуты народом!
> Кто мы? да по всем вокзалам!
> Кто мы? да по всем заводам!
>
>
> По всем гнойникам гаремным[1] —
> Мы, вставшие за деревню,
> За — дерево...

---

[1] Дансёры в дансингах. (*Примечание М. Цветаевой.*)

С шестерней, как с бабой, сладившие —
Это мы — белоподкладочники?
С Моховой князья да с Бронной-то —
Мы-то — золотопогонники?

Гробокопы, клополовы —
Подошло! подошло!
Это мы пустили слово:
Хорошо! хорошо!

Судомои, крысотравы,
Дом — верша, гром — глуша,
Это мы пустили славу:
— Хороша! хороша! —
Русь!

Маляры-то в поднебесьице —
Это мы-то с жиру бесимся?
Баррикады в Пятом строили —
Мы, ребятами.
— История.

Баррикады, а нынче троны.
Но все тот же мозольный лоск.
И сейчас уже Шарантоны
Не вмещают российских тоск.

Мрем от них. Под шинелью драной —
Мрем, наган наставляя в бред...
Перестраивайте Бедламы:
Все — малы для российских бед!

Бредит шпорой костыль — острите! —
Пулеметом — пустой обшлаг.
В сердце, явственном после вскрытья —
Ледяного похода знак.

Всеми пытками не исторгли!
И да будет известно — там:
Доктора нас узнают в морге
По не в меру большим сердцам.[1]

---

[1] Стихотворение написано в Сен-Жиль-сюр-Ви (Вандея) в апреле 1926 года.

Анализируя упадок и величие русской эмиграции, Мережсковский в 1926 году, словно эхом, вторит Цветаевой: «Наша эмиграция — это наш путь в Россию. <...> Наши страдания подобны слепоте. Свет наших глаз восторгает нас самих. <...> Мы потеряли жизнь внешнюю, но у нас открылось внутреннее зрение, и мы увидели невидимую Россию, Землю Обетованную. <...> Нужно, чтобы тебя лишили твоей земли, только тогда ты увидишь ее неземной любовью».

В отсутствие привычной с детства среды, знакомых пейзажей патриотизм изгнанников становился подобным надгробному священнодействию. Писать и говорить по-русски стало для них отныне единственным способом доказать, что они еще существуют, пусть даже вырванные с корнями из родной почвы и с поруганными святынями. С маниакальным упрямством те, кто потерял все, силились сохранить убеждение в том, что зато им остается — вечное: вера в будущее и культ прошлого. Эти две противоречивые страсти основывались на одном и том же мираже, который помогал выжить этим восторженным зомби в мире, больше их не желавшем. Если им случалось порой с радостью узнать, что они приглашены в дружеский дом, они всегда, несмотря на улыбки, чувствовали себя там чужаками. Быть изгнанником — значит постоянно ощущать себя не на своем месте во вселенной, чей язык, воспоминания, традиции, легенды, кухня не те, какие питали тебя с младенчества. Значит — быть на крутом подъеме застигнутым зовом пустоты. Значит — ощупью искать точку опоры, балансируя над пропастью. Значит — отказаться признать, что ваша личность похищена у вас вместе с вашей страной.

Таким образом Цветаева и люди ее круга изощрялись в том, чтобы создать подобие родины под парижским небом. Однако эти коллективные усилия вовсе не означали, что общее несчастье объединяло всех эмигрантов на единой идеологической платформе, что существовало некое братство между ними. Хотя все они были настроены против советской власти, каждый выражал это по-своему: тем, кто тосковал по царскому режиму, противостояли социалисты-революционеры, которые, вынося приговор большевикам, однако же и слышать не хотели о возрождении монархии; более или менее явные анархисты, которые мечтали о бурных переменах, правда, не уточняя, каких именно, и оппортунисты, довольствовавшиеся тем, что изо дня в день существовали, вылавливая из памяти те или иные образы, символизирующие былое великолепие... Многочисленные попытки установить хоть какое-то согласие между эмигрантами, придерживавшимися разных политических взглядов, терпели один провал за другим. Сокрушительным и весьма показательным фиаско закончился собранный в парижском отеле «Мажестик» в апреле 1926 года конгресс. Его делегаты после бесконечных дискуссий смогли только констатировать невозможность даже простого сближения позиций левых, правых и центра хоть в какой-либо общей программе. Русская пресса Парижа отражала все эти разнообразные тенденции. Тогда как «Последние новости», главным редактором которых был бывший министр Временного правительства Павел

Милюков, представали более или менее умеренными, «Возрождение» решительно сдвигалось все правее, кичась тем, что с ним сотрудничают самые знаменитые и талантливые русские писатели — такие, как Иван Бунин, Иван Шмелев, Борис Зайцев, а «Современные записки» собирали под флагом разумного социализма Льва Шестова, Николая Бердяева, Зинаиду Гиппиус, отца Сергея Булгакова...

Именно для этого последнего издания и приберегала Марина Цветаева некоторые из своих еще неопубликованных произведений. Благодаря их появлению в печати у нее появилось довольно много новых читателей. Ее открывали. Удивлялись дерзости ее просодии.[1] Задумывались о том, не уйдет ли русская поэзия в тень этой тарабарщины, излишне перегруженной вербальной акробатикой. Осознавая, к каким недоразумениям, а порой и размолвкам — до ссор, чуть ли не скандалов, — способен привести ее необычный талант, Марина шла напролом: она стала все чаще и чаще появляться в монпарнасских кафе — «Наполи», «Селект», «Ротонда», «Дом», «Куполь», где интеллектуалы-изгнанники собирались одновременно с французскими художниками, однако не сливаясь с ними. Признанным лидером эмигрантской критики был грозный Георгий Адамович. Страстный поклонник Ахматовой, Гумилева, Мандельштама, он ненавидел «грубое искусство», считал творчество и саму личность Цветаевой провокационными и провозглашал это во всеуслышание. Была у Марины и еще

---

[1] В русской поэзии просодией называют систему стихосложения или систему стихотворных размеров. (*Примеч. переводчика.*)

одна достойная соперница в лице поэтессы и эссеистки Зинаиды Гиппиус, жены Дмитрия Мережковского: известен их литературный салон, а саркастические замечания этой четы мгновенно распространялись по всему Парижу.

Марина с трудом выносила шпильки в свой адрес со стороны собратьев по цеху. В конце концов нападки показались ей столь обидными, что она поссорилась даже с крестным отцом Мура, писателем Алексеем Ремизовым, из-за вполне невинной его шутки. А ее негодование достигло предела — и это вызвало уже настоящий взрыв, — когда во время литературного конкурса, организованного к Рождеству 1925 года журналом «Звено», стихи ее, посланные в редакцию анонимно, как было положено по условиям конкурса, даже не прошли в число отобранных для него произведений. Как назло, в жюри входили и Георгий Адамович, и Зинаида Гиппиус. Этого оказалось достаточно, чтобы Марина заподозрила мошенничество, заговор, и вместо того, чтобы проглотить обиду и разочарование, написала в редакцию «Звена», раскрывая махинации, жертвой которых, по ее мнению, стала. Обвинение обернулось против нее же самой. Многие коллеги принялись проливать слезы над столь плохим характером у поэта, обладающего таким великим талантом. А годы спустя Георгий Адамович признался: «... Была еще Марина Цветаева, с которой у нас что-то с самого начала не клеилось, да так и не склеилось, трудно сказать, по чьей вине. Цветаева была москвичкой, с вызовом петербургскому стилю в каждом движении и в каждом слове: настроить нашу «ноту» в лад ей было невозможно иначе, как исказив ее. А что были в цветаевских стихах несравненные строчки — кто же это отрицал? «Как некий херувим...», без всякого преувеличения. Но взять у нее было нечего. Цветаева была несомненно очень умна, однако слишком демонстративно умна, слишком по-своему умна — едва ли не признак слабости — и с постоянными «заскоками». Была в ней вечная институтка, «княжна Джавахв», с «гордо закинутой головой», разумеется «русой», или еще лучше «золотистой», с воображаемой толпой юных поклонников вокруг: нет, нам это не нравилось! Было в ней, по-видимому, и что-то другое, очень горестное: к сожалению, оно осталось нам неизвестно»[1].

Даже приезд в Париж объекта ее недавнего увлечения Александра Бахраха не привел к примирению Марины с интригами и злословием русской эмиграции. Увидевшись с человеком, которого, как ей казалось, она любила в 1923 году, Цветаева почувствовала себя неловко — как по отношению к себе самой сегодняшней, так и по отношению к той женщине, какой она была вчера, — перед лицом предмета своей самой сильной из выдуманных страстей. Свидание влюбленных былых времен свелось к разочарованию для них обоих. Расставшись в тот вечер с Мариной, Бахрах испытывал печальные сожаления. Ему оказалось достаточно обменяться с ней несколькими словами, чтобы догадаться: во всех случаях инстинкт подталкивает ее к отрицанию, надлому, вызову. Впрочем, этот вызов она бросала в равной

---

[1] Цитируется по книге: Мария Разумовская. «Марина Цветаева. Миф и действительность». М., Радуга, 1994, стр. 198—199. (*Примеч. переводчика.*)

степени и окружающим, и самой себе.[1] Трезво рассматривая положение поэта среди не понимающих его современников, она напишет в начале 1926 года, создавая одно из важнейших своих эссе «Поэт о критике»: «Когда я слышу об особом, одном каком-то, «поэтическом строе души», я думаю, что это неверно, а если верно, то не только по отношению к поэтам. Поэт — утысячеренный человек, и особи поэтов столь же разнятся между собой, как вообще особи человеческие. «Поэт в душе» (знакомый оборот просторечья) такая же неопределенность, как «человек в душе». Поэт, во-первых, некто за пределы души вышедший. Поэт из души, а не в душе (сама душа — из!) Во-вторых, за пределы души вышедший — в слове. <...> Равенство дара души и глагола — вот поэт. Посему — ни не-пишущих поэтов, ни не-чувствующих поэтов. Чувствуешь, но не пишешь — не поэт (где ж слово?), пишешь, но не чувствуешь — не поэт (где ж душа?) Где суть? Где форма? Тождество. Неделимость сути и формы — вот поэт. Естественно, что не пишущего, но чувствующего, предпочту не чувствующему, но пишущему. Первый, может быть, поэт — завтра. Или завтраш-

---

[1] Сам Александр Бахрах вспоминает об этой встрече так: «Моя первая встреча с Цветаевой — после предшествовавшей ей длительной переписки — произошла на квартире ее друзей, у которых она по приезде в Париж на короткий срок поселилась. Встреча эта произошла при многочисленных свидетелях и была окружена оттенком показной «светскости» и с бисквитами к чаю. Что-то в окружающей обстановке звучало как фальшивая нота. Сама Цветаева это сознавала и спустя несколько лет писала мне: «Я перед вами виновата, знаю. Знаете, в чем? В неуместной веселости нашей встречи. Хотите другую — первую — всерьез?». Александр Бахрах. Из книги «По памяти, по записям». Цитируется по книге: «Марина Цветаева в воспоминаниях современников. Годы эмиграции». М., Аграф, 2002, стр. 199. (*Примеч. переводчика.*)

ний святой. Или герой. Второй (стихотворец) — вообще ничто. И имя ему — легион.

Так, установив вообще-поэта, наинасущнейшую примету принадлежности к поэзии, утвердим, что на «суть — форма и форма — суть» и кончается сходство между поэтами. Поэты столь же различны, как планеты. <...>

Кого же я еще слушаю, кроме голоса природы и мудрости? Голоса всех мастеровых и мастеров. <...>

Слушаюсь я чего-то постоянно, но не равномерно во мне звучащего, то указующего, то приказующего. Когда указующего — спорю, когда приказующего — повинуюсь.

Приказующее есть первичный, неизменимый и незаменимый стих, суть предстающая стихом... Указующее — слуховая дорога к стиху: слышу напев, слов не слышу. Слов ищу».[1]

Обозначив таким образом принцип поэтического самовыражения как результат некоей подсознательной «диктовки», Марина переходит к тому, что разоблачает слепоту некоторых литературных критиков — скорее, даже хроникеров, — заковавших себя в цепи традиций. Чтобы рассчитаться с ними сполна, она добавляет к написанному «Цветник», подборку цитат, в которой она воспроизводит абсурдные и противоречивые высказывания Георгия Адамовича о некоторых крупных писателях, опубликованные им в газете «Звено» за один только 1925 год. К счастью для

---

[1] Париж, январь 1926 года. Цитируется по книге: Марина Цветаева. Избранная проза в двух томах. 1917—1937. Том первый, RUSSICA PUBLISHERS, INC, New York, 1979, стр. 228—231. (*Примеч. переводчика.*)

Марины, этот закамуфлированный юмором выстрел наповал не был еще опубликован, когда 6 февраля 1926 года она провела свой первый литературный вечер в Париже — в нанятом для этой цели зале капеллы в доме 79 по улице Данфер-Рошро. Цветаева должна была читать свои стихи и ожидала ледяного приема. А вечер стал апофеозом ее славы: вероятно, благодаря тому, что там прозвучали московские стихи о белой гвардии, по существу — гимн белому движению вообще, из не вышедшего еще тогда в свет сборника «Лебединый Стан». Голос Марины, когда она читала эти строки, дрожал...

Успех вечера, на котором собралось народу столько, сколько не видывали до сих пор, по признанию очевидцев, ни на одном из выступлений русских поэтов в Париже, был для Цветаевой тем более удивителен, что в то же самое время ее муж Сергей, бывший белый офицер, признался ей, что теперь все больше и больше сомневается в своих монархических убеждениях. По мере того как шло время, он все чаще задумывался о том, что династическая память не должна, не имеет права на желание противопоставить себя чаяниям всего народа, который мечтает о социалистической республике. Новые его идеи хорошо соотносились с идеями возникшей в Париже организации «Евразия». Это политическое движение, зародившееся в эмигрантской среде, приглашало всех русских, неважно, советские ли они граждане или изгнанники с нансеновским паспортом в кармане, порвать с упадочнической культурой Запада, чтобы уподобиться предкам, для которых была характерна склонность к Востоку. Вдохновленный возможностью возвращения к истокам, которую сулило такое «возобновление сути» России, Сергей, еще находясь в Чехии, мечтал скорее оказаться в Париже, чтобы встретиться там с руководителями этого «общеславянского крестового похода» и прежде всего — с князем Дмитрием Святополк-Мирским, сыном бывшего министра внутренних дел[1]. Именно с ним он рассчитывал начать выпуск «евразийского» журнала, который будет открыт как для нашедших во Франции убежище русских писателей, так и для тех, кто живет в СССР. Он считал, что сближение литераторов способно стать прелюдией к сближению людей действия. Марина не предвидела никаких нежелательных последствий такой позиции: пусть муж включится в деятельность по национальному спасению, идущую под знаком возрождения согласия между историей и православием.

В 1926 году князь Святополк-Мирский сам наладил с ней контакт и пригласил на две недели в Лондон. Дмитрий читал лекции по русской литературе на факультете славистики при Лондонском университете, это был культурный человек, утонченный и чувствительный, и она с удовольствием прислушивалась к его речам о необходимости союза с соотечественниками в общем по-

---

[1] Дмитрий Петрович Святополк-Мирский (1890—1939) был критиком, историком литературы, участником евразийского движения. Горячий поклонник таланта Цветаевой, он написал несколько больших рецензий на ее поэмы «Молодец» и «Крысолов», отвел ей большое место в своей «Истории русской литературы», вышедшей на английском языке в Лондоне в 1926 году. В 1932 году он вернуся в Россию, был арестован в 1937-м и погиб в лагере. (*Примеч. переводчика.*)

рыве религиозного национализма. Марине был весьма симпатичен и молодой князь Дмитрий Шаховской, который редактировал журнал «Благонамеренный», где должно было со дня на день появиться ее эссе «Поэт о критике». Она с нетерпением ждала взрыва этой «литературной бомбы», надеясь, что взрыв этот произведет должный эффект на читателей, готовых поддаться спячке, вызываемой поэзией прежних времен.

Вернувшись в Париж, Цветаева с Ариадной и маленьким Муром отбыла с улицы Руве, где до сих пор жила с по-прежнему опекавшей ее семью Ольгой Черновой и ее дочерьми, и отправилась в Вандею, подальше от суеты. Поселились они у старых рыбака и рыбачки в маленьком домике пустынного местечка на морском берегу — Сен-Жиль-сюр-Ви, неподалеку от курорта Сабль-д...Олонн. Вероятно, выбор Вандеи как места жительства — да еще на целых полгода! — был не случаен: Цветаева предпочла другим мятежный край времен Великой революции, симпатизируя бунту меньшинства. Ступив на землю шуанов, она почувствовала, что воздает честь тем, кто решился в далеком прошлом восстать против верховной власти Парижа, столицы Революции, лжи и гильотины. Сергей приехал к семье, и, пока Марина убаюкивала себя легендами о героическом прошлом на фоне вандейского пейзажа, он воспламенялся идеями о будущих битвах за «евразийское» дело. Потому что не успел он еще распаковать чемоданы, приехав в Сен-Жиль-сюр-Ви, как в оставленном четой Эфронов Париже случилось нечто вроде литературного землетрясения: очерк Марины Цветаевой «Поэт о критике» был опубликован в

«Благонамеренном»[1], и единодушный гнев обрушился на это вероотступничество. Возмущение эмигрантов было подогрето еще и выходом в свет первого номера евразийского журнала «Версты» (название было позаимствовано у Цветаевой — так назывался один из ее сборников), в котором были собраны материалы, написанные некоторыми знаменитостями — в частности Ремизовым, Шестовым, Пастернаком. Вокруг нового органа евразийцев нарастал шум. Говорили, что авторы — замаскировавшиеся большевики, что их бесстыдная литературная стряпня оплачивается Москвой, что следует преградить путь этому деморализующему и крамольному предприятию, занимающемуся подрывной деятельностью. Зинаида Гиппиус объявила войну квартету Шаховской, Святополк-Мирский, Цветаева и Сергей Эфрон. По словам историка Мстислава Шахматова, желание преобразовать Россию в Евразию есть не что иное, как «стремление вычеркнуть всю русскую историю и вернуться в XI век». Другие — к примеру, хроникер «Возрождения» Петр Струве — видели в начатой евразийцами кампа-

---

[1] «Благонамеренный», Брюссель, 1926, №2. Интересно, как рассказывает о реакции на публикацию сама Цветаева: «Статья написана *просто* (это не значит, что я над ней не работала, — простота дается не сразу, сложность (нагроможденность!) легче!), читалась она предвзято. Один из критиков отметил, что я свою внешность считаю прекрасной (помните о красоте и прекрасности) — я, которая вообще лишена подхода к красой-либо внешности, для которой просто внешности (поверхности, самого понятия её!) нет. Грызли меня: А.Яблоновский, Осоргин, Адамович (впрочем, умеренно, втайне сознавая мою правоту) и... Петр Струве... *Ни одного голоса в защиту.* Я вполне удовлетворена». Письмо к А.Тесковой от 8 июня 1926 года. Цитируется по книге: «Марина Цветаева. Собрание сочинений в семи томах. Том 6. Письма. М., Эллис Лак, 1995, стр. 346. (*Примеч. переводчика.*)

нии маневр, вдохновленный только личными амбициями, результаты которого могут стать катастрофическими для русской колонии во Франции.

Атакованная со всех сторон — что из-за идей мужа, что из-за собственного произведения, — Марина утешалась, думая, что этот водоворот в конце концов утихнет, а главное, самое существенное для писателя — вовсе не мнение невежественной и непостоянной в своих пристрастиях публики, а отношение к ней нескольких избранных и утонченных умов, которые продолжают почитать ее, невзирая ни на какие течения литературной и художественной моды. В ряд таких исключительных натур она помещала Пастернака, которому писала и от которого получала множество пылких писем. Пастернак не был уверен в том, что поэзия — его призвание, Марина не уверена в себе как в женщине. Посылая одни за другими жалобы, советы, делясь проектами и обмениваясь заверениями в нежности на расстоянии, они обнажали друг перед другом избыток своих чувств. Ко всему еще, в это самое время Пастернак узнал от отца, жившего тогда в Мюнхене, что более чем великий и более чем прославленный поэт Райнер Мария Рильке считает очень хорошими его стихи. И — в порыве — решился написать своему кумиру благодарность за неожиданную похвалу. Из обмена комплиментами родилась взаимная симпатия, русский и австриец обнаружили, что они — братья по Духу. С другой стороны, Бориса Пастернака удивило обнаруженное им в процессе переписки некоторое сходство личностей Райнера Марии Рильке и Марины Цветаевой. И он сообщил о своем открытии, об этой духовной общности обоим своим друзьям.

Марина, всегда искавшая всемирности поэзии, немедленно включилась в игру, заключавшуюся в обмене письмами-исповедями. Она восхищалась Рильке, Рильке восхищался ею, оба восхищались Пастернаком. Подобная гармония граничила с чудом. Письма летели из Москвы в Сен-Жиль-сюр-Ви и из Сен-Жиля-сюр-Ви, через Глион-сюр-Территэ в швейцарском кантоне Во в уединенный замок Мюзо, или в Валь-Мон, или в Сьер, или в Рагац — курорты, где в санаториях лечился Рильке. Райнеру Марии Рильке был тогда почти пятьдесят один год, он болел туберкулезом, знал, что уход близок, и мечтал углубить свою связь с потусторонним миром. Пастернак не мог ни выносить дальше удушающую обстановку советского режима, ни решиться на испытания, которые сулила эмиграция, отступая перед этим решением. Марина страдала от потери родины-матери, но не имела ни малейшего желания туда вернуться. Она писала Рильке: «Райнер Мария Рильке! Смею ли я так назвать Вас? Ведь Вы — воплощенная поэзия, должны знать, что уже само Ваше имя — стихотворение. Райнер Мария — это звучит по-церковному — по-детски — по-рыцарски. Ваше имя не рифмуется с современностью, — оно — из прошлого или будущего — издалека. Ваше имя хотело, чтоб Вы его выбрали. (Мы сами выбираем наши имена, случившееся — всегда лишь следствие.)

Ваше крещение было прологом к Вам всему, и священник, крестивший Вас, поистину не ведал, что творил.

Вы не самый мой любимый поэт (самый любимый — степень), Вы — явление природы, которое не может быть моим и которое не любишь, а ощущаешь всем существом, или (еще не все!) Вы — воплощенная пятая стихия: сама поэзия, или (еще не все) Вы — то, из чего рождается поэзия и что больше ее самой — Вас».[1] Чуть позже она начинает говорить ему «ты»: «Чего я от тебя хочу, Райнер? Ничего. Всего. Чтобы ты позволил мне каждый миг моей жизни подымать на тебя взгляд — как на гору, которая меня охраняет (словно каменный ангел-хранитель!)».[2]

Растроганный подобной честью, оказанной ему никогда им не виданной и недоступной восторженной своей почитательницей, Райнер Мария отвечает Цветаевой в том же тоне: «... десятое мая еще не кончилось, и странно, Марина, Марина, что над заключительными строками Вашего письма (вырвавшись из времени, совершив рывок в то неподвластное времени мгновение, когда я читал Вас) Вы написали именно это число! Вы считаете, что получили мои книги десятого (отворяя дверь, словно перелистывая страницу)... но в тот же день, десятого, сегодня, вечное Сегодня духа, я принял тебя, Марина, всей душой, всем моим сознанием, потрясенным тобою, твоим появлением, словно сам океан, читавший с тобою вместе, обрушился на меня потопом твоего сердца. Что сказать тебе? Ты протянула мне поочередно свои ладони и вновь сложила их вместе, ты

---

[1] Письмо от 10 мая 1926 года, на самом деле (по почтовому штемпелю судя) отправлено оно было 8-го, но Марина датирует его 10-м днем, когда, как она предполагает, Рильке это письмо получит, стараясь таким образом преодолеть, как пишут подготовившие переписку к печати К.М.Азадовский, Е.Б.Пастернак и Е.В.Пастернак, разделяющие их пространство и время. Цитируется по книге: Райнер Мария Рильке, Борис Пастернак, Марина Цветаева. «Письма 1926 года». М., Книга, 1990, стр. 85. (*Примеч. переводчика.*)

[2] Там же, стр. 87.

погрузила их в мое сердце, Марина, словно в русло ручья: и теперь, пока ты держишь их там, его встревоженные струи стремятся к тебе... Не отстраняйся от них! <...> Чувствуешь ли ты, поэтесса, как сильно завладела ты мной, ты и твой океан, так прекрасно читавший с тобою вместе; я пишу, как ты, и подобно тебе спускаюсь из фразы на несколько ступенек вниз, в полумрак скобок, где так давят своды и длится благоуханье роз, что цвели когда-то. <...> Милая, не ты ли — сила природы, то, что стоит за пятой стихией, возбуждая и нагнетая ее?.. И опять я почувствовал, будто сама природа твоим голосом произнесла мне «да», словно некий напоенный согласьем сад, посреди которого фонтан и что еще? — солнечные часы. О, как ты перерастаешь и овеваешь меня высокими флоксами твоих цветущих слов!»[1]

Они обменивались своими творениями и дивились чудному резонансу, который устанавливался между ними, несмотря на то что языки были разными. Когда Марина, растянувшись на песке пляжа, читала стихи Рильке, ей чудилось, будто океанский прибой продолжается внутри нее. Когда она читала их, лежа в постели, под одеялом, ей чудилось, будто она покидает землю и возносится к небу — бесконечно высоко: «Что тебе сказать о твоей книге? — спрашивает она, получив по почте «Дуинские[2] элегии». — Высшая степень. Моя постель стала облаком».[3]

В тот же день, когда были написаны эти стро-

---

[1] Там же, стр. 89—91.

[2] Оба русских корреспондента Рильке — и Цветаева, и Пастернак — называли их «Дуинезскими элегиями». (*Примеч. переводчика.*)

[3] Письмо датировано днем Вознесения Христова. (*Примеч. автора*). Там же, стр. 97.

ки, 13 мая 1926 года, Цветаева узнала, что в Париже, в маленькой православной церкви на улице Крыма, ее бывший возлюбленный Константин Родзевич обвенчался с Марией Булгаковой.[1] Хотя Марина давно порвала с ним, она все-таки почувствовала себя преданной и уязвленной. Одновременно стыдясь и гордясь присущим ей инстинктом обладания, она назавтра признается Рильке: «Слушай, Райнер, ты должен знать это с самого начала. Я — плохая. Борис — хороший. И потому что плохая, я молчала — лишь несколько фраз про твое российство, мое германство и т. д. <...> О, я плохая, Райнер, не хочу сообщника, даже если бы это был сам Бог».[2]

Эта переписка «на троих» — с ее порывами, ее сомнениями, ее предчувствиями, ее приступами ревности и обидами, после которых вновь вспыхивал огонь любви, с ее метафизическим отчаянием — велась то по-русски, то по-немецки: в зависимости от того, кому было предназначено послание. Образовавшийся вследствие этого — вопреки всем границам и над ними — любовный треугольник выглядел тем более странно, что Пастернак, словно пригвожденный к Москве, женатый отец семейства, видел до этого Марину лишь случайно и мимолетно, что Марина никогда в

---

[1] Дочерью священника и философа Сергея Булгакова. (*Примеч. автора*).

[2] Письмо от 14 июня 1926 года. Там же, стр. 138—139, вот только цитата переврана: у Труайя вместо «сообщника» написано «наперсника», «конфидента», — и никакого отношения к Родзевичу это все не имеет, все письмо посвящено отношениям Марины с Рильке, потому вообще непонятно, зачем сюда припутано сообщение о свадьбе Родзевича, о свадьбе которого она знала еще в апреле того же года: виделась с ним, обсуждала с ним это событие. (*Примеч. переводчика.*)

жизни не встречалась с Рильке и даже мечтать не могла о том, чтобы свести с ним знакомство, а Рильке, приговоренный болезнью на проживание в Швейцарии, медленно умирал и пытался обмануть ожидание смерти, воображая заоблачную любовь. Но именно эта игра зеркал, это возбуждение в пустоте, этот вызов всему, что можно пощупать, вдохнуть, попробовать на язык, и кружило больше всего голову Марине. Надпись, сделанная Рильке на его книге, присланной, по просьбе Пастернака, Цветаевой вместе с первым письмом, песней звучала в ее благодарной памяти: «Касаемся друг друга. Чем? Крылами. Издалека ведем свое родство. Поэт один. И тот, кто нес его, встречается с несущим временами»[1].

Но внезапно и совершенно абсурдным манером женщина берет в ней верх над поэтессой. После того как она радовалась невозможности личной встречи с Рильке, невозможности оказаться с ним лицом к лицу, ее вдруг охватывает такое естественное, такое простое и заурядное желание, что оно удивляет ее саму. «Райнер, я хочу к тебе, ради себя, той новой, которая может возникнуть лишь с тобой, в тебе. И еще, Райнер... — не сердись, это ж я, я хочу спать с тобою — засыпать и спать. Чудное народное слово, как глубоко, как верно, как недвусмысленно, как точно то, что оно говорит. Просто — спать. И ничего больше. Нет, еще: зарыться головой в твое левое плечо, а руку — на твое правое — и ничего больше. Нет, еще: даже в глубочайшем сне знать, что это ты. И еще: слушать, как звучит твое сердце. И — его целовать». Смакуя каждое слово, она настаивает:

---

[1] Там же, стр. 84—85.

«Почему я говорю тебе все это? Наверное, из страха, что ты увидишь во мне обыкновенную чувственную страсть (страсть — рабство плоти). «Я люблю тебя и хочу спать с тобою» — так кратко дружбе говорить не дано. Но я говорю это иным голосом, почти во сне, глубоко во сне. Я звук иной, чем страсть. Если бы ты взял меня к себе, ты взял бы места, что всего пустынней. Всё то, что никогда не спит, желало бы выспаться в твоих объятьях. До самой души (глубины) был бы тот поцелуй. (Не пожар: бездна). Я защищаю не себя, а самый совершенный из поцелуев». И наконец, чтобы он мог лучше представить себе ее лихорадочное ожидание, она описывает обстановку: «Райнер, вечереет, я люблю тебя. Воет поезд. Поезда — это волки, а волки — Россия. Не поезд — вся Россия воет по тебе, Райнер»[1].

Поскольку он задержался с ответом, она испугалась: а вдруг письма не получил или не так ее понял, и уточнила в посланном вслед природу своего желания: «Райнер, этой зимой мы должны встретиться. Где-нибудь во французской Савойе, совсем близко к Швейцарии, там, где ты никогда еще не был (найдется ль такое никогда? Сомневаюсь). В маленьком городке, Райнер. Захочешь — надолго. Захочешь — недолго. Пишу тебе об этом просто, потому что знаю, что ты не только очень полюбишь меня, но и будешь мне очень рад. (В радости — ты тоже нуждаешься.)

Или осенью, Райнер. Или весной. Скажи: да, чтоб с этого дня была и у меня радость — я могла бы куда-то всматриваться (оглядываться?). <..> Прошлое еще впереди...»[2]

---

[1] Там же, стр. 191—193.

[2] Письмо от 14 августа 1926 года. Там же, стр. 195.

Делая из Райнера соучастника желания, такого «земного», Марина забывала о том, что он очень тяжело болен. В то время Рильке лечился в швейцарском городке на водах, Рагаце. И вот, 19 августа, собравшись с силами, он пишет ей оттуда ответ: «Да, да и еще раз да, Марина, всему, что ты хочешь и что ты есть: и вместе они слагаются в большое ДА, сказанное самой жизни... но в нем заключены также и все десять тысяч непредсказуемых Нет.

Если я менее уверен в том, что нам дано соединиться друг с другом, стать словно два слоя, два нежно прилегающих пласта, две половинки одного гнезда (хотел бы я вспомнить, как будет гнездо по-русски (забыл!), гнездо для сна, где обитает большая птица, хищная птица Духа (не жмуриться!)... если я менее, чем ты, уверен... (быть может, из-за той необычной и неотступной тяжести, которую я испытываю и часто, мне кажется, уже не в силах преодолеть, так что я жду теперь не самих вещей, когда они ко мне просятся, а какой-то особенной и верной помощи от них, соизмеримой поддержки?)... то все-таки я не меньше (напротив: еще сильнее) нуждаюсь в том, чтобы однажды высвободить себя именно так из глубины глубин и бездоннейшего колодца. Но до этого — промежуток, страх долгих дней с их повторяемостью. Страх (внезапно) перед случайностями, которые ничего не знают об этом и не способны знать.

...Не откладывай до зимы!..

...«Можешь не отвечать...» — заключила ты. Да, пожалуй, я мог бы не отвечать: ибо как знать, Марина, не ответил ли я еще до того, как ты спросила. <...> Но на полях своего письма, справа, ты сама написала: «Прошлое еще впереди»... (Магическая строчка, но в каком тревожном контексте!).

Итак, забудь, милая, начисто, кто что спрашивал и отвечал, возьми это (чем бы оно ни обернулось) под защиту и власть той радости, в которой я нуждаюсь и которую я, наверно, тоже несу, когда ты первая делаешь шаг навстречу (он уже сделан)».

Потом, несколько дней, снова — молчание. Встревоженная Марина думает: не испугался ли Рильке ее грубого требования чисто физической любви. Не хочет ли он порвать с нею из-за навязчивой идеи разочароваться с ней или просто привыкнуть? И она шлет ему последний зов: «Дорогой Райнер! Здесь я живу. Ты меня еще любишь?» И опять в ответ — ни слова.

Чтобы забыться, Цветаева продолжает работу над второй частью трилогии о Тезее («Федра»), пишет маленькую поэму, внутренне адресованную Пастернаку, «С моря», и окунается в лирические мечтания, сочиняя «Попытку комнаты», в которой воссоздает образ комнаты вне пространства и времени, единственно достойного помещения для ее любви.

Лето кончалось. Дом в Сен-Жиле-сюр-Ви был снят только до 1 октября 1926 года. Может быть, все-таки стоит покинуть Францию и вернуться в Прагу? Нет. Сергей хочет — изо всех сил хочет — обратно в Париж, чтобы продолжить свои «евразийские битвы». Еще больше, чем всегда, он верил теперь, что на него возложена миссия примирения трех Россий: России прошлого, России настоящего и России будущего. Взволнованная столь благородными убеждениями мужа, Марина в конце концов уступила. Вот только жить в Париже было для них слишком дорого, поэтому пришлось снять квартиру подешевле: в Бельвю, в доме 31 по бульвару Вер. Единственное ее неудобство: там оказались и другие жильцы. Но Марина давно привыкла к коммунальному житью — у русских это принято.[1]

И вот маленькая семья уже перебралась в пригород Парижа (департамент Сена и Уаза), ближайшей железнодорожной станцией к которому был Медон. Сергей был занят больше, чем всегда, не имея какой-то определенной работы. Он редко появлялся дома — поесть, поспать, разобраться в бумагах. Остальное время он отдавал пропаганде евразийских идей и изучению французского. По-прежнему страдая от отсутствия вестей от Рильке, Марина к тому же еще вынуждена была перенести новую атаку — на этот раз со стороны «Современных записок», где до сих пор довольно регулярно печатались ее произведения. А тут вдруг редакция проинформировала ее о том, будто читатели недовольны и протестуют против непонятности и агрессивности последних стихов Цветаевой. Что, дескать, за удовольствие она получает, шокируя людей тем, что преподносит им стихи, напоминающие серию звукоподражаний и требующих десятикратного прочтения, чтобы разгадать их смысл? Ее просили вернуться к более простому и доступному стилю письма — такому, какой был вначале. «Вы, поэт Божьей милостью, — писали ей, — либо сознательно себя уродуете, либо морочите публику». Комментируя эти увещевания, обиженная Марина написала давнему другу Анне Тесковой: «С «Современными записками» разошлась совсем —

---

[1] На самом деле Марина Ивановна сама сняла этот окруженный садом дом с башенкой для двух семей: своей и Александры Захаровны Туржанской, с которой дружила еще с Праги и с сыном которой дружила Аля. (*Примеч. переводчика*)

Марина Цветаева

283

просят стихов прежней Марины Цветаевой, т. е. 16 года... Письмо это храню. Верх распущенности. Автор — Руднев, бывший московский городской голова».

Тем не менее в конце года все еще не оправившаяся от ударов по самолюбию Марина стала готовиться к праздникам. И тут — весьма неожиданно — объявил, что хочет появиться у нее вернувшийся из короткой поездки в Соединенные Штаты друг прежних тяжелых дней Марк Слоним. Сколько ей нужно рассказать ему! Однако долгожданный гость возник перед ней растерянный, лицо его выражало крайнее затруднение. В чем дело? Слониму ничего не оставалось, как признаться напрямик: он принес печальную весть — только что скончался Райнер Мария Рильке. Марина дрогнула под ударом. Ей почудилось, будто разом — за одну минуту — она потеряла близкого родственника, своего собственного сына, отца, мужа, любовника. А может быть — всех четверых одновременно... Чтобы хоть как-то отвлечь Цветаеву от свалившегося на нее горя, Слоним предложил ей поехать вместе с ним к друзьям — встретить Новый год. Она решительно отказалась и, едва закрылась дверь за гостем, схватилась за перо. Надо было известить Пастернака. «Борис! Умер Райнер Мария Рильке. Числа не знаю — дня три назад. Пришли звать на Новый год и одновременно сообщили. Последнее его письмо ко мне (6 сентября). (Говорили о встрече). На ответ не ответила, потом уже из Bellevue мое письмо к нему в одну строку: «Rainer, was ist? Rainer, liebst Du mich noch?»[1] <..> Увидимся ли когда-

---

[1] «Райнер, что с тобой? Райнер, любишь ли ты еще меня?» (нем.)

нибудь? — С новым его веком, Борис!»[1] Затем она сочла своим долгом обозначить свое эзотерическое восприятие кончины Рильке в посвященном ему стихотворении («Новогоднее»):

> Рассказать, как про твою узнала?
> Не землетрясенье, не лавина.

И сразу же после этого, опасаясь, что недостаточно хорошо объяснила все в стихах, она возвращается к перу и бумаге и пишет — на этот раз в прозе — размышления, названные ею «Смерть». Здесь она сравнивает кончину великого австрийского поэта с другими, внешне — незаметными, но, вполне возможно, столь же значимыми: учительницы Ариадны и неизвестного русского ребенка. В этом траурном триптихе она пытается отрицать важность телесного существования, потому что ушедший продолжает царить в мыслях тех, которые знали и любили его. Может быть, никогда еще эта верующая, но почти не причастная к церковной жизни женщина так не доказывала, насколько присущ ей мистицизм, как в этом анализе взаимоотношений между бытием и небытием. Это ощущение нелепости и позора смерти она уже пыталась высказать словами после кончины, за несколько лет до этого, поэта Александра Блока. И сегодня она возвращается к теме с новой силой в послании к легкой тени Рильке: «Вот и все, Райнер. Что же о твоей смерти?

На это скажу тебе (себе), что ее в моей жизни вовсе не было, ибо в моей жизни, Райнер, <..> и тебя не было. Было: будет, оно пребыло. <..>

---

[1] Письмо от 31 декабря 1926 года. Цитируется по книге: Райнер Мария Рильке, Борис Пастернак, Марина Цветаева. «Письма 1926 года», М., Книга, 1990, стр. 201—202. (*Примеч. переводчика.*)

Еще скажу тебе, что ни одной секунды не ощутила тебя мертвым — себя живой. (Ни одной секунды не ощутила тебя секундно.) Если ты мертвый — я тоже мертвая, если я живая — ты тоже живой, — и не все ли равно, как это называется!

Но еще одно скажу тебе, Райнер, — тебя не только в моей жизни, тебя вообще в жизни не было. Да, Райнер, несмотря на тебя и жизнь: тебя — книги, тебя — страны, тебя — местную пустоту во всех точках земного шара, всеместное твое отсутствие, полкарты пустующие тобой — тебя в жизни никогда не было.

Было — и это в моих устах величайший titre de noblesse (не тебе говорю, всем) — призрак, то есть величайшее снисхождение души к глазам (нашей жажде яви). Длительный, непрерывный, терпеливый призрак, дававший нам, живым, жизнь и кровь. Мы хотели тебя видеть — и видели. Мы хотели твоих книг — ты писал их. Мы хотели тебя — ты был. Он, я, другой, все мы, вся земля, все наше смутное время, которому ты был необходим. «В дни Рильке...»

Духовидец? Нет. Ты сам был дух. Духовидцами были мы».[1]

Это — потому, что Рильке не существовало для нее, потому, что она с ним так и не встретилась, потому, что между ними не было физического контакта, — он будет жить в ней, пока она не умрет сама и, наверное даже, и после того, как она испустит последний вздох. Ей казалось, будто теперь, потеряв Рильке, она победила окончатель-

---

[1] Цитируется по книге: Марина Цветаева. Избранная проза в двух томах. 1917—1937». Том первый, RUSSICA PUBLISHERS, INC, New York, 1979, стр. 265—266. (*Примеч. переводчика.*)

но: теперь уже никому не удастся его у нее отнять. Отныне она станет писать, ощущая затылком его дыхание. Неважно, что вокруг — муж, дочь, которые находят странной эту ее посмертную экзальтацию. Они уже привыкли к таким неуместным ее ураганам, заканчивавшимся блаженными просветлениями. В маленькой квартире в Бельвю все старались жить так, словно Райнер Мария Рильке все еще жив...

XII

НАД ПУСТОТОЙ В ЭМИГРАЦИИ

Безнадежные дела труднее всего бросить. Столько же из бравады, сколько по убеждениям, Марина продолжала писать и вести себя так, что только раздражала соотечественников. Им и сочинения ее, и манера вести себя с людьми казались равно непонятными и неприемлемыми. Сергей, со своей стороны, упорствовал в пропаганде евразийских идей, и это стоило ему обвинений в предательстве. Однако оставались — хоть и немного — верные им друзья, которые еще проявляли к тому и к другой привязанность, окрашенную жалостью. Эти добрые души, оплакивая отказ Цветаевой и Эфрона смириться с мнением большинства и признать его справедливым, переживали из-за их изоляции, из-за нужды, в которой они живут. Они старались прийти на помощь так, чтобы не ранить самолюбия, и создали для этого нечто вроде ассоциации, предназначенной спасать «потерпевших крушение по политическим причинам». Во главе группы друзей Марины и Сергея встали князь Дмитрий Святополк-Мирский, Саломея Гальперн-Андроникова и Елена Извольская, дочь бывшего российского министра иностранных дел. Эта последняя, зарабатывавшая себе в Париже на жизнь переводами, взяла на себя инициативу организации благотворительной акции в пользу Эфронов, которые оставались без поддержки и без всяких средств к существованию.[1] По ее призыву некоторые русские изгнанники, устроившиеся лучше, чем другие, собрали деньги, чтобы снять и обставить квартиру, где могли бы найти пристанище проклятая поэтесса и ее вконец запутавшийся супруг. Три комнаты с кухней, ванной и газовым отоплением в доме номер 2 по улице Жанны д'Арк в Медоне. Эмигрантский квартал. На улицах русская речь звучала так же часто, как и французская. Жильцы дома постоянно ходили в гости друг к другу, двери не запирались вовсе. Кстати, там же поселился и Константин Родзевич с женой. Но это не стало основанием для того, чтобы и с ними обмениваться визитами, скорее наоборот. Марина читала свои стихи соседям, проявляя необычную для себя заботу о том, чтобы выбирать из них такие, которые не слишком поразят слушателей. Однако, радуясь тому, что окружена соотечественниками, она все-таки все больше и боль-

Марина Цветаева

---

[1] Сама Извольская в своих, правда, довольно противоречивых воспоминаниях разных лет пишет о дружбе с Мариной и о единственной своей попытке сблизить русского поэта с французскими литературными кругами. О помощи же семье она говорит неизменно одно и то же: «Маринины друзья создали «Общество помощи Цветаевой» или «Создалось «общество помощи Марине Цветаевой», кое-как оплачивавшее квартиру и семейный паек» — но ни из чего не следует, что Извольская стояла во главе такого общества — просто иногда помогала, чем могла, по-соседски: они жили рядом. (*Примеч. переводчика.*)

ше страдала от шума и постоянных перемещений в доме. Как можно сосредоточиться над рукописью, если надо каждый день вовремя поднимать Мура с постели, умывать, бежать за покупками, стараясь возвратиться так, чтобы успеть приготовить обед, убирать, считать, все предусматривать... Ко всему этому — повторяющиеся нападки парижской русской прессы окончательно лишили ее сна.

«Меня в Париже, за редкими, личными исключениями, ненавидят, пишут всякие гадости, всячески обходят и т.д., — пишет она Анне Тесковой. — Ненависть к присутствию в отсутствии, ибо нигде в общественных местах не бываю, ни на что ничем не отзываюсь. Пресса (газеты) сделали свое. Участие в Вёрстах, муж-евразиец и, вот в итоге, у меня комсомольские стихи и я на содержании у большевиков».[1]

И дальше. «...Читаете ли Вы травлю евразийцев в Возрождении, России, Днях? «Точные сведения», что евразийцы получали огромные суммы от большевиков. Доказательств, естественно, никаких (ибо быть не может!) — пишущие знают эмиграцию! На днях начнутся опровержения — как ни гнусно связываться с заведомо лжецами — необходимо. Я вдалеке от всего этого, но и мое политическое бесстрастие поколеблено. То же самое, что обвинить меня в большевицких суммах! Так же умно и правдоподобно.

Сергей Яковлевич, естественно, расстраивает-

---

[1] Письмо датировано так: «Третий день Пасхи 1927г.» (*Примеч. автора.*) Цитируется по книге: Марина Цветаева. Собрание сочинений в семи томах. Том 6. Письма. М., Эллис Лак, 1995, стр. 356. (*Примеч. переводчика.*)

ся, теряет на этом деле последнее здоровье. Заработок с 5 1/2 ч. утра до 7 — 8 вечера, игра в кинематографе фигурантом за 40 франков в день, из которых 5 франков уходят на дорогу и 7 франков на обед, — итого за 28 франков в день. И дней таких — много — если 2 в неделю. Вот они, большевицкие суммы!..»[1]

Постоянно стремившаяся прийти на помощь Елена Извольская пишет в своих воспоминаниях: «О Цветаевой можно писать как о поэте, о прозаике. <...> Но ведь есть еще просто Марина, та, которая жила среди нас в Медоне... <...> Это моя Марина: та, которая трудилась, и писала, и собирала дрова, и кормила семью крохами. Мыла, стирала, шила, своими когда-то тонкими, теперь огрубевшими от работы пальцами. Мне хорошо запомнились эти пальцы, пожелтевшие от курения, они держали чайник, кастрюлю, сковородку, котелок, утюг, нанизывали нитку в иголку и затапливали печку. Они же, эти пальцы, водили пером или карандашом по бумаге на кухонном столе, с которого спешно все было убрано. За этим столом Марина писала — стихи, прозу, набрасывала черновики целых поэм, иногда чертила два, три слова, и какую-нибудь одну рифму, и много, много раз ее переписывала. Таков был закон ее творчества. Следить за ним было нечто вроде наблюдения за ростом травки, листика, стебелька, за вылуплением птенцов в лесных гнездах, за метаморфозой бабочки из куколки.

На наших глазах Марина Цветаева писала, на

---

[1] Письмо от 20 октября 1917 года. Там же, стр. 360. В оригинале ошибочно датировано «третьим днем Пасхи». (*Примеч. переводчика*)

наших глазах также — увы! — трудилась непосильно, бедствовала, часто голодала. <..> Такую нищету в русской эмиграции мне редко пришлось видеть.

Мы, ее медонские соседи, тем более делили ее заботы, что постоянно у нее бывали. Чем могли, ее «выручали», но она нам со своей стороны столько давала, что ничем, абсолютно ничем нельзя было ей отплатить».[1]

Действительно, разве могли жалкие доходы Сергея как фигуранта на киносъемках или сотрудничество в выпускаемом с друзьями-единомышленниками журнале помочь снять с мели домашнее хозяйство? Разве могли несколько десятков франков, которые платили Марине за ее публичные выступления, обеспечить даже самое скудное пропитание семьи? Конечно же, нет. На самом деле Цветаева жила милосердием своих соотечественников, но это не казалось ей обидным сверх меры. По ее мнению, верность исключительному своему призванию освобождала поэтов от необходимости пытаться улучшить условия собственного существования. И точно так же, как она должна была исполнять моральный долг, целиком отдаваясь творчеству, моральным долгом тех, кто верил в нее и ее призвание, было помогать ей выжить в обществе, сориентированном только на материальные проблемы и плотские наслаждения. Она рассуждала так: в данном случае не ей самой делают подарок, а искусству, которое она в себе воплощает. И действительно,

---

[1] Елена Извольская. «Тень на стенах». Цитируется по книге: «Марина Цветаева в воспоминаниях современников. Годы эмиграции». М., Аграф, 2002, стр. 222—223. (*Примеч. переводчика.*)

осознавая свой долг перед поэтом, поклонники, восхищавшиеся ее произведениями, друзья Марины собрали, пусть и с трудом, сумму, требовавшуюся для выхода в свет нового сборника ее стихов — «После России». Но конкуренция между уже заслужившими признание и новоприбывшими, которым еще предстояло расталкивать всех локтями, русскими писателями в эмигрантском Париже того времени была жестокой. Первым не терпелось доказать, что талант их не слабеет, вторым — что им тоже есть что сказать. К увенчанным славой именам Мережковского, Ходасевича, Шмелева, Шестова, Бунина добавились уже имена ярко заявивших о себе дебютантов: Владимира Набокова, Нины Берберовой, Владимира Варшавского. Глядя на эту звездную россыпь, замечательный поэт Владислав Ходасевич, находившийся на вершине своей карьеры, и вечно юродствующий критик Георгий Адамович задались вопросом, а вообще — мыслима ли настоящая русская литература вне России. Цветаева на этот вопрос отвечала решительным — да. Для нее Россия находилась не там, куда помещали ее учебники географии, но там, где развивалась ее культура, развивались ее национальные традиции. Покинув Россию, она твердо верила, что увезла ее — целиком — в своем багаже. И ее бы не удивило, если бы она услышала, что в Москве и в Петрограде русская поэзия умерла, потому что истинные служители ее живут в Париже.

Однако сборник Цветаевой «После России», отпечатанный скромным тиражом в тысячу экземпляров, пробойкотировали и публика, и пресса. Адамович, не отказав поэтессе в искренности и вдохновении, способствовавших появлению на свет этих стихов, сожалел о нехватке в них гармонии и неясности смысла. Но ведь эта невысказанность сетований, этот телеграфный лаконизм стиля отнюдь не были рассчитываемы Мариной заранее. Она использовала музыку рывков и междометия так, как люди повинуются инстинкту, заставляющему их просто вскрикивать — от боли, от удивления, от радости. Она не по собственной воле рубила фразы, выбирала короткие слова, множила аллитерации. Этот прерывистый ритм, эти фонетические предпочтения диктовала ей сама природа — точно так же, как она диктует ритм дыхания спортсмену. Тем не менее нельзя сказать, что ее не расстроил провал сборника «После России». И если вскоре она сочинила подобную гимну «Поэму Воздуха», посвятив ее Линдбергу, то именно потому, что уподобляла себя самое одинокому пилоту, который, сбросив балласт, планирует в ночном небе. Эта сверхъестественная независимость напоминает независимость умирающего, обрывающего мало-помалу последние связи с землей. Она думала, что Рильке, испускавший дух в санатории Рагаца, должен был испытывать такую же опьяняющую легкость, какую испытывал Линдберг, пролетая над океаном.[1]

---

[1] «Поэма Воздуха» была закончена в мае 1927 года (21—22 мая американский летчик Чарльз Линдберг совершил перелет через Атлантический океан, поэма датирована «в дни Линдберга»), чуть раньше была готова рукопись сборника «После России», куда вошли стихи 1922—1925 годов. Сам же сборник вышел в свет только через год — в июне 1928-го, тогда же появились и рецензии: 17-го — восторженная Марка Слонима в «Днях», 19-го — неоднозначная, но с признанием в любви к Цветаевой — Ходасевича в «Возрождении», 21-го в целом хвалебная, но и с указанием на недостатки — Адамовича в «Последних новостях» (*Примеч. переводчика*).

Но в это же время Марину все больше занимало событие совершенно иного смысла и значения: в сентябре 1927 года она разрывалась между счастьем и тревогой, узнав, что ее сестра Анастасия, которую Максим Горький пригласил к себе в Италию, собирается навестить ее в Медоне на обратном пути от крупнейшего из советских писателей. Этот последний, приговорив в соответствии с доктриной партии капитализм, тем не менее прохлаждался на курорте в Сорренто. Лучшее доказательство того, что можно, наплевав в суп, потом с аппетитом сожрать его.

Марина воспринимала свою будущую встречу с Анастасией так, будто ей предстояло встретиться внезапно со своим прошлым, так, будто ей предстояло оправдываться перед своим вторым «я», так, будто ее могли обвинить, что она — по небрежности или из упрямства — упустила шансы, подаренные ей судьбой. Конечно, они обе переменились за пять лет разлуки. Да просто — узнают ли они друг друга?

На этот раз Марина волновалась зря. Встреча сестер была радостной, нежной, полной общих воспоминаний. Анастасию потряс усталый, измученный вид Марины, более чем удивила ее невероятная снисходительность по отношению к двухлетнему Муру, любой каприз которого немедленно исполнялся. Марина, которая в свое время воспитывала дочь в строгости, была матерью-стоиком и гордилась этим, теперь стала матерью-наседкой. И кичилась этой новой ролью.

«Марина изменилась, — писала впоследствии Анастасия Цветаева в своих «Воспоминаниях». — Определить чем — трудно. Старше стала — конечно. Ей скоро тридцать пять лет. Отошла желтизна ее трудных лет. Но легкая смуглость — осталась. Все еще похожа на римского юношу — большой лоб, нос с горбинкой, твердый абрис рта. Вокруг светло-зеленых глаз кожа у нее стала как-то темнее, что делает ярче цвет глаз. Все так же курит и чуть щурит глаза, но вместо московского (коктебельского) шушуна (кафтана, охваченного у пояса ремнем) и почтальонской сумки через плечо, из-за которой (под презрением полыхнувшим Марининым взглядом) бежали за ней мальчишки по Борисоглебскому переулку, она теперь вынимает папиросу из кармана сизого хозяйственного фартука, в котором она несет из кухни кофейник. <..> Еще перемена: Марина научилась вязать. Вяжет все прямое: шарфы, даже одеяло, шерстяное. Толстым костяным крючком».[1]

Вечером, вытянувшись на диване, который служит ей кроватью, Марина со слезами перечисляет сестре свои горести и заботы, а та внимательно ее слушает: «Ты пойми: как писать, когда с утра я должна идти на рынок, покупать еду, выбирать, рассчитывать, чтоб хватило, — мы покупаем самое дешевое, конечно, — и вот, все найдя, тащусь с кошелкой, зная, что утро — потеряно: сейчас буду чистить, варить (Аля в это время гуляет с Муром), — и когда все накормлены, все убрано — я лежу, вот так, вся пустая, ни одной строки! А утром так рвусь к столу — и это изо дня в день».[2]

---

[1] Цитируется по книге: Анастасия Цветаева. «Воспоминания». М., Советский писатель, 1983, стр. 687—688. (*Примеч. переводчика.*)

[2] Там же, стр. 690.

Сергей, со своей стороны, жаловался, что вынужден заниматься унизительной работой, чтобы можно было хоть что-то себе позволить да попросту дожить до конца месяца. Но вот наконец после того, как он какое-то время украдкой подрабатывал статистом на съемках, датский кинорежиссер Карл Дрейер пригласил его сняться в эпизоде фильма, постановка которого стоила очень дорого, — «Страсти Жанны д'Арк», главную роль в котором сыграла знаменитая итальянская актриса Фальконетти. Затерянный в толпе, он пунктуально следовал указаниям режиссера, стремясь достичь совершенства в своей маленькой роли. Такой способ зарабатывать деньги порадовал его куда больше, и он написал сестре, Елизавете Эфрон: «Только в последние дни наша жизнь стала приходить в порядок. Летом трудно было материально. Осенью дела пошли лучше. Раз десять крутился в большом фильме о Жанне д'Арк... Из моих заработков — самый унизительный, но лучше других оплачиваемый, съемки. После них возвращаюсь опустошенный и злой...» Несколько дней спустя Сергей сообщает очередные семейные новости: «Марина ходит бритая. Аля начала посещать художественную школу, и я вспоминаю, глядя на нее, свое детство — Арбат, Юона. Но она раз в десять способнее меня». И — в другом письме: «Очень трудно писать тебе о повседневной нашей жизни. Получаются общие фразы, которые вряд ли что дают.

Острее всех чувствует Рождество Аля. В ней наряду с какой-то взрослой мудростью уживается пятилетняя девочка. Прячет по всем углам детской подарки нам. Часами горбится над елочными украшениями. Ждет елки так, как я в ее возрасте и ждать позабыл.

Для Мура это будет первая елка. <...> Покупаю завтра маску с белой бородой. В Сочельник в 5 часов Мур в первый раз увидит Деда Мороза».

Несмотря на все признаки веселья в семье, впрочем, не вполне достоверные, Анастасия продолжала участливо наблюдать за сестрой. Марина, демонстрируя надменное мужество, в глубине души явно страдала из-за отношения к себе эмигрантской среды. Некоторые, совершенно очевидно, с самого начала точили на нее зубы. И она смешивала в кучу самых разных людей — Мережковского, Бунина, Зинаиду Гиппиус, — объединяя их по одному-единственному признаку: все они, жертвы анахронизма, вызвавшего слепоту, мечтали о возврате к России прежних времен. «Помню рассказы Марины о Мережковском и Гиппиус, о Бунине, — пишет в «Воспоминаниях» Анастасия Цветаева. — Она не любила их.

— Они — в самом правом крыле эмиграции, среди уже тех ограниченных, которые до сих пор решают, какой великий князь будет царствовать — Кирилл или еще кто-то. Когда монархов уже не может быть. Они держатся особняком, необычайно гордятся! каждый — собой (хоть бы — друг другом!). — Голос Марины дрожал неуловимой игрой иронии. — Меня — не выносят. Я прохожу — не кланяюсь. Не могу».[1]

---

[1] Цитируется по книге: Анастасия Цветаева. «Воспоминания». М., Советский писатель, 1983, стр. 690—691. (*Примеч. переводчика.*)

В довершение всех несчастий — Мур подцепил скарлатину. Чуть позже от него заразилась Аля, потом и Марина. Несколько дней она отчаянно боролась с болезнью, очень опасной в ее возрасте. А как только ей стало лучше, возобновились ночные разговоры с Асей. Пока больные дети спали и не надо было делать что-то для них, Марина между двумя затяжками папиросой, окутанная клубами дыма, поверяла «советской сестре» свои печали: «Мне душно среди Сережиных друзей... Я хочу быть свободной — от всего. Быть одной и писать. Утро — и день. Ну, вечер — уж все равно, силы к вечеру спадают. Тогда — пусть уж и люди, могу с ними говорить, даже слушать, когда дело сделано. Даже оживляюсь (от благодарности, что они не пришли раньше, что дали мне — писать). (Они же — не виноваты!) Но выходит наоборот: жизнь съедает у меня утро и день, а вечером еще люди! Можно прийти в отчаяние — и я прихожу. И никто не виноват — не виноваты же дети. Аля и так сейчас не учится, чтобы быть с Муром. Это тоже лежит на мне. Я как будто бы виновата. Но больше, чем я делаю, — я не могу. Ребенок должен гулять — утром, днем. Один он на воздухе быть не может. Значит — с Алей. И все должны быть сыты. Значит, я иду на рынок и готовлю. Сережа работает — где и как может. В издательстве. Устает очень. Он все эти годы очень болел, ты же знаешь... Заколдованный круг!»[1]

Однажды, взволнованная отчаянием, звучав-

---

[1] Там же, стр. 692—693.

шим в словах Марины, Анастасия решилась предложить:

«— Может быть, в России было бы легче?..

— У меня нет сил ехать... все заново? Не могу! Я ненавижу пошлость капиталистической жизни. Мне хочется за предел этого всего. На какой-нибудь остров Пасхи? Но и там уже нет тишины, первозданности, как на тарусском лугу, на холмах, где березы, в детстве. Всюду уже может прилететь аэроплан — и на остров Пасхи! Некуда от людей укрыться... Ты — добрее меня, наверное. Ты еще любишь людей?.. А я уже давно ничего не люблю, кроме животных, деревьев... Аля — в трудном переходном возрасте. Она очень талантлива. Очень умна. Но она — вся другая. Мур — мой. Он — чудный».[1]

Но Анастасия, в отличие от сестры, не видела никаких причин для того, чтобы продолжать эту жизнь вдали от родины. И готовилась к возвращению туда без особого энтузиазма, но и без сожалений.

Как-то после очередной сестриной исповеди Анастасия отправилась в Париж — навестить подругу детства, Галю Дьяконову, которую звали теперь Гала и которая стала женой французского поэта Поля Элюара. Встречалась она и с Ильей Эренбургом, работавшим во Франции корреспондентом одной из советских газет. Но Марина не считала уместным свое участие в подобных светских развлечениях, чувствуя себя старой для них. Впрочем, она еще и оправилась-то от болезни не более чем наполовину, и ее одолевала слабость. Она и из дому выйти боялась, чтобы не сва-

---

[1] Там же, стр. 693.

литься где-нибудь на улице. И когда Анастасия решила вернуться в Москву, на вокзал ее поехал провожать Сережа.[1] Когда поезд уже пускал пары и готов был тронуться с места, на перрон вбежал запыхавшись нежданный посланец — Константин Родзевич. Он принес пакет и письмо, которое Марина поручила ему передать путешественнице. В пакете оказались апельсины — «на дорогу»: безумная, разорительная трата для убогого бюджета Эфронов. Вынув из конверта записку, Анастасия читала ее — и слезы застилали глаза, и строчки прыгали перед глазами: «Милая Ася... когда вы ушли, я долго стояла у окна. Все ждала, что еще увижу Тебя на повороте, — вы должны были там — мелькнуть. Но вы, верно, пошли другой дорогой!.. Бродила по дому, проливая скудные старческие слезы... Твоя М. Ц.» Этот всплеск отчаяния укрепил Анастасию в мнении о том, что сестра ее будет несчастна до тех пор, пока не обретет тепла и аромата отчего дома — России...

Вновь оказавшись в Москве, где она почти сразу же приступила к работе в Музее изящных искусств, основанном когда-то ее отцом[2], Анастасия связалась с Пастернаком, и они вдвоем стали искать убедительные доводы заставить Марину вернуться в Россию. Им было ясно: если Цветаева вернется на родину, все ее проблемы решатся сами собой. И первой их заботой стало — донести эту идею до Максима Горького, любимого и обласканного Советами писателя, чье мнение

---

[1] Анастасия Ивановна ехала не в Москву, а обратно к Горькому, и отъезд ее пришелся на день, когда Марина в первый раз встала с постели. (*Примеч. переводчика.*)

[2] А.И.Цветаева была младшим научным сотрудником Музея (вне штата) с 1924 года. (*Примеч. переводчика.*)

могло стать решающим для властей. Они уверяли Горького, что присутствие в Москве Марины Цветаевой вознесет небывало высоко престиж советской литературы в мире. Но Горький не разделял их восхищения талантом Марины. Он находил ее поэзию «кричащей», даже «истеричной», ему казалось, что она плохо владеет смыслом слов, употребляемых ею направо и налево. «...у сестры Вашей многого не понимаю, — писал он Анастасии в не отосланном ей письме, с фотокопией которого корреспондентка сумела познакомиться только в 1961 году, — как не понимаю опьянения словами вообще ни у кого. Нет, не этим приемом можно поймать неуловимое в чувстве и в мысли, не этим».[1]

А в то самое время, когда этот выдающийся мастер социалистического реализма в литературе вот так — издалека — выносил ей приговоры, Марину Цветаеву одолевал соблазн (может быть, для того, чтобы бросить ему вызов?) вернуться к своему прежнему восторгу в адрес героев Белой Армии. Пользуясь заметками мужа о гражданской войне, она хотела создать поэму, посвященную ста дням обороны Перекопского перешейка, осаждаемого красными, придав в новом сочинении символическое значение любым попыткам, продиктованным самозабвением. Однако Сергей, доверив ей сначала свои блокноты, внезапно забрал их назад. Возможно, из опасения, как бы Марина снова не вызвала катастрофы излишней своей пылкостью. Это привело ее в замешатель-

---

[1] Цитируется по книге: Анастасия Цветаева. «Воспоминания». М., Советский писатель, 1983, стр. 708. (*Примеч. переводчика.*)

ство, и она отказалась продолжать работу над вещью.

«Вот я полгода писала Перекоп (поэму гражданской войны), — жалуется она Анне Тесковой, — никто не берет, правым — лева по форме, левым — права по содержанию. <..> Словом, полгода работы даром, — не только не заплатят, но и не напечатают, т.е. не прочтут».

Отложив рукопись «Перекопа» в ящик, она отдалась работе над новым текстом — близким по вдохновившему его источнику: «Поэмой о Царской Семье». Император России, императрица и их дети были убиты в ночь с 16-го на 17-е июля 1918 года в Екатеринбурге. Разве они — и они тоже! — не имели права на то, чтобы хотя бы посмертно им воздала честь та, для кого лететь на помощь побежденным было законом? В августе 1936 года Марина присутствовала на двух подряд выступлениях бывшего главы Временного правительства России, адвоката и политика Александра Керенского, который дрожащим от волнения голосом вспоминал об ужасной судьбе последних Романовых. Он утверждал, что выслал Николая II из его мирной резиденции в Царском Селе, отправив вместе с близкими в Сибирь, только для того, чтобы уберечь монарха от преследований, которым всех их подвергли бы жители Санкт-Петербурга. Побежденная диалектикой оратора Марина вообразила, что Керенский, как и она сама, безутешен из-за этого убийства, из-за которого Россия будет покрыта краской стыда до конца времен. Но, поначалу возбудившись сюжетом, она на полпути бросила работу над этим реквиемом — так, будто ставка в этой политической игре при ее позиции чересчур высока. От дерзкого проекта остался только один фрагмент, названный «Сибирь». А в последнем порыве верности прошлому она напишет под заголовком незаконченной рукописи «Перекопа» посвящение Сереже: «Моему дорогому и вечному добровольцу»...

Необходимость отдать дань героизму, о котором, скорее всего, никто бы и не вспомнил спустя столько лет, у Марины сопровождалась внезапным порывом страсти к юному поэту, редактору «Последних новостей» Николаю Гронскому. Свежесть, талант, энтузиазм этого мальчика, с которым она только что познакомилась, вернули Марину к жизни. Она давала Гронскому уроки стихосложения, он — в отплату — совершал с ней долгие пешие прогулки. Не прошло и двух дней после знакомства, а она уже отправилась с ним в пятнадцатикилометровый поход до Версаля. «Блаженство! — пишет она Анне Тесковой. — Мой спутник — породистый 18-летний щенок, учит меня всему, чему научился в гимназии (о, многому!) — я его — всему, чему в тетради. (Писанье — ученье, не в жизни же учишься!) Обмениваемся школами. Только я — самоучка. И оба отличные ходоки».

Соблазнившись этим резвым поклонником, одновременно дебютировавшим в литературе и в любви, она предложила ему приехать будущим летом на дачу в Понтайяк, что в департаменте Приморская Шаранта, на берегу Атлантического океана. Сначала он пообещал приехать в сентябре — продолжить лирические прогулки уже на пляже, и она заранее предвкушала удовольствие, которое получит от этих одновременно невинных и извращенных свиданий. Но в последнюю минуту Гронский свои намерения изменил. Может быть, просто отложил? Увы, нет! Мотив этого обмана был удручающе банален: Гронский влюбился в свою ровесницу, восемнадцатилетнюю девушку.

Как любой мужчина, начисто лишенный воображения, он бросил зрелую и гениальную женщину ради деревенщины с гладкими щечками и свежим дыханием. Марина приняла это предательство так же, как принимала свое старение — год за годом, глядя на отражение в зеркале своей спальни.

Разочарованная в жизни, она вернулась к сочинительству — единственному наркотику, который шел ей на пользу. Но когда она закончила «Перекоп» и когда «Последние новости» начали публиковать «Лебединый Стан» с продолжениями, ей пришлось пережить новое испытание. Случай, который стал его причиной, произошел в ноябре 1928 года в период пребывания в Париже Владимира Маяковского. Едва приехав туда, поэт был приглашен читать свои стихи на литературном вечере. Зал был полон. Марина — страстная поклонница этого советского поэта — разумеется, тоже присутствовала. Вышла после выступления вне себя от восторга и назавтра же отдала в новую еженедельную газету своего мужа «Евразия» текст, воздававший хвалу высокому гостю и собрату по перу. Сближая воспоминания о прежних днях со вчерашними впечатлениями, она пишет там: «28 апреля 1922 г., накануне моего отъезда из России, рано утром, на совершенно пустом Кузнецком я встретила Маяковского.

— Ну-с, Маяковский, что же передать от вас Европе?

— Что правда — здесь.

7 ноября 1928 г., поздно вечером, выходя из Café Voltaire, я на вопрос:

— Что же скажете о России после чтения Маяковского? — не задумываясь, ответила:

— Что сила — там».[1]

Это фрондерское заявление, напечатанное в издании, по слухам, находившемся на содержании у большевиков, вызвало волну возмущения в среде благонамеренных эмигрантов. Чтобы не способствовать разрастанию скандала, «Последние новости» придержали публикацию «Лебединого Стана». Ни одна газета, ни один журнал не хотели иметь дела с наглой и неординарной поэтессой, которая, с одной стороны, воспевала Белую Армию, а с другой — сотрудничала с изданиями, угодными Советам. Высказывая свое преклонение перед поэтом, продавшимся московским властям, она, по их мнению, оскорбляла всех тех русских парижан, которые проклинали бесчинства пролетарской диктатуры. Некоторые из соотечественников отвернулись от Марины. Кто-то оплакивал ее, кто-то выносил приговор, иные попросту не замечали. Никогда еще не была она так одинока. Даже Маяковский, кото-

---

[1] Обращение Цветаевой к Маяковскому, написанное сразу после его выступления в кафе «Вольтер», было опубликовано в первом номере «Евразии» вместе с информацией о пребывании Владимира Маяковского в Париже. Цитируется по книге: Анна Саакянц «Марина Цветаева. Жизнь и творчество». М., Эллис Лак, 1999, стр. 513. (*Примеч. переводчика.*)

рый стал невольной причиной этой разыгравшейся в Париже драмы, высказывал по отношению к ней если и уважение, то — презрительное: «А я считаю, что вещь, направленная против Советского Союза, направленная против нас, не имеет права на существование, и наша задача сделать ее максимально дрянной и на ней не учить», — говорил он на Втором расширенном пленуме правления РАПП, проходившем 23 и 26 сентября 1929 года.[1] Ни с русской, ни с французской стороны границы раздраженные мыслители не могли признать, что у Цветаевой вовсе не идет речь о каком-либо оппортунистическом маневре, но только — об отказе подчинить искусство нормам общественной жизни. Сколь бы ни были остры идеологические споры между ее коллегами, имел значение для Цветаевой отнюдь не способ, каким ими руководили, а только степень их искренности, когда они говорят о своей любви к русскому языку и русской культуре. Гениаль-

---

[1] Процитировано неточно (что неудивительно: автор берет цитату из написанной по-немецки книги Марии Разумовской, то есть перевод уже двойной, если не тройной), потому что вся цитата, если брать ее с самого начала, звучит так: «Вот говорят относительно поэтессы Цветаевой: у нее хорошие стихи, но идут мимо. Отсюда вывод: надо дать Цветаевой /*пропуск в стенограмме*/ (*курсив мой. - Н.В.*), чтобы не шли мимо». Поскольку непонятно, что предлагал дать Цветаевой Маяковский: оплеуху или возможность свободно творить (тут может быть сколько угодно вариантов), то какие-то точные диагнозы насчет его к ней отношения ставить некорректно. А приведенная Разумовской и Труайя фраза относится уже не к Цветаевой, а следующему пассажу, который находится непосредственно перед ним: «Это полонщина, которая шла «сама по себе», которая агитировала за переиздание стихов Гумилева, которые «сами по себе хороши»: одно дело — Гумилев, другое — Цветаева, не правда ли?» Цитируется по книге: Владимир Маяковский. Полное собрание сочинений. Том двенадцатый. Статьи, заметки и выступления. Ноябрь 1917—1930. М., ГИХЛ, 1959, стр. 391. (*Примеч. переводчика.*)

ность делала Марину дальтоником. Красный или белый — горизонт в ее глазах был одноцветным. Марина, которая так часто позволяла себя убаюкать музыкой, слышавшейся в чувственной системе понятий, становилась до бешенства строптивой, стоило зайти речи об исповедании политической веры. Чем красноречивее был трибун и чем больше увлекал он аудиторию, тем более подозрительным казался он ей. Любовь к истинному слову убивала в Цветаевой любовь к громким словам.

XIII

ПЕРЕМЕНЫ В ЖИЗНИ СЕРГЕЯ

Со времени официального признания Францией Союза Советских Социалистических Республик, которое произошло по инициативе премьер-министра Эдуара Эррио в октябре 1924 года, русские эмигранты в Париже почувствовали, что принявшая их поначалу страна теперь все больше и больше отвергает. Сегодня над зданием посольства развевался уже омерзительный красный флаг, архивы были оттуда изъяты, весь прежний персонал заменили советскими агентами. Установились нормальные дипломатические отношения с Москвой, и изгнанники поняли, что теперь они — апатриды, единственным удостоверением личности которых остается пресловутый нансеновский паспорт. Им казалось, что страна, которая дала им кров, любит их, теперь они сомневались в этом. Ложная ситуация, в которую попали эмигранты, обостряла соперничество между различными их объединениями. Бывшие попутчики становились оппонентами во все более и более бесплодных дискуссиях.

«Евразийцев» первыми затронула эта волна внутренних пререканий и протестов. Произошел раскол, с одной стороны встали те члены группы, которых клонило «влево», с другой — те, кто объявлял себя приверженцами народной демократии, полностью отрицая гегемонию большевиков. Некоторые — например, князь Николай Трубецкой, один из основателей «Верст», — со скандалом «подавали в отставку». Страшно взволнованный этими нескончаемыми ссорами и предательствами, Сергей Эфрон тем не менее оставался верен самой идее евразийства.

Неспособная разделять иллюзии мужа и следовать за ним по этому пути, Марина отдалась другим увлечениям и другим встречам. Пока он вел переговоры, пытаясь снюхаться с перебежчиками из СССР, имевшими весьма сомнительные намерения, она с энтузиазмом открывала для себя творчество Натальи Гончаровой, русской художницы, эмигрировавшей в Париж, внучатой племянницы жены Пушкина. Тот факт, что художница носила то же имя и ту же фамилию, что и Наталья Николаевна, имевшая столь роковую судьбу, казался Марине знаком, посланным ей из потустороннего мира, и оттого живописные произведения тезки и однофамилицы жены великого поэта только еще больше восхищали ее. Она часто приходила в мастерскую Гончаровой и принялась писать большой прозаический этюд, намереваясь раскрыть в нем личность и талант своей новой подруги. Та — тоже из породы дарящих — в свою очередь, согласилась проиллюстрировать поэму Цветаевой «Молодец», что позволяло сделать издание роскошным, и поучить рисованию явно наделенную способностями к графике

Ариадну. Эссе, которое Цветаева посвятила Наталье Гончаровой, на самом деле вылилось, скорее, не в раздумья об авангардистской живописи, а в размышления — с интонацией явного осуждения — о странном поведении госпожи Пушкиной, которую Марина обвиняла в легкомыслии, а главное — в попытку разобраться в собственных творческих проблемах. Текст был опубликован «Волей России» только в 1929 году.[1]

В том же самом году приказала долго жить «Евразия»: не хватало финансов, не оказалось читателя. Сергей воспринял крах своего издания как личную катастрофу. «Евразия» приостановилась, и Сергей Яковлевич в тоске, — пишет Марина Тесковой, — не может человек жить без непосильной ноши! Живет надеждой на возобновление и любовью к России».[2] Лишенная теперь даже тех скудных средств, что давала семье работа мужа в «Евразии», Цветаева просит своих пражских друзей добиться того, чтобы, по крайней мере, чехословацкое правительство продолжало выплачивать ей хотя бы еще некоторое время жалкое пособие в пятьсот крон, которое было когда-то назначено из милосердия.[3] Кроме того, она писала статьи для немногочисленных русских газет Парижа, но ее там принимали все хуже и хуже. Потому ли, что не нравилась ее поэзия, или пото-

[1] Собственно, он и не мог быть опубликован раньше: работа была закончена, видимо, в марте 1929 года, опубликована в 5—9-м номерах журнала за тот же год.

[2] Письмо от 30 сентября 1929 года. Цитируется по книге: Марина Цветаева. Собрание сочинений в семи томах. Том 6. Письма. М., Эллис Лак, 1995, стр. 384. (*Примеч. переводчика*)

[3] Вот цитата из письма Тесковой от 26 октября 1929 года: «Если и 500 чешских крон кончатся — не знаю, что будем делать...» Там же. (*Примеч. переводчика*.)

му, что не любили ее мужа? Но ведь она не могла ни писать по-другому, ни изменить политические воззрения Сергея. Ситуация стала совсем уже трагической, когда после краха «Евразии» началось серьезное обострение болезни последнего. Состояние легких требовало немедленной госпитализации в туберкулезный санаторий, но где было найти необходимые на это деньги? На Маринин призыв помочь откликнулось несколько друзей. Эмигранты, сами жившие в крайней нужде, собрали сумму, достаточную для того, чтобы Сергей Эфрон смог отправиться в русский пансион-санаторий, находившийся в замке д'Арсин в Верхней Савойе.

Пока муж лечился, Марина сблизилась с женой Ивана Бунина[1], Верой, на которую принялась в следовавших одно за другим письмах обрушивать лавину своей горечи: «... этот вечер вся моя надежда: у меня очень болен муж (туберкулез легких — три очага + болезнь печени, которая очень осложняет лечение из-за диеты). Красный Крест второй месяц дает по 30 франков в день, а санатория стоит 50 франков, мне нужно 600 франков в месяц доплачивать, кроме того, стипендия со дня на день может кончиться, гарантии никакой, а болезнь — с

---

[1] Сблизилась она с В. Н. Буниной задолго до того, и связано это было с детством: старшая сестра Марины Валерия и Вера Муромцева были подругами. Не случайно же «Дом у Старого Пимена» посвящен «Вере Муромцевой — одних со мной корней»: эти цветаевские воспоминания во многом и построены на десятилетней переписке с Верой Николаевной, в которой уточнялись многие подробности жизни семьи Иловайских. 1929 год отмечен перерывом в переписке, данное же письмо относится не к 1929-му году, а к 1930-му, написано 10 апреля, цель: просьба помочь с распространением билетов на «Вечер Романтики», намеченный на 26 апреля. Цитируется по книге: Марина Цветаева. Собрание сочинений в семи томах. Том 7. Письма. М., Эллис Лак, 1995, стр. 238. (*Примеч. переводчика.*)

гарантией — с нею не кончится». И, вслед за многими другими, Вера Бунина внесла свою лепту. Обретя новые надежды, Марина бросилась переводить «Молодца» на французский язык. Отличное знание этого языка облегчало задачу: она с такой же легкостью играла французскими словами, с какой и русскими, словарь был столь же богат. Но, занимаясь этим делом, довольно для себя необычным, Цветаева неотступно думала о Маяковском, от которого не было никаких новостей. Возродился ли он, вернувшись к родине-матери, или эта земля обетованная при первом же соприкосновении с ним подалась под весом его тела, если только — не тяжестью его души? В апреле 1930 года Марина узнала о самоубийстве Маяковского. В чем причина этого его поступка? Любовное разочарование, усталость творца или медленное удушье из-за политической обстановки? Цветаева терялась в догадках. Только одно ей было ясно: воздух коммунистического рая вреден для поэтов! Не зацикливаясь на этом выводе, она тем не менее решает, сохраняя верность памяти покойного, создать цикл стихотворений, в которых он был бы главным героем. Над свежей могилой она поздравляет Маяковского, этого «сфинкса», с тем, что его «смерть чиста».[1] Не име-

---

[1] Цикл создан в Савойе в августе 1930 года, где Марина с детьми (сначала только с Муром, а потом и Аля приехала) прожила до 9 октября, когда и закончилось восьмимесячное пребывание Сергея в санатории и все они вернулись в Медон — это чтобы чуть позже не делать новой ссылки, а цитирует здесь Труайя вовсе не стихи, но — письмо Тесковой, назвавшей поэта когда-то «грубым сфинксом», от 21 апреля 1930 года: «Бедный Маяковский! (Ваш «сфинкс».) Чистая смерть. Всё, всё, всё дело — в чистоте». Цитируется по книге: Марина Цветаева. Собрание сочинений в семи томах. Том 6. Письма. М., Эллис Лак, 1995, стр. 386. (*Примеч. переводчика.*)

ет значения, что он был советским гражданином, полагает она, раз он так верно служил русской литературе. Далеко не все окружение Марины разделяло это ее мнение. А она, продемонстрировав свое восхищение Маяковским, вернулась к переводу «Молодца»: если все с ним пройдет хорошо, думала Марина, ей удастся сделать в Париже такую же успешную карьеру, как в Москве. В ожидании этого гипотетического успеха она ликовала от счастья, получив несколько сотен франков за участие в русском литературном вечере, устроенном в зале Географического общества. Доход от этого вечера позволил ей отправиться к Сергею в Верхнюю Савойю и снять там квартиру поблизости от санатория, где он лечился.

В октябре 1930 года они вдвоем вернулись в Медон, где их встретили дети и прежние заботы. Ариадна училась теперь в Луврской школе. Угрюмый Мур, которому нечем было заняться, болтался весь день по улицам, а Сергей, еще слишком слабый для того, чтобы выйти на постоянную работу, довольствовался тем, что брал уроки операторского мастерства на курсах кинематографической техники. Что до Марины, то она, закончив наудачу перевод «Молодца», первым делом отнесла его во французский литературный салон, прославленный своим влиянием на издателей, чтобы прочесть там. Ее ангел-хранитель Елена Извольская сопутствовала Марине в этой попытке. Испытание оказалось сложным. Даже присутствие этой сердечной женщины, обладавшей к тому же большими связями, не смогло сделать обстановку менее натянутой. Стихи Цветаевой ничуть не затронули светскую и пресыщенную аудиторию. «В надежде облегчить трудную жизнь Марины мы однажды попытались заинтересовать в ее творчестве французские литературные круги. Как раз в это время она закончила французский перевод своего «Молодца» и была приглашена в один из известных в то время парижских литературных салонов, — пишет Елена Извольская. — Я сопровождала Марину и очень надеялась, что она найдет в нем помощь и признание. Марина прочла свой перевод «Молодца». Он был выслушан в гробовом молчании. Увы! Русский парень не подошел к царствующей в этом доме снобистской атмосфере. Думаю, что в других парижских кругах ее бы оценили, но после неудачного выступления Марина замкнулась в свое одиночество»[1].

Беда никогда не приходит одна: в начале следующего года очаровательная Елена Извольская, такая чуткая к настроениям Марины, такая внимательная, принимавшая так близко к сердцу ее интересы, вышла замуж. Мало того: после свадьбы молодожены должны были отправиться в Японию. Марина чувствовала себя преданной, ограбленной, лишенной всего. Понимая, какое горе она причиняет подруге, новобрачная притворилась, будто сочувствует ей, но эгоистическая радость сияла в ее взгляде. Цветаева почувствовала себя вдвойне униженной. А тут еще — новость из Москвы, усугубившая это чувство: Пастернак влюбился! «Годы жила мечтой, что увижусь, — писала Марина. — Острой боли не чувствую. Пустота...»

Оказавшись в полной изоляции, живя даже не в самом Париже, а в пригороде и имея в каче-

---

[1] Елена Извольская. «Поэт обреченности». Цитируется по книге: Марина Цветаева в воспоминаниях современников. Годы эмиграции». М., Аграф, 2002, стр. 239. (*Примеч. переводчика.*)

стве единственного развлечения гнусную хозяйственную рутину, Цветаева все чаще задумывалась, зачем она выбрала Францию. Впрочем, кажется, все русские эмигранты разделяли ее сомнения. Даже те, которые лелеяли надежду на государственный переворот в Кремле, в конце концов убедились: этот режим незыблем. Кое-кто уже поглядывал в сторону Муссолини, латинский стиль фашизма которого, как они верили, способен подвигнуть ленинских наследников к большей терпимости. Другие подумывали, нет ли сермяжной правды в непримиримом национализме нового идола немцев — Гитлера. Антисемитизм этого политического авантюриста, внезапно возникшего в тени Гинденбурга, вполне соответствовал той озлобленности, которую испытывали тоскующие по временам царизма по отношению к еврейским интеллигентам, которые, как они считали, не только подготовили, но и развязали большевистскую революцию. Экстремистская организация — «Союз младороссов» — собрала в себе тех из молодых эмигрантов, начиная с подростков, кто придерживался расистских, антидемократических, волюнтаристских взглядов. Их официальный представитель и глашатай этих взглядов, Александр Казем-Бек, не скрывал своих путчистских амбиций. Возникло, наконец, и просоветское движение националистов-максималистов, участники его превозносили перед дезориентированными изгнанниками добродетели «нового человека», рождающегося сейчас в великой социалистической республике, и проповедовали возвращение в Советский Союз. Активизировался «Союз возвращения на родину», набиравший в эмигрантской среде своих адептов, околдованных идущей с Севера пропагандой. И если Марина вроде бы и не слышала пения всех этих сирен, чьи услуги оплачивала М., то Сергей, наоборот, навострил уши и был чрезвычайно внимателен к каждому — даже незначительному на первый взгляд, предложению. Собственное прошлое добровольца Белой Армии казалось ему вполне совместимым с разумной лояльностью по отношению к директивам Советов.

Он только и думал теперь о том, когда же появится возможность вернуться на родину у всей семьи Эфронов, а его дочь Ариадна во всем поддерживала эту идею и ободряла отца. Але должно было вот-вот исполниться двадцать лет, и перспектива такого перемещения представлялась ей обещанием второго рождения. Дело же не только в смене горизонтов, думала девушка, дело в осуществлении мечты, которая живет в сердце каждого русского человека. Зачем еще ждать и чего ждать? И разве не одна только «мама» ставит им палки в колеса?

В разгар этих лихорадочных раздумий и споров о будущем семьи бомбой взорвалась потрясающая новость: 6 мая 1932 года президент Республики Поль Думер, открывавший книжную ярмарку, целью которой была помощь Союзу писателей, сражавшихся на фронтах мировой войны, был смертельно ранен выстрелом из револьвера прямо в центре Парижа. Убийцей оказался никому не известный белогвардеец Павел Горгулов. Все французские газеты вышли с крупными заголовками, в статьях с гневом обличалась русская эмиграция: «Чужак поднял руку на знамя Франции, теперь оно приспущено». Русская колония была ошеломлена, терроризирована. Люди с ужасом спрашивали себя: а не начнут ли теперь французы применять репрессии по отношению к тем, кто в ответ на гостеприимство поднял руку на первое лицо государства? Русская пресса, со своей стороны, усиливала панические настроения, проводя бесконечные расследования и выдвигая гипотезы по поводу истинных мотивов покушения, которое на самом-то деле было всего лишь актом, совершенным неуравновешенным человеком. Наверное, это событие горячо обсуждалось и за столом у Эфронов. Все боялись, что после такого бессмысленного преступления еще сохранявшаяся у французов, пусть даже и слабенькая, симпатия к представителям Белой гвардии сменится если не открытой ненавистью, то постоянными подозрениями в злостных умыслах. Вот и причина уехать отсюда — чем скорей, тем лучше! Одна только Марина по-прежнему противилась. И время довольно быстро доказало, что она была права: несмотря на больно ударившее по стране убийство, французы оставались спокойными и не испытывали никакого соблазна предаться ксенофобии. 27 июля 1932 года Павла Горгулова судили и приговорили к смертной казни, чуть позже он был гильотинирован, население страны осталось к этому абсолютно безразличным.

После этой весьма эффектной карательной меры Марина объяснила писателю Юрию Иваску свою точку зрения на слепоту тех людей, что больны политикой, так: какой бы они ни были национальности, какие бы убедительные аргументы в свою пользу ни приводили, фанатики и насильники, по ее мнению, не заслуживают прощения. Русские убийцы ничем не отличаются от французских убийц. «А казни — голубчик — все палачи — братья: что недавняя казнь русского, с правильным судом и слезами адвоката — что выстрел в спину Чеки — клянусь, что это одно и то же, как бы оно ни звалось: мерзость, которой я нигде не подчинюсь, как вообще никакому организованному насилию, во имя чего бы оно ни было и чьим бы именем ни оглавлялось».[1]

Несмотря на глубокие познания во французском языке и восхищение французской литературой, Марина оставалась вне интеллектуальной жизни приютившей ее страны. Она читала, за редкими исключениями, только книги, написанные по-русски, и не искала встреч с писателями, представлявшими Францию, которую сама же и выбрала местом жительства и в которой, несмотря на двадцать лет изгнания, все еще чувствовала себя транзитным пассажиром. Можно было подумать, что она до сих пор не распаковала чемоданы и только и ждет часа отправления — туда, к свободе... Но что означало это «туда»: путь в Россию или путь в небытие? Ей в равной мере хотелось или не хотелось ни того, ни другого.

Говоря об одиночестве, об изоляции своих соотечественников, находившихся физически в самой гуще бурной французской культурной жизни, искренняя и язвительная русская писательница Тэффи, наблюдавшая за событиями изнутри, напишет в свое время, что русские эмигранты не хотели пользоваться плодами оставшейся чуждой им культуры, что они предпочитали свою собст-

---

[1] Письмо от 4 апреля 1933 года. Цитируется по книге: Марина Цветаева. Собрание сочинений в семи томах. Том 7. Письма. М., Эллис Лак, 1995, стр. 384. (*Примеч. переводчика.*)

венную печать, редко кто ходил в музеи или галереи — ссылалась на нехватку времени, да и зачем? При такой-то нужде — такие-то роскошества! А вот как, на ее взгляд, выглядели русские беженцы еще в 1920 году и вот какой была уже тогда их ностальгия: «Приезжают наши беженцы, изможденные, почерневшие от голода и страха, объедаются, успокаиваются, осматриваются, как бы наладить новую жизнь, и вдруг гаснут. Тускнеют глаза, опускаются вялые руки, и вянет душа, душа, обращенная на восток. Ни во что не верим, ничего не ждем, ничего не хотим. Умерли... Думаем только о том, что теперь там, интересуемся только тем, что приходит оттуда. А ведь здесь столько дела...» Тогда не вняли, и вот теперь...

Тогда как Сергей все более и более серьезно обдумывал, какими могли бы быть оптимальные условия для возвращения в Москву, Марина довольствовалась тем, что горевала: эмиграция, ее эмиграция с течением времени потеряла и ощущение смысла героизма, и веру в будущее. Идеализируя желанную и недоступную родину, она доходит до того, что отвергает начисто Париж, когда-то ею обожаемый. Вот ее признание из стихотворения «Лучина»:

> До Эйфелевой — рукою
> Подать! Подавай и лезь.
> Но каждый из нас — такое
> Зрел, зрит, говорю, и днесь,
>
> Что скушным и некрасивым
> Нам кажется ваш Париж.
> «Россия моя, Россия,
> Зачем так ярко горишь?»

Эта неизлечимая, неистребимая ностальгия усиливалась в ней, как и во многих эмигрантах, страхом увидеть, как детей их так затянут французский язык и французская культура, что они совсем забудут о своих корнях. Если новое поколение прельстится очарованием принявшей их страны, оно в конце концов станет чужим для России, так по-настоящему не став своим и во Франции. Эти юноши, эти девушки станут вечными бастардами, сиротами, лишними людьми, невостребованными, колеблющимися между памятью и оппортунизмом. Она открыто говорит об этом в «Стихах к сыну», написанных в январе 1932 года. Во втором стихотворении цикла:

Наша совесть — не ваша совесть!
Полно! — Вольно! — О всем забыв,
Дети, сами пишите повесть
Дней своих и страстей своих.

Соляное семейство Лота —
Вот семейственный ваш альбом!
Дети! Сами сводите счет
С выдаваемым за Содом

Градом. С братом своим не дравшись —
Дело чисто твое, кудряш!
Ваш край, ваш век, ваш день, ваш час,
Наш грех, наш крест, наш спор, наш —

Гнев. В сиротские пелеринки
Облаченные отродясь —
Перестаньте справлять поминки
По Эдему, в котором вас

Не было! по плодам — и видом
Не видали! Поймите: слеп —
Вас ведущий на панихиду
По народу, который хлеб

> Ест, и вам его даст, — как скоро
> Из Медона — да на Кубань.
> Наша ссора — не ваша ссора!
> Дети! Сами творите брань
> Дней своих.

И в первом:

> Нас родина не позовет!
> Езжай, мой сын, домой — вперед —
> В свой край, в свой век, в свой час, — от нас —
> В Россию — вас, в Россию — масс,
> В наш-час страну! в сей-час страну!
> В на-Марс страну! в без-нас страну!

Но сама Марина была не способна последовать совету уехать в Россию, который она давала здесь молодежи, уехать — чтобы избежать ледяного ада, сужденного апатридам. Уехать не способна, зато похвалить своих собратьев, оставшихся на родине, — талантливых писателей — способна вполне. По просьбе Марка Слонима она пишет статью «О новой русской детской книге», где доказывает: книги для детей, которые выпускают там, гораздо лучше тех, что выпускают где бы то ни было. Однако газета, заказавшая этот более чем невинный текст, отклоняет его, вероятно сочтя слишком благосклонным по отношению к «большевистской интеллигенции».

«Очередное, даже сегодняшнее, — рассказывает Цветаева в письме старому другу Анне Тесковой. — Марк Львович настойчиво просил меня статьи для 1-го № Новой Литературной Газеты. Написала о новой детской книге — там, в России, о ее богатстве, сказочном реализме (если хотите — почвенной фантастике), о ее несравненных преимуществах над дошкольной литературой моего детства и — эмиграции. (Всё на цитатах.)

Но тут-то и был «Hund bagraben».[1] Нынче письмо: статьи взять не могут, п. ч. де и в России есть плохие детские книжки.

Писала — даром.

(NB! В статье, кстати, ни разу! «советская» — все время: русская, ни тени политики, которая в мою тему (дошкольный ребенок) и не входила.)

Деньги, на которые издается газета, явно — эмигрантские. Напиши мне Слоним так, я бы смирилась (NB! Не стою же я — эмигрантских тысяч!), так я — высокомерно и безмолвно отстраняюсь.

Всё меня выталкивает в Россию, в которую я ехать не могу. Здесь я не нужна. Там я невозможна».[2]

Эта последняя фраза выдает страшное противоречие, раздирающее душу Цветаевой. Тем более страшное, что и эмигрантская пресса все чаще колеблется, принимать ли ей к печати сочинения Марины, и друзей, как она с горечью констатирует, становится все меньше. Позиция большей части смиренных «меценатов», которые поддерживали ее совсем еще недавно, сводится теперь к тому, что все возможности, увы, исчерпаны. И их приходится умолять, чтобы они хоть минимально расщедрились. «Живу из последних (душевных) жил, — пишет Марина все той же Тесковой, — без всяких внешних и внутренних впечатлений, без хотя бы малейшего повода к последним. Короче: живу как плохо действующий автомат, плохо — из-за еще остатков души, мешающей ма-

---

[1] Собака зарыта (*нем.*).

[2] Письмо от 25 февраля 1931 года. Цитируется по книге: Марина Цветаева. Собрание сочинений в семи томах. Том 6. Письма. М., Эллис Лак, 1995, стр. 391—392. (*Примеч. переводчика.*)

шине. Как несчастный, неудачный автомат, как насмешка над автоматом.

Всё поэту во благо, даже однообразие (монастырь), все, кроме перегруженности бытом, забивающим голову и душу. Быт мне мозги отшиб! Живу жизнью любой медонской или вшенорской хозяйки, никакого различия, должна всё, что должна она, и ничего не смею, чего не смеет она, — и многого не имею, что имеет она — и многого не умею. В тех же обстоятельствах (а есть ли вообще те же обстоятельства??) другая (т.е. не я — и уже всё другое) была бы счастлива, т. е. — и обстоятельства были бы другие. Если утром ничего не надо (и главное, не хочется) делать, кроме как убирать и готовить — можно быть, убирая и готовя, счастливой — как за всяким делом. Но несделанное свое (брошенные стихи, неотвеченное письмо) меня грызут и отравляют всё. — Иногда не пишу неделями (NB! хочется — всегда!), просто не сажусь...»[1]

Несмотря на трудности, на которые жалуется Цветаева, и скудость интереса к ее последним произведениям со стороны русской прессы, она начинает новый цикл стихотворений — на этот раз посвященный Пушкину. Через судьбу величайшего из поэтов, творчество которого вдохновляло ее всю жизнь, Марина раскрывает ответственность императорской власти, которая неустанно над ним глумилась, подавляла его и душила своими запретами и своими притеснениями. Делая это, Цветаева осознавала, что подвергает себя опасности, потому что ее стихи часть эмигрантов может понять неправильно и, исказив их

---

[1] Письмо от 31 августа 1931 года. Там же, стр. 395. (*Примеч. переводчика.*)

смысл, отнести к «революционной пропаганде». И действительно — «Современные записки» отказались публиковать этот цикл. И только фрагменты из ее критического исследования «Искусство при свете совести» появились в этом издании — одном из немногих уцелевших в Париже изгнанников, да и то — с такими сокращениями, что, по признанию Марины, она читала и сама не понимала «связи, какая в оригинале — была!»[1] Зато теперь[2] Цветаевой заинтересовался только что созданный журнал «Новый град», ориентировавшийся на историко-религиозную тематику и искавший правды в союзе христианских традиций и социалистических догматов. Там Марина сможет присоединиться к группе сотрудничавших с новым изданием выдающихся русских мыслителей — таких, как Георгий Федотов, Сергей Булгаков, Николай Бердяев... Не эта ли перспектива вдохновила ее на создание эстетического трактата «Поэт и время»?[3] В нем она развивала идею о том, что поэт всегда должен плыть против течения, быть вне сутолоки повседневной жизни, что — по определению — он детонатор и его миссия — не угождать безликой толпе, а быть всегда и везде впереди своего времени. Ни законы об-

---

[1] Из письма Ю.Иваску от 4 апреля 1933 года. Цитируется по книге: «Марина Цветаева. Собрание сочинений в семи томах. Том 7. Письма», М., Эллис Лак, 1995, стр. 385. (*Примеч. переводчика.*)

[2] «Поэт и время» хронологически раньше «Искусства при свете совести». Доклад «Поэт и время» впервые был прочитан 21 января 1932 года, «Искусство при свете совести» — 26 мая того же года, пушкинский цикл — это вообще 1931 год, переезд в Кламар состоялся в марте 1932-го. (*Примеч. переводчика.*)

[3] Нет, не эта!!! Доклад был давно написан и выслушан Федотовым (одним из основателей «Нового града»), а для этого журнала в декабре 1932 года Цветаева написала большую статью «Эпос и лирика современной России: Маяковский и Пастернак». (*Примеч. переводчика.*)

щества, ни законы морали не заслуживают того, чтобы к их запретам прислушивался тот, кто наделен поэтическим даром с колыбели. Мимоходом она выбранила русских изгнанников, которые теряют время на ссоры. Эта нотация обошлась ей дорого: теперь уже Цветаева лишилась симпатии чуть ли не последних своих соотечественников.

Непонимание со стороны русских раздражало Марину, и она переключилась на французов: написала по-французски короткое эссе о сапфической любви: «Письмо к Амазонке». Это был ответ на книгу французской писательницы, американки по происхождению, Натали Клиффорд-Барни. «Мысли Амазонки» были впервые выпущены в свет в 1918 году и адресованы Реми де Гурмону, влюбленному в Натали.[1] Теперь Натали Барни держала литературный салон в своем парижском особняке на улице Жакоб (дом 20). Марина была приглашена туда на один из приемов. Открыв для себя представленную ей «странную русскую поэтессу», Натали была совершенно покорена ее нонконформизмом и мальчишеским очарованием. Марина же, со своей стороны, обнаружила в чувствах к ней хозяйки салона отдаленное сходство с чувствами, какие связывали ее когда-то с Софьей Парнок и Сонечкой Голлидэй. Но в «Письме к Амазонке» Цветаева куда меньше интересуется физической тягой друг к другу особ одного пола, чем материнской нежностью, желанием защитить, убаюкать, которые одна женщина может

---

[1] Книга Натали Барни была ответом на его опус 1914 года, который назывался точно так же, как цветаевский, — «Письмо к Амазонке», о чем Марина Ивановна вряд ли подозревала. (*Примеч. переводчика — с благодарностью А.Саакянц*).

испытывать к другой. Заканчивая анализ гомосексуальных отношений между женщинами, она делает вывод: единственное препятствие для такой любви — органическая потребность женщины в материнстве. Именно потому, что женщина создана для того, чтобы рождать на свет детей, она ищет иногда общества мужчины. Все остальное — только литература, — заявляет Цветаева.

Одновременно с размышлениями на щекотливую тему о том, какие трудности встают на пути у «противоестественных пар», Марине приходилось готовиться к переезду, снова вызванному финансовыми затруднениями. Из Медона семья перебралась в Кламар, где друзья нашли для Эфронов маленькую и не такую дорогую, как прежняя, квартиру в доме 101 по улице Кондорсе. Другие русские жили поблизости, следовательно, Марине не будет там одиноко. Но и тут тоже денежные дела шли хуже некуда. Едва водворившись на новое место жительства, Марина принялась умолять Федотова: «Вчера писала Рудневу[1] с просьбой дать мне 100 франков за конец «Искусства при свете совести» в январской книге, — уже получила корректуру. Не могли бы Вы, милый Георгий Петрович, попросить о том же Фондаминского?[2] Идут праздники — уже на ноги наступают — а нам не то что нечего дать на чай, сами без чаю и без всего. — Если можете!»[3] И позже — уже после переезда на улицу Лазара Карне:

---

[1] Руднев В.В. — бессменный соредактор журнала «Современные записки», секретарь редакции.

[2] Бунаков (Фондаминский) И.И. — соредактор «Современных записок».

[3] Письмо от 20 декабря 1932 года. Цитируется по книге: Марина Цветаева. Собрание сочинений в семи томах. Том 7. Письма. М., Эллис Лак, 1995, стр. 429. (*Примеч. переводчика.*)

«Милый Георгий Петрович! Умоляю еще раз написать Фондаминскому о гонораре — нас уже приходили описывать — в первый раз в жизни».[1] Она описывала Федотову и его жене плачевное состояние своей обуви, объясняя, видимо, этим неявку на назначенную встречу: «Не забыла, но в последнюю минуту, вчера, отказалась служить — приказала долго жить — резиновая подметка, т. е. просто отвалилась, а так как сапоги были единственные... Очень, очень огорчена. Знайте, что никогда не обманываю и не подвожу — за мной этого не водится, — но есть вещи сильней наших решений, они называются невозможность и являются, даже предстают нам — как вчера — в виде отвалившейся подметки».[2] Но как бы ни угнетала Марину нищета, она никогда не забывала о своей миссии как писателя. И — прочитав в очерке Георгия Иванова[3] «Китайские тени» вся-

[1] Записка от 4 марта 1932 года. Там же, стр. 432. О развязке проблемы — в письме Анне Тесковой от 7 марта того же года: «Мы переехали — с огромными трудами — на новую квартиру <..> — тут же в Кламаре, очень спокойную и просторную, в довоенном доме, на 4-м этаже. У меня своя комната, где даже можно ходить. Зима прошла в большой нужде и холоде, топили редко — отопление свое, т.е. имеешь право мерзнуть — недавно приходили описывать... — трое господ, вроде гробовщиков, но увидев «обстановку» — ящики, табуреты и столы — написали нам бумажку о немедленной высылке из Франции в случае неуплаты налогов — очень старых — из которых мы уже выплатили 500 франков, оставалось еще 217 франков. И в тот же день — увы! — долгожданный гонорар из Современных Записок — 250 франков, которые почти целиком тут же пришлось отдать». Там же, том 6, стр. 404—405. (*Примеч. переводчика.*)

[2] Письмо Г.П. и Е.Н. Федотовым от 24 мая 1933 года. Там же, стр. 437.

[3] Георгий Иванов (1894—1958) — русский поэт, эмигрировавший во Францию. Не путать с Вячеславом Ивановым, русским поэтом (1866—1849), о котором говорилось в главе третьей. (*Примеч. автора*). Опечатка в дате авторская — смешная, оставляю пока, на самом деле, конечно, 1949. (*Примеч. переводчика.*)

кие домыслы о друге своей юности Осипе Мандельштаме, она решает восстановить истину и пишет блестящую статью «История одного посвящения».[1] Кроме того, немного времени спустя после смерти в 1932 году другого своего большого друга — Максимилиана Волошина — Марина посвящает ему цикл прозаических произведений, рассказывающий об их личных и творческих отношениях — «Живое о живом». Но все эти — берущие за сердце своей простотой и искренностью — воспоминания почти никого в те дни не тронули.[2] 13 октября они были прочитаны на цветаевском вечере, и Цветаева: «... читала почти три часа, до полуночи, при горячем одобрении зала, куда пришли преимущественно читательницы и являли собой, как выразилась Марина Ивановна, «сплошной и один очаг любви». Что до литературной публики, то она, по-видимому, не пришла, — «ни одного писателя», — негодовала Марина Ивановна; впрочем, причину понимала: «писала... против всей эмигрантской прессы, не

---

[1] Это правда, но все это происходило куда раньше: очерк Г.Иванова, в котором лживо описывалась жизнь Мандельштама в Коктебеле, появился 22 февраля 1930 года в газете «Последние новости», год спустя Цветаева случайно обнаружила его в своих бумагах и написала опровержение, но издание, предоставившее место клеветнику (два «подвала»), отказалось опубликовать это опровержение, и появилась «История одного посвящения» в печати только после смерти автора. Правда, 30 мая 1931 года Цветаева прочитала этот очерк (или эссе, или мемуары — жанр определить трудно) на своем литературном вечере. (*Примеч. переводчика.*)

[2] В книге Марии Разумовской приводится заметка В. Ходасевича, опубликованная в «Возрождении»: «Воспоминания Цветаевой о Волошине гораздо значительнее, чем сам Волошин. В этом заключается ее несравненное литературное искусство и очевидная ошибка ее воспоминаний». Цитируется по книге: Мария Разумовская. «Марина Цветаева Миф и действительность». М., Радуга, 1994, стр. 259. (*Примеч. переводчика.*)

могшей простить М.Волошину его отсутствие ненависти к Советской России, от которой (России) он же первый жестоко страдал, ибо не уехал».[1]

Перейдя от стихов к прозе, Цветаева не испытывала чувства, будто ее лишили чего-то. Каковы бы ни были средства выражения, она не позволяла себе ни расслабленности, ни небрежности, ни самолюбования, никогда не была к себе снисходительна. «Повествовала» ли она, «пела» ли — везде был одинаково строгий отбор слов и ритма. Однако ей приходилось с печалью констатировать, что журналам интереснее ее эссе или воспоминания, чем ее стихи. «За последние годы я очень мало писала стихов, — рассказывает Марина Вере Буниной. — Тем, что у меня их не брали — меня заставляли писать прозу. Пока была жива «Воля России»[2], я спокойно могла писать большую поэму, зная — что возьмут... Но когда «Воля России» кончилась — остался только Руднев, а он сразу сказал: Больших поэм мы не печатаем. Нам нужно на 12 страницах — 15 поэтов.

Куда же мне было деваться с моими большими вещами? Так пропал мой «Перекоп» — месяцев семь работы и 12 лет любви — так никогда не была (и навряд ли будет) кончена поэма о Царской Семье. Так пропал мой французский «Молодец» — Le Gars — и по той же причине: поэмы не нужны. А мне нужно было — зарабатывать: и внешне оправдывать свое существование. И началась — проза. Очень мною любимая, я не жалуюсь. Но все-таки — несколько насильственная:

---

[1] Цитата из книги А.Саакянц «Марина Цветаева. Жизнь и творчество». М., Эллис Лак, 1999, стр. 565. (*Примеч. переводчика.*)

[2] Журнал перестал выходить в 1932 году.

обреченность на прозаическое слово».[1] А позже[2] она вернется к этой теме в письме к Анне Тесковой: «Эмиграция делает меня прозаиком. Конечно, и проза — моя, и лучшее в мире после стихов, это — лирическая проза, но все-таки после стихов!

Конечно, пишу иногда, вернее — записываю приходящие строчки, но чаще не записываю, — отпускаю их назад — ins Blaue![3] (никогда Graue[4], даже в ноябрьском Париже!)

Вот мои «литературные» дела. Когда получу премию Нобеля (никогда) — буду писать стихи. Так же как другие едут в кругосветное плавание».

И задумается сразу же: если водить пером по бумаге насильно, то не истощится ли источник ее вдохновения? А ведь в таком случае, как она считает, у нее не останется уже никакой причины для того, чтобы продолжать жить на земле.

Близкие Марины и не подозревают, какие творческие муки она испытывает, какие сомнения терзают ее душу. И Сергей, и Ариадна поглощены только собственными делами и заботами. Даже когда они находятся рядом, она ощущает себя одинокой, такой одинокой, будто она вообще одна в мире... «Сергей Яковлевич совсем ушел в Советскую Россию, ничего другого не видит, а в ней видит только то, что хочет», — жалуется она

---

[1] Письмо В.Н.Буниной от 28 августа 1935 года. Цитируется по книге: Марина Цветаева. Собрание сочинений в семи томах. Том 7. Письма». М., Эллис Лак, 1995, стр. 293. (*Примеч. переводчика.*)

[2] На самом деле — двумя годами раньше — письмо Тесковой написано 24 ноября 1933 года. Цитируется по книге: Марина Цветаева. Собрание сочинений в семи томах. Том 6. Письма. М., Эллис Лак, 1995, стр. 406—407. (*Примеч. переводчика.*)

[3] В синеву (*нем.*)

[4] Серость (*нем.*)

все той же Анне Тесковой.[1] И в самом деле — бывший доброволец Белой Армии Сергей Эфрон стал к тому времени одним из активнейших членов «Союза возвращения на родину». Вот уже несколько месяцев он встречался с проезжими русскими, которые вполне могли быть агентами коммунистов, и совершенно не интересовался хозяйственными и финансовыми трудностями. Впрочем, тут они были единодушны с дочерью, которая ходила за ним по пятам, слушала его разглагольствования разинув рот и решительно заявляла, что хотела бы вернуться в родную страну, ибо только оттуда «прольется свет». Вспоминая, насколько чудесная духовная общность была у нее когда-то с Ариадной, Марина пыталась измерить, какою же теперь глубокой стала пропасть между ними. Тогда, в прошлом, она так же часто удивлялась и радовалась тому, как схожи их вкусы и реакции, теперь — так же часто — тому, что, перестав быть маленькой, Аля перестала быть не только ее ребенком, но и ее другом. Она напрасно искала в этой молодой — такой уравновешенной, такой разумной и такой холодной — женщине отражение собственного взрывного темперамента, собственного презрения к царящим в обществе условностям. «Это не я! Это не я!» — горестно восклицала Цветаева в письмах Вере Буниной. И любимому сыну не удавалось утешить мать, вот так вот «потерявшую» дочь. Конечно, у Мура, которому и было-то всего семь лет, харак-

---

[1] Письмо от 16 октября 1932 года. (*Примеч. автора.*) Цитируется по книге: Марина Цветаева. Собрание сочинений в семи томах. Том 6. Письма. М., Эллис Лак, 1995, стр. 402.. (*Примеч. переводчика.*)

тер еще не совсем определился. Но это был явный размазня, вялый и апатичный, капризный и довольно безэмоциональный. Хорошо еще, не подошел возраст, когда он мог бы заинтересоваться политикой! Но тем не менее он уже скулил, приходя из школы, что другие дети издеваются над его акцентом и дразнят «грязным русским». И — по примеру отца и сестры — поговаривал о возвращении в Россию, считая ее страной вечных каникул. Но разве не желала сама Марина для него того же, когда писала «Стихи к сыну»? Разве не утверждала она в этих неосторожных строках, будто место молодежи — там, на этой мифической родине, разве не говорила, обращаясь к юным: «слеп — / Вас ведущий на панихиду / По народу, который хлеб / ест, и вам его даст, — как скоро / Из Медона — да на Кубань»?

Она уже не понимала, где теперь ее место как женщины, как жены, как поэта... Творчество... Ах! Забыть о Советской России, о семье, о неоплаченной квартире, о хозяйственных хлопотах, о нежелании парижской прессы сотрудничать с нею и грубых окриках отдельных критиков, — ах, если бы забыть обо всем этом и жить только ради рифмы, только ради ритма! Все ее существование было аскезой, самоотрицанием. Неужели когда-нибудь судьба вознаградит ее за этот отказ от себя самой, от своей сути? Нет, больше надеяться не на что. Если она и продолжает писать, то только потому, что нигде и ни с кем она не чувствует себя такой свободной, как со своим письменным столом. В одном из стихотворений цикла «Стол» 1933 года она пишет, обращаясь к нему: «Мой письменный верный мул!», она подчеркивает:

Тридцатая годовщина
Союза — держись, злецы!
Я знаю твои морщины,
Изъяны, рубцы, зубцы —

Малейшую из зазубрин!
(Зубами — коль стих не шел!)
Да, был человек возлюблен!
И сей человек был — стол...

В других стихотворениях того же цикла она утверждала, что старый сосновый стол знает ее морщины, спрашивала, не автор ли он их... благодарила свой стол за то, что шел с ней «по всем путям», за то, что нес на себе «поклажу» ее грёз...

Ариадна Эфрон включила в свои «Страницы воспоминаний» главу «Как она писала?». Вот она — почти целиком:

«Отметя все дела, все неотложности, с раннего утра, на свежую голову, на пустой и поджарый живот.

Налив себе кружечку кипящего черного кофе, ставила ее на письменный стол, к которому каждый день своей жизни шла, как рабочий к станку — с тем же чувством ответственности, неизбежности, невозможности иначе.

Все, что в данный час на этом столе оказывалось лишним, отодвигала в стороны, освобождая, уже машинальным движением, место для тетради и для локтей.

Лбом упиралась в ладонь, пальцы запускала в волосы, сосредоточивалась мгновенно.

Глохла и слепла ко всему, что не рукопись, в которую буквально впивалась — острием мысли и пера.

На отдельных листах не писала — только в тетрадях, любых — от школьных до гроссбухов, лишь бы не расплывались чернила. В годы революции шила тетради сама.

Писала простой деревянной ручкой с тонким (школьным) пером. Самопишущими ручками не пользовалась никогда.

Временами прикуривала от огонька зажигалки, делала глоток кофе. Бормотала, пробуя слова на звук. Не вскакивала, не расхаживала по комнате в поисках ускользающего — сидела за столом, как пригвожденная.

Если было вдохновение, писала основное, двигала вперед замысел, часто с быстротой поразительной; если же находилась в состоянии только сосредоточенности, делала черную работу поэзии, ища то самое слово-понятие, определение, рифму, отсекая от уже готового текста то, что считала длиннотами и приблизительностями.

Добиваясь точности, единства смысла и звучания, страницу за страницей исписывала столбцами рифм, десятками вариантов строф, обычно не вычеркивая те, что отвергала, а подводя под ними черту, чтобы начать новые поиски.

Прежде чем взяться за работу над новой вещью, до предела конкретизировала ее замысел, строила план, от которого не давала себе отходить, чтобы вещь не увлекла ее по своему течению, превратясь в неуправляемую.

<..> ...небрежность в почерке считала проявлением оскорбительного невнимания пишущего к тому, кто будет читать: к любому адресату, редактору, наборщику. Поэтому письма писала особенно разборчиво, а рукописи, отправляемые в типографию, от руки перебеливала печатными буквами. <..>

К письмам своим относилась так же творчески и почти так же взыскательно, как к рукописям.

Иногда возвращалась к тетрадям и в течение дня. Ночами работала только в молодости.

Работе умела подчинять любые обстоятельства, настаиваю: любые.

Талант трудоспособности и внутренней организованности был у нее равен поэтическому дару.

Закрыв тетрадь, открывала дверь своей комнаты — всем заботам и тяготам дня».[1]

В момент, когда Мариной овладевала новая идея, оригинальная мелодия, она переставала быть одинокой. Можно было подумать, будто она далеко, и на самом деле в это время жизнь в ней шла более интенсивно, чем тогда, когда она спорила или вообще находилась в одном пространстве с другими людьми. Искусство позволяло ей взять реванш у жизни. Предметы, даже если она говорила всего лишь о письменном столе, усмиряли обиды, нанесенные любыми человеческими существами, даже мужем и детьми.

---

[1] Цитируется по книге: Ариадна Эфрон. «О Марине Цветаевой. Воспоминания дочери». М., Советский писатель, 1989, стр. 37—39. (*Примеч. переводчика.*)

XIV

НЕМЕЦКИЕ УГРОЗЫ
И СОВЕТСКИЕ СОБЛАЗНЫ

Европа жила в политических судорогах, и некоторые беспокойные умы уже посещала мысль о том, кого же все-таки следует бояться больше: Сталина или Гитлера. Первый, исключив из коммунистической партии двух других членов триумвирата, который управлял СССР — Зиновьева и Каменева, — и став абсолютным властителем, усилил преследования оппозиционеров всех мастей, принялся депортировать целые народности, дезорганизовал страну и довел ее до голода перегибами с коллективизацией; второй — после победы на выборах в законодательные органы своих приверженцев — ликвидировал профсоюзы, отдал приказ сжигать на площадях книги, которые считал подстрекательскими, провозгласил «научно подтвержденное» превосходство над прочими арийской расы, дополнив все это бойкотом печатных изданий, выпускаемых иудеями, изгнанием и арестами евреев, ответственных, по его мнению, за все несчастья Германии и мира в целом. Выбирая между ужасами нацизма и ужасами Советов, Марина пришла к тому, что советские ужасы менее страшны. В ответ на письмо из Ревеля (ныне Таллин) молодого русского писателя Юрия Иваска, который спрашивал ее, каковы ее взаимоотношения с журналом «Утверждения», три номера которого вышли в Париже в 1931—32 годах, Цветаева выдала монолог, из которого становится ясно ее отношение не столько к данному журналу, сколько к нацизму в принципе: «Я — с «Утверждениями»?? Уже звали и уже услышали в ответ: «Там, где говорят: еврей, подразумевают: жид — мне, собрату Генриха Гейне, — не место. Больше скажу: то место меня — я на него еще и не встану — само не вместит: то место меня чует, как пороховой склад — спичку!»

Что же касается младороссов — вот живая сценка. Доклад бывшего редактора и сотрудника Воли России (еврея) Марка Слонима: Гитлер и Сталин. После доклада, к началу прений — явление в дверях всех младороссов в полном составе. Стоят «скрестивши руки на груди». К концу прений продвигаюсь к выходу (живу за городом и связана поездом) — так что стою в самой гуще. Почтительный шепот: «Цветаева». Предлагают какую-то листовку, которой не разворачиваю. С эстрады — Слоним: «Что же касается Гитлера и еврейства...» Один из младороссов (если не «столп» — так столб) на весь зал: «Понятно! Сам из жидов!» Я, четко и раздельно: — «ХАМ-ЛО!» (Шепот: не понимают). Я: — «ХАМ-ЛО!» и, разорвав листовку пополам, иду к выходу. Несколько угрожающих жестов. Я: — «Не поняли? Те, кто вместо еврей говорят жид и прерывают оратора, те — хамы. (Пауза и созерцательно:) ХАМ-ЛО».

Засим удаляюсь. (С КАЖДЫМ говорю на ЕГО языке)».[1]

Гордость, проявленная Мариной, вызвала уважение к ней не только Иваска, но и старого ее противника — Ходасевича. После многолетних обвинений цветаевской поэзии в «излишней приукрашенности» и «неясности смысла» яростный и язвительный критик принес публичное покаяние и признал оригинальность и незаурядный талант этой возмутительницы спокойствия. Удивленная таким крутым виражом, Марина приняла сказанное с благодарностью и ответила на дружбу, которую предлагал ей поэт, мнения которого она в недавнем прошлом побаивалась, но стихами которого всегда восхищалась.

А в ноябре 1933 года новое потрясение ожидало узкий круг русских интеллигентов Парижа. Иван Бунин получил Нобелевскую премию за свое литературное творчество. Прочитав об этой новости в русской газете «Возрождение», Марина разволновалась так, что у нее дыхание перехватило и выступили на глаза слезы: слезы истинной благодарности и тайного разочарования. Конечно, в лице Бунина этой наградой поощрили всех русских писателей-эмигрантов, всех, кто выбрал своей судьбой одиночество и нищету изгнания. И хотя Цветаева радовалась такому вот международному признанию соотечественника, но немножко и сожалела, что этот праздник оказался — не в честь Максима Горького, которого

---

[1] Письмо от 4 апреля 1933 года, речь идет о докладе Ю.Иваска «Два диктатора», состоявшемся на диспуте «Гитлер и Сталин» 10 марта 1933 года в Париже. Цитируется по книге: Марина Цветаева. Собрание сочинений в семи томах. Том 7. Письма. М., Эллис Лак, 1995, стр. 384. (*Примеч. переводчика.*)

пусть и считали «продавшимся Советам», но на самом деле, по ее мнению, «великого писателя», обладавшего большим талантом, чем Бунин. Впрочем, выбор даже мистического Мережковского, на ее взгляд, был бы более оправдан. А в глубине души она переживала из-за того, что шведское жюри не вспомнило о ней самой — о ней, которая, сидя в своем тихом уголке, служит литературе с такой преданностью, какая и не снилась асам пера, воспеваемым прессой... Но этого она не могла сказать никому из страха прослыть тщеславной деревенщиной. 24 ноября 1933 года она пишет Анне Тесковой: «Премия Нобеля. 26-го буду сидеть на эстраде и чествовать Бунина. Уклониться — изъявить протест. Я не протестую, я только не согласна, ибо несравненно больше Бунина: и больше, и человечнее, и своеобразнее, и нужнее — Горький. Горький — эпоха, а Бунин — конец эпохи. Но так как это политика, так как король Швеции не может нацепить ордена коммунисту Горькому... Впрочем, третий кандидат был Мережковский, и он также несомненно больше заслуживает Нобеля, чем Бунин, ибо, если Горький — эпоха, а Бунин — конец эпохи, то Мережковский — эпоха конца эпохи, и влияние его и в России и за границей несоизмеримо с Буниным, у которого никакого вчистую влияния ни там, ни здесь не было. А «Последние новости», сравнивающие его стиль с толстовским (точно дело в «стиле», т. е. пере, которым пишешь!), сравнивая в ущерб Толстому — просто позорны. Обо всем этом, конечно, приходится молчать». И добавляет чуть дальше: «Бунина еще не видела. Я его не люблю: холодный, жестокий, самонадеянный барин. Его не люблю, но жену его — очень. Она мне очень помогла в моей рукописи, ибо — подруга моей старшей сестры, внучки Иловайского и хорошо помнит тот мир. Мы с ней около полугода переписывались. Живут они в Grass...e[1], цветочном центре (фабрикация духов), на вилле, на высочайшей скале. Теперь, наверное, взберутся на еще высочайшую».[2]

Отзвучало последнее эхо «освящения» Ивана Бунина, и Марина, встряхнувшись на время, вернулась к работе. Поскольку публика вроде бы предпочитала ее стихам прозу, она и стала писать один за другим автобиографические рассказы, в которых истина путается с вымыслом, а мечта — с конкретными бытовыми деталями. Русские журналы и газеты охотно принимали как этот поток воспоминаний о детстве, так и портреты писателей, исполненные симпатии к персонажам, уважения к ним и юмора. Она блистательно описывала недавно ушедшего из жизни Андрея Белого, Пастернака, Ахматову, Блока, Мандельштама... Но в то самое время, когда Цветаева получала истинное удовольствие от воспоминаний о них всех в прозе, она чувствовала, как эмоциональное напряжение возвращает ей вкус к поэзии. Вот только — с небес или от почвы придет освободительный щелчок замка, открывающий ей снова вход туда?

В ноябре 1934 года Эфроны снова переехали — на этот раз в Ванв, дом 33 по улице Жана-

---

[1] В Грассе — на Лазурном берегу (*франц.*).

[2] Цитируется по книге: Марина Цветаева. Собрание сочинений в семи томах. Том 6. Письма. М., Эллис Лак, 1995, стр. 407. (*Примеч. переводчика.*)

Батиста Потена. Но едва Марина успела распаковать вещи[1], как на нее обрушился страшный удар: Николай Гронский, в которого, как ей показалось, она в 1928 году была влюблена, — и, скорее всего, была-таки влюблена! — только что покончил жизнь самоубийством, бросившись на рельсы метро на станции «Пастер».[2] Цветаева немедленно откликнулась на эту нелепую смерть статьей, рассказывавшей об этом так много обещавшем поэте, который не успел дожить до расцвета таланта. И тут же — словно пробужденная вернувшейся к ней внутренней музыкой — сочинила цикл стихотворений его памяти, названный ею «Надгробие».

«Иду на несколько минут...»
В работе (хаосом зовут
Бездельники) оставив стол,
Отставив стул — куда ушел?

Опрашиваю весь Париж.
Ведь в сказках лишь да в красках лишь
Возносятся на небеса!
Твоя душа — куда ушла?

В шкафу, двустворчатом, как храм, —
Гляди: все книги по местам.
В строке — все буквы налицо.
Твое лицо — куда ушло?

---

[1] На самом деле они переехали в июле 1934 года. (*Примеч. переводчика.*)

[2] Цветаева узнала о смерти Гронского из заметки в «Последних новостях» за 23 ноября 1934 года, где говорилось о том, что молодой человек «неожиданно упал на рельсы. Подходящим поездом несчастный был смят и отброшен к стене», а умер Николай после не давшего результата переливания крови вечером в больнице — так и не придя в сознание. Было ли это самоубийство? Сведения из книги А.Саакянц «Марина Цветаева. Жизнь и творчество». М., Эллис Лак, 1999, стр. 610. (*Примеч. переводчика.*)

Твое лицо,
Твое тепло,
Твое плечо —
Куда ушло?[1]

И еще:

Есть счастливцы и счастливицы,
Петь не могущие. Им —
Слезы лить! Как сладко вылиться
Горю — ливнем проливным!

Чтоб под камнем что-то дрогнуло.
Мне ж — призвание как плеть —
Меж стенания надгробного
Долг повелевает — петь.

Пел же над другом своим Давид,
Хоть пополам расколот!
Если б Орфей не сошел в Аид
Сам, а послал бы голос

Свой, только голос послал во тьму,
Сам у порога лишним
Встав, — Эвридика бы по нему
Как по канату вышла...

Как по канату и как на свет,
Слепо и без возврата.
Ибо раз голос тебе, поэт,
Дан, остальное — взято.[2]

Но вернулось ли к ней поэтическое вдохновение после смерти милого ее сердцу Гронского? Ах, если бы только абсурд, неизбежно связанный с политикой, не вставал на пути ее порывов! Куда более обеспокоенная своей литературной судьбой, чем будущим Европы, она пишет Вере Буниной: «...события, войны, Гитлеры, Эррио, Бальбо, Росси и как их еще зовут — вот что людей хватает

---

[1] Стихотворение написано 3 января 1935 года.

[2] Стихотворение датировано автором так: «январь 1935».

по-настоящему заживо: ГАЗЕТА, которая меня от скуки валит замертво».[1]

Отказываясь слушать какофонию мира, ставшего безумным, она переносит это крайнее безразличие и на поведение мужа. Он не бывает дома целыми сутками, усердно посещает «Союз возвращения на родину» и больше не жалуется на отсутствие денег. Отсюда до предположения о том, что Сергея завербовали для какой-то секретной работы, всего лишь шаг, но простодушная и искренняя Марина не способна сделать этот шаг. Ей кажется, будто Сереже, скорее всего, платят за какие-то мелкие услуги, которые, будучи в эмиграции, приходится расточать направо-налево. Вот и все! И ее куда больше волнует поведение Али, мало-помалу отрывающейся от нее, удаляющейся и не упускающей случая доказать свою независимость. Охваченная тревожными предчувствиями, она пишет все той же Вере Буниной 22 ноября 1934 года: «Отношения мои с Алей, как Вы уже знаете, последние годы верно и прочно портились. Ее линия была — бессловесное действие. Всё наперекор и всё молча. (Были и слова, и страшно дерзкие, но тогда тихим был — тон. Но — мелкие слова, ни одного решительного.)

Отец во всем ее поддерживал, всегда была права — она, и виновата — я, даже когда она, наступив в кошелку с кошачьим песком и, естественно, рассыпав, две недели подряд так и не подмела, топча этот песок ежеминутно, ибо был у входной двери. Песок — песчинка, всё было так.

---

[1] Письмо от 24 августа 1933 года. Цитируется по книге: Марина Цветаева. Собрание сочинений в семи томах. Том 7. Письма. М., Эллис Лак, 1995, стр. 248. (*Примеч. переводчика.*)

Летом она была на море, у немецких евреев, и, вернувшись, дней десять вела себя прилично — по инерции. А потом впала в настоящую себя: лень, дерзость, отлынивание от всех работ и непрерывное беганье по знакомым: убеганье от чего бы то ни было серьезного. <...> Каждый вечер уходила — то в гости, то в кинематограф, то гадать, то на какой-то диспут, все равно куда, лишь бы — и возвращалась в час. Утром не встает, днем ходит сонная и злая, непрерывно дерзя...»[1]

На самом же деле Аля тщетно старалась получить возможность дышать свободно, двигаясь в вихревом следе своей «вулканической» матери. И как только достигла совершеннолетия, потребовала, чтобы ей разрешили жить одной. 2 февраля 1935 года она устроила последнее грандиозное сражение и — поощряемая робким одобрением отца, снабдившего ее деньгами на расходы, — ушла из-под родительского крова в самостоятельную жизнь.

С одной стороны, Марина почувствовала облегчение, с другой — ее не оставляло ощущение, будто она несправедливо наказана. Она осуждала себя самое за то, что не научилась понимать Алю, но признавала, что ей не под силу бороться с отцом и дочерью, объединившимися против нее и ставшими настолько чужими и далекими, словно высадились на необитаемый остров, куда ей не было доступа. Но постепенно будничные дела заставили Цветаеву вернуться к привычному ритму существования. Худо-бедно, но можно было как-то обрести равновесие среди обломков счастливого прошлого. И она подумывала да-

_____

[1] Там же, стр. 278.

же — а почему бы и нет? — о том, что летом можно было бы отправиться отдохнуть на Юг, как это делают все приличные французы.

Даже начала готовиться к отъезду, заранее сняла дешевую мансарду на Средиземноморском побережье, но приготовления оказались прерваны[1] объявлением о том, что в Париже соберется антифашистский Международный конгресс писателей в защиту культуры, естественно, сразу же приковавший к себе внимание Марины. Конгресс проводился по инициативе французских писателей, решивших собрать под одной крышей всех коллег, враждебно относящихся к фашизму.

Анри Барбюс, Луи Арагон и Андре Мальро стали во Франции движущей силой в организации и проведении этого грандиозного мероприятия. По приказу Сталина в не менее блестящую советскую делегацию был включен Борис Пастернак. Марина, не видевшая его много лет, с трепетом надеялась, что эта встреча откроет второе дыхание их дружбе, если не сказать — любви. Она — вместе с Сергеем и Алей — отправилась на метро во Дворец Мютюалите, где проходили заседания конгресса. И каково же было ее разочарование, когда, увидев Пастернака в коридоре, она поняла, что вовсе не испытывает какого-то исключительного эмоционального потрясения. Это больше был не он, это больше была не она — люди, которые стояли лицом к лицу, не только тщетно искали хоть какого-то нежного слова, но

---

[1] На самом деле, конечно, о конгрессе было известно заранее, и Марина с Муром уехали на Лазурный берег, в Фавьер, в тот самый день, когда и собирались: 28 июня. (*Примеч. переводчика.*)

вообще не знали, как говорить друг с другом. Ко всему еще их окружала весьма нескромная толпа. Среди прочих тут были Поль Элюар, Луи Арагон, Андре Жид, Эльза Триоле... Борис пробормотал для приличия несколько фраз, бросая вокруг себя взгляды затравленного зверя. Тем не менее во время этого короткого и вполне банального свидания Марина успела поведать Пастернаку о своем желании вернуться в Россию, мотивируя его тем, что здесь ее никто не любит и не читает. Чтобы не остаться в долгу, тот сообщил, что приехал сюда, на писательский конгресс, — он, человек, ненавидящий любые сборища такого рода, — только потому, что вынудило собственное положение в Советском Союзе. В написанном спустя больше чем полгода Анне Тесковой письме Цветаева вспоминает об этом с горечью: «Борис Пастернак, на которого я годы подряд — через сотни верст — оборачивалась, как на второго себя, мне на Писательском Съезде шепотом сказал: Я не посмел не поехать, но ко мне пришел секретарь Сталина, я — испугался».[1] Это последнее признание окончательно разрушило авторитет Пастернака в глазах Марины. Кроме того, после триум-

---

[1] Письмо от 15 февраля 1936 года. Цитируется по книге: Марина Цветаева. Собрание сочинений в семи томах. Том 6. Письма. М., Эллис Лак, 1995, стр. 433. У Труайя же здесь приведена ссылка на воспоминания Марка Слонима — просто перепутал цитаты у Разумовской, это совершенно ясно — там Тескова не названа, написано — «призналась в письме к своему чешскому другу» — бедный, не понял кто! А у Слонима (как и в переписке с Тесковой, только в более раннем, по свежим следам, письме от 2 июля 1935 года) говорится вот что: «Это была «невстреча», и потом вдруг повторила — не закончив — последнюю строфу своих стихов к Блоку: «Но моя река — да с твоей рекой, / Но моя рука — да с твоей рукой/ Не сойдутся...». Цитируется по книге: «Марина Цветаева в воспоминаниях современников. Годы эмиграции». М., Аграф, 2002, стр. 103. (*Примеч. переводчика.*)

фального приема на Конгрессе он попросил ее пойти с ним в магазин и примерить там на себя платье, которое он хотел купить в подарок оставшейся в России жене. Марине пришлось крепко стиснуть зубы, чтобы не разразиться рыданиями. Подавленная ощущением, что Борис при встрече оказался и по-человечески и по-мужски несостоятельным, что он трус, что он предал ее, Цветаева постаралась сменить тему разговора и спросила: а как вообще живется в Советской России? Он, тревожно оглядевшись по сторонам, прошептал: «Марина, не езжай в Россию, там холодно, сплошной сквозняк».[1]

Эта информация была выше ее понимания, и Марина, вернувшись домой, сообщила Анне Тесковой: «О встрече с Пастернаком (— была — и какая невстреча!) напишу, когда отзоветесь...»[2]

Когда Пастернак вместе с советской делегацией отбыл из Парижа, Марине показалось, будто она почти освободилась от груза, давившего ее много лет. И чтобы утешиться: долгожданная встреча все-таки провалилась! — вернулась к проекту отдыха на Юге. Благодаря дополнительным заработкам Сергея у нее наконец появилась возможность «купить» себе немного приятного времяпрепровождения. И в начале июля она с Муром уехала в Лаванду, что на берегу Средиземного моря, и обосновалась на вилле «Ла Фавьер» —

---

[1] Из воспоминаний Е.Н.Федотовой «О Цветаевой». Цитируется по книге: «Марина Цветаева в воспоминаниях современников. Годы эмиграции». М., Аграф, 2002, стр. 310. (*Примеч. переводчика.*)

[2] Письмо на самом деле написано уже из Фавьера, 2 июля 1935 года. Цитируется по книге: Марина Цветаева. Собрание сочинений в семи томах. Том 6. Письма. М., Эллис Лак, 1995, стр. 425. (*Примеч. переводчика.*)

своего рода пансионате для небогатых эмигрантов. Но ее оставляла безразличной сияюще-открыточная красота пейзажа, больше напоминающая декорацию, и она тосковала по плоской, угрюмой, сумрачной и суровой России. «Я томлюсь, — писала Цветаева Тесковой 12 июля 1935 года. — Сейчас объясню, и надеюсь, Вы меня поймете. Мне вовсе не нужно такой красоты, столькой красоты: море, горы, мирт, цветущая мимоза и т.д. С меня достаточно — одного дерева в окне или моего вшенорского верескового холма. Такая красота на меня накладывает ответственность — непрерывного восхищения. (Ведь сколько народу, на моем месте, было бы счастливо! Все.) Меня эта непрерывность красоты — угнетает. Мне нечем отдарить. Я всегда любила скромные вещи: простые и пустые места, которые мне доверяют себя сказать — и меня — я это чувствую — любят. А любить Лазурный берег — то же самое, что двадцатилетнего наследника престола, — мне бы и в голову не пришло.<..> ...Так же как не могла бы любить премированную собаку, с паспортом высокорожденных дедов и бабок (то, из-за чего обыкновенно и любят!)».[1]

Поскольку Марина не умела плавать и боялась воды, ей приходилось довольствоваться тем, чтобы сопровождать Мура на пляж. А его только что прооперировали (аппендицит), и он еще плохо держался на ногах. Сидя в тени зонта, она не выносила долгого пребывания на солнце, Цветаева не сводила глаз с сына. Не то что на улице, но даже дома она следила за малейшим его движе-

---

[1] Цитируется по книге: Марина Цветаева. Собрание сочинений в семи томах. Том 6. Письма. М., Эллис Лак, 1995, стр. 426. (*Примеч. переводчика.*)

нием, тревожилась из-за каждого вздоха. Когда-то поведение Ариадны куда меньше волновало ее, и она не была так внимательна.

Другие обитатели виллы поглядывали на Цветаеву подозрительно. Что она такое — на самом-то деле? Зачем приехала сюда? Ведь говорят — от ее произведений попахивает серой!.. Правда ли, что ее муж «загримированный красный»? Молчаливая вражда соседей раздражала Марину. Ах, если бы она еще могла писать столько, сколько хотелось! Но в чердачной комнате не было даже обычного стола, и ей приходилось тайком пробираться на кухню, когда там никого не было, и наскоро записывать пришедшие на ум стихотворные или прозаические строчки на столе для разделки продуктов. Она часто впадала в панику, думая о том, что ей не хватит времени закончить все залежавшиеся рукописи. «... У меня третий месяц нет своего угла, и поэтому я очень мало сделала за это лето, хотя как будто было много свободного времени, — жалуется она Вере Буниной в письме от 28-го августа 1935 года. — <...> Приходили, конечно, стихотворные строки, но — как во сне. Иногда — и чаще — так же и уходили. Ведь стихи сами себя не пишут. <...> Отрывки заносились в тетрадь. Когда 8 строк, когда 4, а когда и две. Временами стихи — прорывались, либо я попадала — в поток. Тогда были — циклы, но опять-таки — ничего не дописывалось: сплошные пробелы: то этой строки, то целого четверостишия, т.е. в конце концов — черновик.

Наконец — я испугалась. А что, если я — умру? Что же от этих лет — останется? (Зачем я жила??) И — другой испуг: а что, если я — разучилась? Т. е. уже не в состоянии написать цельной вещи: дописать. А что, если я до конца своих дней обречена на — отрывки?

И вот этим летом стала — дописывать. Просто: взяла тетрадь и — с первой страницы. Кое-что сделала: кончила. Т. е. есть ряд стихов, которые — есть. Но за эти годы — заметила — повысилась и моя требовательность: и слуховая и смысловая. Вера! Я день (у стола, без стола, в море, за мытьем посуды — или головы — и т.д.) ищу эпитета, т.е. ОДНОГО слова: день — и иногда не нахожу и — боюсь, но это, Вера, между нами — что я кончу, как Шуман, который вдруг стал слышать (день и ночь) в голове, под черепом — трубы и ut bemol — и даже написал симфонию en ut bemol — чтобы отделаться — но потом ему стали являться ангелы (слуховые) — и он забыл, что у него жена — Клара, и шестеро детей, вообще — всё — забыл, и стал играть на рояле — вещи явно младенческие, если бы не были — сумасшедшие. И бросился в Рейн (к сожалению — вытащили). И умер как большая отслужившая вещь.

Есть, Вера, переутомление мозга. И я — кандидат. (Если бы Вы видели мои черновики, Вы бы не заподозрили меня в мнительности. Я только очень сознательна и знаю свое уязвимое место.)

Поэтому — мне надо торопиться. Пока еще я — владею своим мозгом, а не он — мной, не то — им. Читая конец Шумана, я всё — узнавала. Только у него громче и грознее — п.ч. музыка: достоверный звук.

Но — пожалуйста — никому ничего. Во всяком случае, пока — я справляюсь».[1]

_____

[1] Цитируется по книге: Марина Цветаева. Собрание сочинений в семи томах. Том 7. Письма. М., Эллис Лак, 1995, стр. 292—294. (*Примеч. переводчика.*)

Однако, по настоянию Мура, она решилась все-таки войти в воду. Пробковый спасательный круг поддерживал ее на поверхности моря, и ежедневное барахтанье в волнах примирило ее с Лазурным берегом. Но это не снимало внутреннего стремления поскорее воссоединиться со своим плодотворным ванвским одиночеством, со своими рукописями, вернуться к своим привычкам, своему мужу, своей дочери, ставшими вдруг такими далекими, такими отсутствующими в ее жизни. И вот она вернулась в дом 33 по улице Жана-Батиста Потена. Вернулась и — с горечью констатировала, что связь ее с Сергеем и Ариадной по-прежнему очень тонка. Отец и дочь объединились, их одолевала одна и та же навязчивая идея: уехать в СССР! Ну и прекрасно, в конце концов, это их дело, думала Марина. Но как быть ей самой — следовать за ними или оставаться во Франции с Муром, который теперь тоже стал оказывать ей сопротивление? Не находя решения, бросаясь из одной крайности в другую, она пишет Анне Тесковой: «Вкратце: и Сергей Яковлевич, и Аля, и Мур — рвутся. Вокруг — угроза войны и революции, вообще — катастрофических событий. Жить мне — одной — здесь не на что. Эмиграция меня не любит. «Последние Новости» (единственное платное место: шутя могла бы одним фельетоном в неделю зарабатывать 1800 франков в месяц) — Последние Новости (Милюков) меня выжили: не печатаюсь больше никогда. Парижские дамы-патронессы меня терпеть не могут — за независимый нрав.

Наконец, — у Мура здесь никаких перспектив. Я же вижу этих двадцатилетних — они в тупике.

В Москве у меня сестра Ася, которая меня

любит — м.б. больше, чем своего единственного сына. В Москве у меня — всё-таки — круг настоящих читателей, не обломков. (Меня здешние писатели не любят, не считают своей.)

Наконец — природа: просторы.

Это — за.

Против: Москва превращена в Нью-Йорк, в идеологический Нью-Йорк, — ни пустырей, ни бугров — асфальтовые озера с рупорами громкоговорителей и колоссальными рекламами: нет, не с главного начала: Мур, которого у меня эта Москва сразу, всего, с головой отберет. И второе, главное: я — с моей Furchtlosigkeit[1], я, не умеющая не-ответить, не могущая подписать приветственный адрес великому Сталину, ибо не я его назвала великим и — если даже велик — это не мое величие — м. б. важней всего — ненавижу каждую торжествующую, казенную церковь.

И — расстанусь с Вами: с надеждой на встречу! — с А. И. Андреевой, с семьей Лебедевых (больше у меня нет никого).

— Вот. — <..>

...Может быть — так и надо. Может быть — последняя (— ли?) Kraftsprobe?[2] Но зачем я тогда — с 18 лет растила детей? Закон природы? Неутешительно. <..>

Положение двусмысленное. Нынче, например, читаю на большом вечере эмигрантских поэтов (все парижские, вплоть до развалины Мережковского, когда-то тоже писавшего стихи). А завтра (не знаю — когда) по просьбе своих — на каком-то возвращенческом вечере (NB! Те же

---

[1] Бесстрашие (нем.).

[2] Проба сил (нем.).

стихи — и в обоих случаях — безвозмездно) — и может выглядеть некрасивым.

Это всё меня изводит и не дает серьезно заняться ничем».[1]

Несколько дней спустя она дополняет в новом письме Тесковой этот анализ ситуации, которую считает совершенно безнадежной: «Дорогая Анна Антоновна! Живу под тучей — отъезда. Еще ничего реального, но мне — для чувств — реального не надо.

Чувствую, что моя жизнь переламывается пополам и что это ее — последний конец.

Завтра или через год — я всё равно уже не здесь («на время не стоит труда...») и всё равно уже не живу. Страх за рукописи — что-то с ними будет? Половину — нельзя везти! А какая забота (любовь) — безумная жалость к последним друзьям: книгам — тоже половину нельзя везти! — и какие оставить?? — и какие взять?? — уже сейчас тоска по здешней воле; призрачному состоянию чужестранца, которое я так любила (stranger hear)[2] ... состоянию сна или шапки-невидимки... Уже сейчас тоска по последним друзьям: Вам, Лебедевым, Андреевой (все это мне дала Прага, Париж не дал никого: что дал (Гронского) взял...)

Уже сейчас ужас от веселого самодовольного... недетского Мура — с полным ртом программных общих мест...

...Мне говорят: а здесь — что? (дальше).

— Ни-че-го. Особенно для такого страстного и своеобразного мальчика-иностранца. Знаю, что

---

[1] Письмо от 15 февраля 1936 года. Цитируется по книге: Марина Цветаева. Собрание сочинений в семи томах. Том 6. Письма. М., Эллис Лак, 1995, стр. 433—434. (*Примеч. переводчика.*)

[2] Чужой здесь (*англ.*).

отчуждение все равно — будет и что здешняя юношеская пошлость отвратительнее тамошней базаровщины, — вопрос только во времени: там он уйдет сразу, здесь — оттяжка...

(Не дал мне Бог — слепости!)

Так, тяжело дыша, живу (не-живу). <..>

Сергея Яковлевича держать здесь дольше не могу — да и не держу — без меня не едет, чего-то выжидает (моего «прозрения»), не понимая, что я — такой умру.

Я бы на его месте: либо — либо. Летом еду. Едете?

И я бы, конечно, сказала — да, ибо — не расставаться же. Кроме того, одна я здесь с Муром пропаду.

Но он этого на себя не берет, ждет, чтобы я добровольно — сожгла корабли (по нему: распустила все паруса). <..>

Мур там будет счастлив. Но сохранит ли душу живу (всю!).

Вот французский писатель Мальро вернулся — в восторге. Марк Львович ему: — А — свобода творчества? Тот: — О! Сейчас не время...

Сколько в мире несправедливостей и преступлений совершалось во имя этого сейчас — часа сего!

— Еще одно: в Москве жить я не могу: она — американская (точный отчет сестры).

Сергей Яковлевич предлагает — Тифлис. (Рай). — А Вы? — А я — где скажут: я давно перед страной в долгу.

Значит — и жить вместе, ибо я в Москву не хочу: жуть! (Детство — юность — Революция —

три разные Москвы: точно живьем в сон, сны — и ничто не похоже! все — неузнаваемо!)

Вот — моя личная погудка...»[1]

Парализованная слишком высокой ценой, в какую могли обойтись колебания, Марина все-таки не теряла времени зря: она закончила эссе о недавно умершем писателе Михаиле Кузмине — «Нездешний вечер», а кроме того, согласилась прочесть на литературном вечере у друзей — тех самых Лебедевых, которых упоминала в письмах к Тесковой, — свое новое произведение, стихи о трагической участи императорской семьи. Вот как об этом вспоминает Марк Слоним: «В 1936 году, когда Аля готовилась к отъезду, а Сергей Яковлевич уже служил в Союзе возвращения на родину и вовсю уже сотрудничал с большевиками, М. И. закончила поэму об убийстве царской семьи и решила прочитать ее у Лебедевых, но попросила, чтобы среди немногих приглашенных на этот вечер обязательно был я.

М.И. объяснила мне, что мысль о поэме зародилась у нее давно как ответ на стихотворение Маяковского «Император». Ей в нем послышалось оправдание страшной расправы как некоего приговора истории. Она настаивала на том, что уже неоднократно высказывала: поэт должен быть на стороне жертв, а не палачей, и если история жестока и несправедлива, он обязан пойти против нее.

Поэма была длинная, с описаниями Екатеринбурга и Тобольска, напоминавшими отдельные места из цветаевской «Сибири», написанной

---

[1] Письмо от 29 марта 1936 года. Там же, стр. 436—437. (*Примеч. переводчика.*)

в 1930 году и напечатанной в «Воле России» (кн.3—4, 1931). Почти все они показались мне очень яркими и смелыми. Чтение длилось больше часу, и после него все тотчас же заговорили разом. Лебедев считал, что — вольно или невольно — вышло прославление царя. М.И. упрекала его в смешении разных плоскостей — политики и человечности. Я сказал, что некоторые главы взволновали меня, они прозвучали трагически и удались словесно. М. И. быстро повернулась ко мне и спросила: «А вы бы решились напечатать поэму, если бы у вас был сейчас свой журнал?» Я ответил, что решился бы, но с редакционными оговорками — потому что поэма независимо от замысла и желаний автора была бы воспринята как политическое выступление. М. И. пожала плечами: «Но ведь всем отлично известно, что я не монархистка, меня и Сергея Яковлевича теперь обвиняют в большевизме». Тут все наперебой начали ее убеждать: дело не в том, что вы думаете, а какое впечатление производят ваши слова. Как всегда спокойная Маргарита Николаевна Лебедева умерила наш пыл: спор ведь оставался чисто теоретическим, поэму все равно негде было печатать. М.И. задумалась, потом с усмешкой заметила, что, пожалуй, когда-нибудь напишут на первой странице: «Из посмертного наследия Марины Цветаевой». Но этому предсказанию не суждено было сбыться. Перед отъездом М. И. в Россию, в 1939 году, поэма об убийстве царской семьи и значительное количество стихов и прозы, которые М. И. справедливо сочла «неподходящими для ввоза в СССР», были — при содействии наших иностранных друзей — отосланы для сохранения в международный социалистический архив в Амстердаме: его разбомбили гитлеровские летчики во время оккупации Голландии, и все материалы погибли в огне.

Странная участь постигла длинное письмо, посланное мне М.И. на другой день после чтения поэмы; она в нем с горячностью защищала право поэта говорить безбоязненно обо всем, о чем не полагается и как «ему поется». И это, и все другие письма Цветаевой ко мне на литературные и личные темы (их было свыше полутораста) я дал на сохранение вместе с архивом «Воли России» одному моему парижскому знакомому А. С. С-ву. После войны он уехал в СССР и либо уничтожил то, что я ему вверил, либо увез все с собой. Я все еще надеюсь, что весь этот очень ценный материал не погиб и в будущем отыщется в каких-нибудь советских литературных архивах».

15 февраля 1936 года Марина приняла участие в публичных чтениях в пользу поэтов-эмигрантов (не получив за это ни копейки), а назавтра — нисколько не заботясь о том, каковы будут последствия этого ее поступка, — в литературном вечере, организованном приверженцами «Союза возвращения на родину». Тоже, естественно, не за деньги. Читала в обоих случаях одно и то же. Этот — последний — вечер проводился в одной из квартир дома 12 по улице Бюси, снятой посольством СССР во Франции. Марина, согласившись там выступить, отлично сознавала, что поддерживает Сережу в деле политического обращения эмигрантов в другую веру, которому тот рьяно служил. Она оправдывала мужа тем, что его прошлое добровольца Белой Армии позволяет ему без ущерба для чести приближаться к красным, а еще тем, что то мизерное жалова-

нье, которое он за это, возможно, получает, вовсе не плата за предательство (оно стоило бы куда дороже), а оплата попытки разумного примирения сторон. Однако русская диаспора в массе все чаще и все более открыто упрекала семью Эфронов в том, что они ведут двойную игру, в чем Марина отказывается сознаваться.

Другие выступления Марины перед читательской аудиторией состоялись в Бельгии, и поехала она туда по просьбе Зинаиды Шаховской. На этот раз публика была не такой настороженной. Цветаева читала свою прозу, в том числе и некоторые вещи, написанные по-французски. Выступления были достойно оплачены организаторами, и благодаря этой «манне небесной» Марина смогла купить кое-какие одежки Муру, которому до того было просто нечего надеть на себя, а ведь надо было, чтобы мальчик прилично выглядел, когда появится перед глазами своих советских «земляков».

Вернувшись после бельгийских «гастролей», Марина 7-го июля повезла Мура в Море-сюр-Луан, маленький средневековый городок неподалеку от Фонтенбло, южнее Парижа, надеясь там как следует поработать над переводами Пушкина на французский и несколько недель отдохнуть. Но пробыли мать и сын там недолго: проливные дожди заставили их уже 31 июля вернуться в Ванв.

Но и эти доставшиеся ей три недели единоличного обладания сыном Марина постаралась использовать как можно более полно. Преследуемая идеей об ожидающей их разлуке, она стремилась каждую минуту приласкать ребенка, потрогать его, вдохнуть его запах. Она хотела надышаться Муром и никогда еще настолько не чувствовала себя Матерью. Однако и тут — достаточно было искры, чтобы вспыхнуло пламя новой любви, хотя чему тут удивляться: сама того не понимая, Цветаева только и ждала долгие месяцы подходящего случая, чтобы загореться снова. И вот в Море-сюр-Луан она получает письмо от молодого русского поэта Анатолия Штейгера, который лечится от туберкулеза в швейцарском санатории, и сразу же впадает в экзальтацию от одной мысли о том, какое счастье сможет дать этому неизвестному ей больному юноше.

Получив сборник отчаянно-грустных стихов Штейгера, она убедила себя в том, что он гениален и что посему она должна — как собрат по перу и как опытная женщина — лететь к нему на помощь. В полубезумном письме Марина предложила ему материнскую любовь и бескорыстную поддержку, взяв его под крыло, поскольку в карьере неизбежны всякого рода козни. Осознание того, что она может быть снова кому-то нужна и полезна, сделало юношу для нее незаменимым. И она принялась каждый день писать своему очаровательному ученику, стараясь вернуть ему вкус к жизни. «... — и если я сказала мать, — пишет Цветаева Штейгеру, — то потому, что это слово самое вмещающее и обнимающее, самое обширное и подробное, и — ничего не изымающее. Слово, перед которым все, все другие слова — границы.

И хотите Вы или нет, я Вас уже взяла туда внутрь, куда беру все любимое, не успев рассмотреть, видя уже внутри. Вы — мой захват и улов, как сегодняшний остаток римского виадука с бьющей сквозь него зарею, который окунула внутрь вернее и вечнее, чем река Loing, в которую он вечно глядится.

Это мой захват — не иной. (В жизни я, может быть, никогда не возьму Вашей руки, которая — вижу — будет от меня на пол-аршина расстояния, вполне достижима, так же достижима, как мундштук, который непрерывно беру в рот. Взять вещь — признать, что она вне тебя, и не «признать», а тем самым жестом — «изъять»: переместить в разряд внешних вещей. С этой руки-то все расставания и начинаются. Но, зная, что, может быть, все-таки возьму — потому что как же иначе дать?.. хотя бы — почувствовать.) <..>

Я — годы — по-моему, уже восемь лет — живу в абсолютном равнодушии, т.е. очень любя того и другого и третьего, делая для них всех все, что могу, потому что надо же, чтобы кто-нибудь делал, но без всякой личной радости — и боли: уезжают в Россию — провожаю, приходят в гости — угощаю.

Вы своим письмом пробили мою ледяную коросту, под которой сразу оказалась моя родная живая бездна — куда сразу и с головой провалились — Вы».[1] И доходит до признания? «Я иногда думаю, что Вы — я, и не поясняю. Когда Вы будете не я — спрашивайте».[2] И посвящает ему цикл «Стихи сироте».

> Наконец-то встретила
> Надобного — мне:
> У кого-то смертная
> Надоба — во мне.

[1] Цитируется по книге: Марина Цветаева. Собрание сочинений в семи томах. Том 7. Письма. М., Эллис Лак, 1995, стр. 566. (*Примеч. переводчика.*)

[2] Там же, стр. 569.

Что для ока — радуга,
Злаку — чернозем —
Человеку — надоба
Человека — в нем.

Мне дождя и радуги,
И руки — нужней
Человека надоба
Рук — в руке моей.

Это — шире Ладоги
И горы верней —
Человека надоба
Ран — в руке моей.

И за то, что с язвою
Мне принес ладонь —
Эту руку — сразу бы
За тебя в огонь![1]

И еще:

В синее небо ширя глаза —
Как восклицаешь: — Будет гроза!

На проходимца вскинувши бровь —
Как восклицаешь: — Будет любовь!

Сквозь равнодушья серые мхи —
Так восклицаю: — Будут стихи![2]

Как и многие другие до него, Анатолий Штейгер испугался этой тяжеловесной страсти. Он-то думал напиться прохладной воды из родника, а вместо этого ему плеснули в лицо кипящей — из гейзера. Чересчур слабый, чтобы противостоять вулканическому темпераменту Марины, он отступил. Когда она объявила, что приедет в Швейцарию повидаться с ним, — перестал писать, не

[1] Шестое стихотворение цикла написано 11 сентября 1936 года.

[2] Датировано 1936 годом, без номера.

объяснив причины. И — обиженная, раздосадованная — она пишет ему прощальное письмо:

«<..> Мне для дружбы, или, что то же, — службы — нужен здоровый корень. Дружба и снисхождение, только жаление — унижение. Я не Бог, чтобы снисходить. Мне самой нужен высший или по крайней мере равный. О каком равенстве говорю? Есть только одно — равенство усилия. Мне совершенно все равно, сколько Вы можете поднять, мне важно — сколько Вы можете напрячься. Усилие и есть хотение. И если в Вас этого хотения нет, нам нечего с Вами делать».[1]

Вот так — буквально за день — половодье чувств влюбленной женщины уступило место выговору, сделанному оскорбленной гувернанткой. Но Марина в обеих ролях была естественна.

---

[1] Письмо написано в сентябре 1936 года, после него от нее ему было еще три (последнее — в январе 1937-го, в промежутке Цветаева и Штейгер виделись в Париже). Данное письмо — то, что и вызывало размолвку между ними: о желании Анатолия встретиться с Адамовичем, которого Марина Ивановна считала не по-евангельски «нищим духом», и потому всякого, кто мог иначе к нему относиться, даже «сына» своего Штейгера, полным ничтожеством. Так что не Штейгер отвернулся от Марины, а наоборот, и на присланное им в ответ оправдание (единственное сохранившееся письмо), несмотря на то что и здесь звучит: «Я Вас из сердца не вырвала и не вырву никогда», прозвучало и уже трезвое: «... есть вещи, которые я *не могу* перенести, например — физически, на строке — себя и Адамовича вместе. Мой первый ответ: там, где нужен Адамович, не нужна я, упразднена я, возможен Адамович — невозможна я. <...> ...в *таких* руках видеть *мое чудо* — и знать, что из этих рук (даже не держащих! Уже заведомо — выронивших!) не вырвать — потому что другому в этих руках (*которых — нет*) — хорошо — бесполезное — и унизительное — и развращающее страдание. Тут только одно — отойти». Позднее, в письме к Ю. Иваску, Цветаева назовет Штейгера выкормышем Адамовича. Цитируется по книге: Марина Цветаева. Собрание сочинений в семи томах. Том 7. Письма. М., Эллис Лак, 1995, стр. 618, 620. (*Примеч. переводчика.*)

Даже в тех случаях, когда речь шла о самых близких людях, она в равной мере осыпала их ласками и призывала к порядку. В письме к любимому и давнему другу Анне Тесковой она подводит итог своего нового любовного краха: «Месяца два назад, после моего письма к Вам еще из Ванва, получила — уже в деревне — письмо от брата Аллы Головиной — она урожденная Штейгер, воспитывалась в Моравской Тшебове — Анатолия Штейгера, тоже пишущего — и лучше пишущего: по Бему — наверное — хуже, по мне — лучше.

Письмо было отчаянное: он мне когда-то обещал, вернее, я у него попросила — немецкую книгу — не смог — и вот, годы спустя[1] — об этом письмо — и это письмо — вопль. Я сразу ответила — отозвалась всей собой. А тут его из санатории спешно перевезли в Берн — для операции. Он — туберкулезный, давно и серьезно болен — ему 26 или 27 лет. Уже привязавшись к нему — обещала писать ему каждый день — пока в госпиталь, а госпиталь затянулся, да как следует и не кончился — госпиталь — санатория — невелика разница. А он уже — привык (получать) — и мне было жутко думать, что он будет — ждать. И так — каждый день, и не отписки, а большие письма, трудные, по существу: о болезни, о писании, о жизни — всё сызнова: для данного (трудного) случая. Усугублялось все тем, что он сейчас после полной личной катастрофы — кого-то любил, кто-то бро-

[1] Цветаева и Штейгер встречались еще зимою 1931—1932 годов: упоминание об этом есть в письме Анне Тесковой от 1 января 1932 года. См. книгу: Марина Цветаева. Собрание сочинений в семи томах. Том 6. Письма. М., Эллис Лак, 1995, стр. 400 и 498. (*Примеч. переводчика.*)

сил (больного!) — только об этом и думает и пишет (в стихах и в письмах). Мне показалось, что ему от моей устремленности — как будто — лучше, что — оживает, что — м. б. — выживет — и физически и нравственно — словом, первым моим ответом на его первое письмо было: — Хотите ко мне в сыновья? — И он, всем существом: — Да.

Намечалась и встреча. То он просил меня приехать к нему — невозможно, ибо даже если бы мне дали визу, у меня не было с собой заграничного паспорта — то я звала (мне обещали одолжить денег) — и он совсем было приехал (он — швейцарец и эта часть ему легка) — но вдруг, после операции, ухудшение легких — бессонница — кашель — уехал к себе (санатория в бернском Oberland...е). Дальше — письма, что м.б. на зиму приедет в Leisyn, и опять — зовы. Тогда я стала налаживать свою швейцарскую поездку этой осенью, из Парижа, — множество времени потратила и людей вовлекла — осенью оказалось невозможно, но вполне возможно — в феврале (пушкинские торжества, вернее — поминание, а у меня — переводы). Словом, радостно пишу ему, что всё — сделано, что в феврале — встретимся — и ответ: Вы меня не так поняли — а впрочем, я и сам точно не знал — словом (сейчас уже я говорю), в ноябре выписывается совсем, ибо легкие — что осталось — залечены, и процесса — нет. Доктор хочет, чтобы он жил зиму в Берне, с родителями, — и родители тоже, конечно — он же сам решил — в Париж.

— п. ч. в Париже — Адамович — литература — и Монпарнас — и сидения до 3 ч. ночи за 10-й чашкой черного кофе —

— п. ч. он все равно (после той любви) — мертвый... <..>

Вот на что я истратила и даже растратила большую часть моего лета.

На это я ответила — правдой всего существа. Что нам не по дороге: что моя дорога — и ко мне дорога — уединенная. И всё о Монпарнасе. И все о душевной немощи, с которой мне нечего делать. И благодарность за листочек с рильковской могилы. И благодарность за целое лето — заботы и мечты. И благодарность за правду.

Вы, в открытке, дорогая Анна Антоновна, спрашиваете: М.б. большое счастье?

И задумчиво отвечу: Да. Мне поверилось, что я кому-то — как хлеб — нужна. А оказалось — не хлеб нужен, а пепельница с окурками: не я — а Адамович и Comp.

Горько. — Глупо. — Жалко»[1].

Разочарованная в любви, Марина чувствовала себя все неувереннее перед агрессивным упорством мужа и дочери, желавших покинуть Францию. Чем больше проходило времени, тем меньше оказывалась она способна оказывать им сопротивление. Шли дни, чуть ли не сутками напролет взвешивала она мысленно каждое «за» и каждое «против», и дилемма казалась ей с течением вре-

---

[1] Письмо из Савойи от 16 сентября 1936 года. Цитируется по книге: Марина Цветаева. Собрание сочинений в семи томах. Том 6. Письма. М., Эллис Лак, 1995, стр. 440—442. (*Примеч. переводчика.*)

мени все более неразрешимой, все более трагичной. Еще в феврале 1928 года она утверждала, что в России была поэтом без книг, а за границей — поэтом без читателей. А тремя годами позже без конца объясняла всем подряд: нет, в Россию ей ехать нельзя, пусть даже здесь она бесполезна, потому что там она — невозможна! Теперь случались моменты, когда Цветаевой казалось, будто она все-таки отыскала способ найти квадратуру круга. Когда, скажем, осенью 1933 года в прессе появилась информация о мужественно терпящей бедствие полярной экспедиции, возглавляемой выдающимся советским исследователем Арктики Отто Шмидтом и заброшенной дрейфующими льдинами в Чукотское море, экспедиции, начальной целью которой было пройти за одну навигацию Северный морской путь на пароходе «Челюскин», когда стало известно, что у одной из участниц этой экспедиции в самое трудное для всех время родилась дочь, когда в феврале 1934-го мир радостно встретил весть о спасении советскими летчиками всех челюскинцев, — обуреваемая пламенным патриотизмом Марина написала:

> Челюскинцы! Звук —
> Как сжатые челюсти.
> Мороз из них прет,
> Медведь из них щерится.
>
> И впрямь челюстьми
> — На славу всемирную —
> Из льдин челюстей
> Товарищей вырвали!
>
> На льдине (не то
> Что — черт его — Нобиле!)
> Родили — дитё
> И псов не угробили —

На льдине!
Эол
Доносит по кабелю:
— На льдов произвол
Ни пса не оставили!

И спасши (мечта
Для младшего возраста!),
И псов и дитя
Умчали по воздуху.

— «Европа, глядишь?
Так льды у нас колются!»
Щекастый малыш,
Спеленатый — полюсом!

А рядом — сердит
На громы виктории —
Второй уже Шмидт
В российской истории:

Седыми бровьми
Стесненная ласковость...
Сегодня — смеюсь!
Сегодня — да здравствует

Советский Союз!
За вас каждым мускулом
Держусь — и горжусь:
Челюскинцы — русские![1]

Неудовлетворенная тем, что бросила вызов всей эмиграции такими прославляющими Советы стихами, она еще и уточняет в адрес корреспондента-скептика: «Вы меня своим укором о челюскинцах задели за живое мясо совести и за живую жилу силы. Ведь многие годы уже я — лирически — крепко сплю... Степень моего одиночества здесь и на свете Вы не знаете... и вот — Ваш оклик: запрос! А теперь я написала Челюскинцев — не я написала, сами написались! С настоя-

---

[1] Стихотворение написано 3 октября 1934 года.

щим наслаждением... думаю, как буду читать эти стихи — здесь. Последним. Скоро».[1]

Как она и ожидала, «весь-мир» ополчился на нее за подобный энтузиазм. А она... Она не могла ни винить тех, кто осуждал ее за симпатии к Советам, ни отказаться от критики в адрес пугающей осторожности тех, кто, дрожа за собственную шкуру и удобное место под солнцем, воздерживался от того, чтобы попросту с тихой радостью слинять, ничем себя не проявив. Душевные и мысленные метания в конце концов доводили ее до головокружения. Она мечтала о том, чтобы внешние события сами заставили ее выбрать путь. Орел или решка? Жить и умереть, томясь на медленном огне, оставаясь во Франции или взойти на пылающий костер в России?

Примерно в то же время Цветаева заносит в одну из своих записных книжек отчаянные строки о том, что — будь ей дана возможность выбирать между тем, чтобы никогда больше не увидеть России, и тем, чтобы никогда больше не увидеть своих черновых тетрадей, она ни минуты не колебалась бы и, совершенно очевидно, сказала бы, что Россия обойдется без нее, тогда как черновые тетрадки на это неспособны. К тому же, продолжала Марина развивать эту мысль: «я без России обойдусь, без тетрадей — нет...»[2], и гово-

---

[1] Цветаева не сразу отозвалась на вызвавшее эхо во всем мире чрезвычайное событие, и только осенью в ответ на упрек молодого поэта Алексея Эйснера в том, что она прошла мимо такой романтичной истории, сочинила это — одно из самых слабых своих — стихотворение. Письмо ее Эйснеру цитируется здесь по книге: Анна Саакянц. «Марина Цветаева. Жизнь и творчество». М., Эллис Лак, 1999, стр. 602. (*Примеч. переводчика.*)

[2] Там же, стр. 697.

рила она так потому, что именно в черновых записях, и только в них всё для нее обретало жизнь и смысл.

Однако в эмигрантской среде растет возмущение Советским Союзом, который теперь решился устраивать облавы на врагов режима и преследовать их прямо под носом у французского правительства — без всякого стыда и зазрения совести. Еще помнилось дерзкое похищение чекистами 26 января 1930 года в самом центре Парижа генерала Кутепова, когда поползли слухи, будто сменившему его на посту председателя Русского общевоинского союза генералу Миллеру тоже грозит опасность. Эмигранты из России, чувствовавшие себя до поры до времени в безопасности на французской территории, теперь были сильно обеспокоены снисходительным отношением гошистского правительства Леона Блюма к Советскому Союзу, который вел себя все более активно и нагло.

Казалось, обстановка сама подталкивает вчерашних изгнанников к возвращению в родные края. Обгоняя мать и отца, Ариадна запросила визу на въезд в СССР. Перед этим они с Сергеем много и подолгу разговаривали. Снизив голос до шепота, Эфрон жаловался дочери, что запутался в своих отношениях с Советским Союзом, «как муха в паутине», советовал прислушиваться только к голосу своего патриотизма и немедленно мчаться в Москву. Но не следует, уточнял он, пересказывать их беседы Марине. Аля обещала. Впрочем, ей это было нетрудно: теперь уже у нее почти и не было никаких контактов с матерью, слишком многое их разделяло: вкусы, пристрастия, убеждения, возраст... Стоило Ариадне поступить на службу ассистенткой к зубному врачу, Марина принялась всячески препятствовать ее работе «вне дома». Ариадна вспомнит потом, что мать нуждалась в том, чтобы она все время находилась дома, вспомнит, как на материнское: «Выбирай — работа или дом, но — если ты выберешь работу, — все между нами кончено!» — в том же тоне ответила: «Тогда я выбираю работу!» И как после этой своей первой демонстрации независимости сама жизнь вынудила ее пойти еще дальше. Она понимала, что станет свободной женщиной только в том случае, если поставит нерушимый барьер между собой и родителями. Поддержка отца придавала ей сил, и она ускорила сборы к отъезду. У Марины уже не хватало мужества ее удерживать и уговаривать. Добившись полного развала семьи, эта двадцатипятилетняя девушка просто сияла от счастья. В письме к Анне Тесковой от 2 мая 1937 года Цветаева, описывая Алин сравнительно недавний отъезд, говорит, что так весело едут разве что в свадебное путешествие, да и то не все, и рассказывает о сборах: «Повторю вкратце: получила паспорт, и даже — книжечкой (бывают и листки), и тут же принялась за оборудование. Ей помогли — все: начиная от С.Я., который на нее истратился до нитки, и кончая моими приятельницами, из которых одна ее никогда не видела... У нее вдруг стало все: и шуба, и белье, и постельное белье, и часы, и чемоданы, и зажигалки — и все это лучшего качества, и некоторые вещи — в огромном количестве. Несли до последней минуты, Маргарита Николаевна Лебедева (Вы, м.б., помните ее по Праге, «Воля России») с дочерью принесли ей на вокзал новый чемодан, полный вязаного и шелкового белья и т.п. Я в жизни не видела столько новых вещей сразу. Это было настоящее приданое. Видя, что мне не угнаться, я скромно подарила ей ее давнюю мечту — собственный граммофон, для чего накануне поехала за тридевять земель на Marché aux Puces (живописное название здешней Сухаревки), весь рынок обойдя и все граммофоны переиспытав, наконец нашла — лучшей англо-швейцарской марки, на манер чемодана, с чудесным звуком. В вагоне подарила ей последний подарок — серебряный браслет и брошку — камею — и еще — крестик — на всякий случай».[1]

Теперь блудной дочери было с чем возвращаться в СССР. Она уехала 15 марта 1937 года.

А Марина не понимала: то ли ей восхищаться решительностью Али, то ли бояться за нее. А вдруг она собьется с дороги, запутавшись в лабиринтах советской клоаки? Но первые письма, полученные от Али из Москвы, ее успокоили: девушка поселилась у тетки, Елизаветы Эфрон, изучает английский язык, надеется найти работу с хорошим жалованьем. Но одновременно с приятными новостями пришла и горестная: Ариадна сообщила матери о смерти Софьи Голлидэй. Новость потрясла Марину, которой тут же вспомнились все подробности ее любви к «Сонечке», непосредственной свеженькой и эксцентричной молодой актрисе. И она посвятила памяти подруги длинную повесть, в которой с блеском воскресила об-

---

[1] Письмо датировано «первым днем Пасхи», цитируется по книге: Марина Цветаева. Собрание сочинений в семи томах. Том 6. Письма», М., Эллис Лак, 1995, стр. 451. (*Примеч. переводчика.*)

раз этого полуребенка, всегда готового с ходу рассмеяться или заплакать.

Отдав долг благодарности дорогой ее сердцу тени, Марина отправилась с Муром отдыхать на Атлантическое побережье — в поселок Лакано-Осеан (департамент Жиронда). Во Франции тогда началась благословенная эпоха первых «оплачиваемых отпусков». Ну как же не последовать общему движению, даже если у тебя нет постоянной службы с постоянной зарплатой? У Сергея — была, однако он упрямился и не хотел покидать Париж. Говорил, что его здесь удерживают дела чрезвычайной важности. Что еще за дела? Марина предпочитала об этом не задумываться — не видеть, не слышать, что происходит. Потому что именно тем летом ее мужу, которого уже давно завербовали и взяли на довольствие агенты секретных служб СССР, было поручено — вместе с группой специалистов по «мокрым делам» — ликвидировать некоего Игнатия Рейсса (он же — и это настоящее имя — Людвиг Порецкий), бывшего советского шпиона, который, прозрев, понял, что служит не мировой революции, а кровавому сталинскому режиму, и, написав об этом послание в ЦК ВКП, попытался скрыться с женой и ребенком. Началась охота за предателем. Руководил слежкой Сергей Эфрон.

Рейсс скрывался в Швейцарии, неподалеку от Лозанны. Ему была назначена встреча, на самом деле оказавшаяся ловушкой. Непосредственно в убийстве Эфрон участия не принимал, и вообще, как позже выяснилось, роль его во всем этом деле была довольно скромной, но и ее хватило для скандала.

Тело Рейсса, прошитое пулями, было обнаружено в ночь с 4 на 5 сентября 1937 года на шоссе в Пюлли под Лозанной. Сразу было установлено, что находившийся при нем паспорт на имя чешского коммерсанта Эберхардта — фальшивый. И началось следствие — сразу в двух странах: Швейцарии и Франции. При первых же осмотрах труп был идентифицирован и мотивы убийства признаны исключительно политическими. Газеты единодушно обвиняли СССР, который, наплевав на принятые во всем мире законы, орудовал на территории суверенных государств. Шум нарастал, и он далеко еще не успел затихнуть, когда разразился новый потрясший общество скандал: в центре Парижа 22 сентября того же года был похищен опять же московскими агентами генерал Миллер, глава Русского общевоинского союза. Почти в точности повторилась история с его предшественником, генералом Кутеповым, бесследно исчезнувшим таким же образом в 1930 году. Заподозренный в подстрекательстве к заговору адъютант Миллера, генерал Скоблин, бежал. Его жена — певица Надежда Плевицкая, была арестована как сообщница. Все поиски Миллера ни к чему не привели, точно так же, как поиски в свое время Кутепова. Советы стали подлинными мастерами искусства похищения и политического убийства. Что же до дела Рейсса — оно шло своим чередом. Расследование, проводившееся французской полицией, позволило выйти на руководство «Союза возвращения на родину». В доме 12 по улице де Бюси, где собирались члены этого общества, 22 октября 1937 года все было перевернуто вверх дном: провели обыск.

Между тем, глава Союза, Сергей Эфрон, опасаясь, что его арестуют, срочно скрылся. По официальной версии, он перебрался через границу и присоединился к испанским повстанцам. На самом деле он отправился на такси, которое вел один из соотечественников, в Гавр и тайком отбыл оттуда на советском корабле. Когда полицейские явились в Ванв, чтобы допросить подозреваемого, они застали там только совершенно растерянную Марину. Она отказывалась верить в виновность и двуличие мужа, которого считала существом прямым и лояльным. Ее отвели в участок, засыпали вопросами. Она повторяла, что ничего не знает. А ее пылкие объяснения «по существу дела» просто-таки озадачили полицию. Она обрушила на них ворох неточных цитат из Корнеля, Расина и себя самой, а в заключение реабилитировала Сергея несколькими фразами: «Он самый честный, самый благородный, самый человечный из людей. — Но его доверие могло быть обмануто. — Мое — к нему — никогда».[1] Вероятно, искренность и полная растерянность Цветаевой убедили следователей в ее неведении, ее после многочасового допроса сразу же отпустили и довольно долго не тревожили.

Но сама Марина, вернувшись домой, несмотря на то что сгорала от стыда, страха и гнева, не хотела сдаваться без боя. И дала корреспонденту выходившей в Париже русской ежедневной газеты «Последние новости» более подробное и куда более уверенное интервью.

---

[1] Письмо к Ариадне Берг от 26 октября 1937 года. Марина Цветаева. Собрание сочинений в семи томах. Том 7. Письма. М., Эллис Лак, 1995, стр. 508. (*Примеч. переводчика.*)

Оно было помещено под шапкой «Где С. Я. Эфрон?». Опровергая слухи о том, что Сергей отбыл из Франции «не один, а с женой, известной писательницей и поэтессой М. И. Цветаевой», корреспондент, посетивший Марину, так рассказывает о встрече: «— Дней двенадцать тому назад, — сообщила нам М. И. Цветаева, — мой муж, экстренно собравшись, покинул нашу квартиру в Ванве, сказав мне, что уезжает в Испанию. С тех пор никаких известий о нем я не имею. Его советские симпатии известны мне, конечно, так же хорошо, как и всем, кто с мужем встречался. Его близкое участие во всем, что касалось испанских дел (как известно, «Союз возвращения на родину» отправил в Испанию немалое количество русских добровольцев), мне также было известно. Занимался ли он еще какой-нибудь политической деятельностью и какой именно — не знаю.

Двадцать второго октября, около семи часов утра, ко мне явились четыре инспектора полиции и произвели продолжительный обыск, захватив в комнате мужа его бумаги и личную переписку.

Затем я была приглашена в Сюртэ Насиональ, где в течение многих часов меня допрашивали. Ничего нового о муже я сообщить не могла».[1]

Однако и стойкость Марины имела предел. Вот как рассказывает историю этих жутких для Цветаевой дней Марк Слоним: «... во время допросов во французской полиции (Сюртe) она все твердила о честности мужа, о столкновении долга

[1] Цитируется по книге: Анна Саакянц. «Марина Цветаева. Жизнь и творчество». М., Эллис Лак, 1999, стр. 662—663. (Примеч. переводчика.)

с любовью и цитировала наизусть не то Корнеля, не то Расина (она сама потом об этом рассказывала сперва М.Н.Лебедевой, а потом мне). Сперва чиновники думали, что она хитрит и притворяется, но, когда она принялась читать им французские переводы Пушкина и своих собственных стихотворений, они усомнились в ее психических способностях и явившимся на помощь матерым специалистам по эмигрантским делам рекомендовали ее: «Эта полоумная русская» (cette folle Russe).

В то же время она обнаружила такое невежество в политических вопросах и такое неведение о деятельности мужа, что они махнули на нее рукой и отпустили с миром. Но все, что ей пришлось пережить этой страшной осенью, надломило М. И., в ней что-то надорвалось. Когда я встретил ее в октябре у Лебедевых, на ней лица не было, я был поражен, как она сразу постарела и как-то ссохлась. Я обнял ее, и она вдруг заплакала, тихо и молча, я в первый раз видел ее плачущей. Потом, овладев собой, начала рассказывать почти в юмористических тонах о том, что называла «несчастьем». Мура при этой беседе не было. Меня потрясли и ее слезы, и отсутствие жалоб на судьбу, и какая-то безнадежная уверенность, что бороться ни к чему и надо принять неизбежное. Я помню, как просто и обыденно прозвучали ее слова: «Я хотела бы умереть, но приходится жить ради Мура, Але и Сергею Яковлевичу я больше не нужна». Маргарита Николаевна спросила о ближайших планах. М. И. ответила, что придется ехать в Россию, а для этого надо идти в «Союз возвращения на родину», в советское консульство, все равно оставаться в Париже нельзя, и денег нет, и печататься невозможно, и затравят эмигранты, уже и сейчас повсюду недоверие и вражда».[1]

А Нина Берберова описывает последнее появление Марины в эмигрантской среде: «М.И.Цветаеву я видела в последний раз на похоронах (или это была панихида?) кн. С. М. Волконского 31 октября 1937 года. После службы в церкви на улице Франсуа Жерар (Волконский был католиком восточного обряда) я вышла на улицу. Цветаева стояла на тротуаре одна и смотрела на нас полными слез глазами, постаревшая, почти седая, простоволосая, сложив руки у груди. Это было вскоре после убийства Игнатия Рейсса, в котором был замешан ее муж, С.Я.Эфрон. Она стояла, как зачумленная, никто к ней не подошел. И я, как все, прошла мимо нее».[2]

Обвинения, выдвинутые против Сергея, его поспешное бегство в СССР, отсутствие новостей и, как казалось, интереса к оставленным им на произвол судьбы жене и сыну — ведь она не получила ни строчки с тех пор, как он их покинул, — казалось бы, должны были убить привязанность Марины к этому человеку. Однако произошло прямо противоположное. Катастрофа, разразившаяся в жизни Сергея, сделала его еще дороже Марине. Как всегда, она рассуждала следующим образом: никого нельзя оставлять в беде, побежденные всегда заслуживают большего уважения,

---

[1] М. Слоним. «О Марине Цветаевой». Цитируется по книге: «Марина Цветаева в воспоминаниях современников. Годы эмиграции». М., Аграф, 2002, стр. 142—143. (*Примеч. переводчика.*)

[2] Цитируется по книге: Мария Разумовская. «Марина Цветаева. Миф и действительность». М., Радуга, 1994, стр. 294. (*Примеч. переводчика.*)

чем победители, и, поскольку ей больше нечего делать в Париже с тех пор, как «он» в России и — совершенно очевидно — нуждается в ней, значит, надо ехать к нему. Он не может быть виновным, потому что он — сама молодость, и СССР для него предстает именно как страна молодости и обновления. Вся суть Марины была в том, что она прежде думала о других, а потом уже о себе самой. И вот она, которая столько раз плыла против течения, вливается в поток, готовая идти вслед за большинством. Но сначала надо было разобрать свои рукописи, уничтожить ненужные письма, а главное — сделать все, чтобы получить советский паспорт. В маленькой квартирке на улице Жана-Батиста Потена, между стиркой и глажкой или готовкой и прогулкой с Муром, она, задыхаясь от тоски, перебирала бумаги и тетрадки — они были свидетелями и спутниками долгого изгнания, переписывала свои произведения и думала, не признаваясь в этом Муру, который насмешливо наблюдал за матерью, была ли права, когда всетаки решилась предпочесть российскую авантюру французскому покою.

И вот с этой вот тоской, с этими дурными предчувствиями она встретила новый, 1938 год. С первых же дней его Марина поняла, что не ошибалась. 12 марта канцлер Шушниг был вынужден выйти в отставку, немецкие войска заняли Австрию, и страна приняла их как братьев; Муссолини в Риме поддержал объединение двух германских стран в единый «Великий Рейх», и Вена была украшена флагами в честь «освобождения». В то же самое время в Москве начался процесс против «троцкистов» и «правых уклонистов», завершившийся смертным приговором нескольким ветеранам революционного движения, среди которых были Бухарин, Рыков и Крестинский. Все они были сразу же расстреляны. Шакалы пожирали друг друга. Сталин торжествовал. Несмотря на возрастающую тревогу, Марина продолжала упрямо повторять себе, что все эти перипетии не должны ставить под вопрос ее решение уехать с Муром — уехать к новой жизни на родной земле, вновь засеваемой большевиками.

XV

ВОЗВРАЩЕНИЕ К РОДИНЕ-МАТЕРИ...

Гитлер был ненасытен. Проглотив Австрию, он принялся за Чехию и поддержал притязания немецкого меньшинства Богемии, которое якобы требовало его освободить. Угроза германского вторжения в страну под предлогом наведения в ней порядка вынудила чехословацкое правительство объявить 21 мая 1938 года частичную мобилизацию населения и закрыть границы. Война казалась неизбежной. И как бы героически ни повел себя народ Чехии, разве сможет он удержать натиск супервооруженных и фанатично преданных своему фюреру немецких войск? Сила Гитлера основывалась и подпитывалась как слепым доверием к нему его «подданных», так и слабостью других государств, слишком озабоченных собственной умеренностью и собственной законопослушностью, чтобы противостоять ему. Марина с тоской думала об участи дружелюбного, сердечного, мирного, цивилизованного народа этой маленькой страны, приютившей и обогревшей ее когда-то, в те времена, когда она совсем еще не понимала, куда деться... И у нее осталось там столько друзей! И ТАКИХ друзей! Ей вдруг показалось, будто это ее родина, ее родная земля подвергается смертельной опасности. Как нежная и рассудительная Анна Тескова там, в Праге, перенесет все возрастающую опасность? В порыве сочувствия и возмущения Цветаева пишет старшей подруге: «Думаю о Вас непрерывно — и тоскую, и болею, и негодую — и надеюсь — с Вами.

Я Чехию чувствую свободным духом, над которым не властны — тела.

А в личном порядке я чувствую ее своей страной, родной страной, за все поступки которой — отвечаю и под которыми — заранее подписываюсь.

Ужасное время»[1].

Ей бы хотелось думать только о том, что происходит в мире, но засасывала повседневность: приходилось на этом фоне решать давно набившие оскомину проблемы с жильем, с организацией быта. Недоброжелательство соседей, трудности Мура со школой, необходимость резко сократить расходы вынуждали к переселению. Но на этот раз и речи быть не могло о найме квартиры, которая стала бы постоянным местом жительства — нет, надо было где-то перебиться временно до отъезда в Москву. Кто порекомендовал Цветаевой убогую гостиницу «Иннова» на бульваре Пастера? Может быть, кто-то из сотрудников советского посольства? Как бы там ни было,

---

[1] Письмо от 23 мая 1938 года. Цитируется по книге: Марина Цветаева. Собрание сочинений в семи томах. Том 6. Письма. М., Эллис Лак, 1995, стр. 457. (*Примеч. переводчика.*)

обосновавшись в номере почти без удобств, она продолжала жадно поглощать газеты, слушать радио, следя за развитием чехословацкой драмы. Продолжался все тот же циничный и безжалостный шантаж со стороны Германии, и никакие усилия президента Бенеша не помогали стране устоять против него. После провала переговоров и объявления Гитлером ультиматума пражским властям в игру под названием «дипломатические торги» включились Англия и Франция. И 24 сентября Марина снова пишет Тесковой горькие, но ободряющие строки: «День и ночь, день и ночь думаю о Чехии, живу с ней, с ней и ею, чувствую изнутри нее: ее лесов и сердец. Вся Чехия сейчас одно огромное человеческое сердце, бьющееся только одним: тем же, чем и мое.

Глубочайшее чувство опозоренности за Францию, но это не Франция: вижу и слышу на улицах и площадях: вся настоящая Франция — и толпы и лбы — за Чехию и против себя. Так это дело не кончится. <...>

До последней минуты и в самую последнюю верю — и буду верить — в Россию: в верность ее руки. Россия Чехию сожрать не даст, попомните мое слово. Да и насчет Франции у меня сегодня великие — и радостные — сомнения: не те времена, чтобы несколько слепцов (один, два — и обчелся) вели целый народ — зрячих. Не говоря уж о позоре, который народ на себя принять не хочет. <...> Еще ничто не поздно: ничего не кончилось, — все только начинается, ибо французский народ — часу не теряя — спохватился еще до событий. Почитайте газеты — левые и сейчас единственно праведные, под каждым словом которых о Чехии подписываюсь обеими руками — ибо я их писала, изнутри лба и совести».[1]

Но едва она отправила это письмо, как узнала о том, что в Мюнхене между Германией, Францией и Англией, с благословения Италии, подписано соглашение, предусматривавшее удовлетворение территориальных притязаний Гитлера. В результате этого компромисса Чехия вынуждена была уступить Германии приграничную Судетскую область. Постыдная капитуляция западных стран, попавшихся на крючок жестов и речей фюрера, была воспринята Мариной как унизительное лично для нее предательство близких. И она поражалась тому, что не только французы, но даже и эмигранты вроде бы радуются этому «миру», купленному ценой истинного бесчестья. Кругом восхваляли хладнокровие и ловкость Даладье и Чемберлена, которые — один для Франции, другой для Великобритании — сумели помочь своим странам избежать кровопускания, договорившись за спиной у Чехии о некоторых «второстепенных» концессиях. И в то время как большая часть парижан, вздохнув с облегчением, пыталась убедить себя в том, что теперь-то уж аппетит Гитлера окончательно утолен, Марина выражала свое негодование в «Стихах к Чехии». Они лились каскадом — дивные строки, в которых она заклинала чешский народ хранить веру в будущее своей родины:

> Богова! Богемия!
> Не лежи, как пласт!
> Бог давал обеими —
> И опять подаст!

---

[1] Там же, стр. 458.

В клятве — руку подняли
Все твои сыны —
Умереть за родину
Всех — кто без страны![1]

Она оскорбляет Германию, она безжалостна
к ней:

ГЕРМАНИЯ

О, дева всех румянее
Среди зеленых гор —
Германия!
Германия!
Германия!
Позор!

Полкарты прикарманила,
Астральная душа!
Встарь — сказками туманила,
Днесь — танками пошла.

Пред чешскою крестьянкою —
Не опускаешь вежд,
Прокатываясь танками
По ржи ее надежд?

Пред горестью безмерною
Сей маленькой страны,
Что чувствуете, Германы:
Германии сыны??

О мания! О мумия
Величия!
Сгоришь,
Германия!
Безумие,
Безумие
Творишь![2]

---

[1] Фрагмент второго стихотворения цикла «Сентябрь», стихи
датированы «между 12 и 19 ноября 1938 года».

[2] Фрагмент стихотворения из цикла «Март», датированного
9—10 апреля 1939 года.

Первые строки этого стихотворения — это просто крик, идущий из самого сердца:

> О, дева всех румянее
> Среди зеленых гор —
> Германия!
> Германия!
> Германия!
> Позор!

А ровно за месяц до того она заранее подкрепила свою будущую инвективу вот этими строками:

ВЗЯЛИ...

Чехи подходили к немцам и плевали.

(См. мартовские газеты 1939 г.)

> Брали — скоро и брали — щедро:
> Взяли горы и взяли недра,
> Взяли уголь и взяли сталь,
> И свинец у нас, и хрусталь.
>
> Взяли сахар и взяли клевер,
> Взяли Запад и взяли Север,
> Взяли улей и взяли стог,
> Взяли Юг у нас и Восток.
>
> Вары — взяли и Татры — взяли,
> Взяли близи и взяли дали,
> Но — больнее, чем рай земной! —
> Битву взяли — за край родной.
>
> Взяли пули и взяли ружья,
> Взяли руды и взяли дружбы...
> Но покамест во рту слюна —
> Вся страна вооружена![1]

В письмах, которые Марина постоянно шлет Анне Тесковой, она сожалеет о том, что не может приехать в Прагу, чтобы разделить — с друзьями

---

[1] Стихотворение датировано 9 марта 1939 года.

и со страной — общее несчастье, тем более что в Париже она сидит без дела, никому не нужна и просто по привычке исписывает бумагу, даже и не зная толком, прочтет ли кто-нибудь когда-нибудь ее стихи. С трудом смиряясь с мыслью о том, что, скорее всего, никакие из ее рукописей не сохранятся, она пишет: «Если бы я сейчас была в Праге — и Вам было бы лучше — и мне. Здесь мое существование — совершенно бессмысленно. А там бы я с новым жаром все любила. И может быть — опять стала бы писать. А здесь у меня чувство: к чему? Весь прошлый год я дописывала, разбирала и отбирала (потом — поймете), сейчас — всё кончено, а нового начинать — нет куражу. Раз — всё равно не уцелеет. Я, как кукушка, рассовала свои детища по чужим гнездам. А растить — на убой... <...>

Всё меня возвращает в Чехию.

Я никогда, ни-ког-да, ни разу не жалела, что мне не двадцать лет. И вот, в первый раз — за все свои не-двадцать — говорю: я бы хотела быть чехом — и чтобы мне было двадцать лет: чтобы дольше — драться. В Вашей стране собрано все, что мне приходится собирать — и любить — врозь».[1]

Она боялась, что ей «заткнут рот» в России, что даже и писать-то не разрешат. Тем не менее, убеждала себя, что отступать — некуда. Когда-то она писала: «... России (звука) нет, есть буквы: СССР, — не могу же я ехать в глухое, без гласных, в свистящую гущу. Не шучу, от одной мысли

---

[1] Письмо от 26 декабря 1938 года. Цитируется по книге: Марина Цветаева. Собрание сочинений в семи томах. Том 6. Письма. М., Эллис Лак, 1995, стр. 472—473. (*Примеч. переводчика.*)

душно. Кроме того, меня в Россию не пустят: буквы не раздвинутся»[1] Теперь она переменила мнение: «свистящая гуща» СССР кажется ей предпочтительнее чрезмерной французской суеты. Здесь все живут только ради бутафории, ради второстепенного, даже эмигранты. Они заражены изысканной французской пустотой. Впрочем, теперь ей это неважно: теперь у нее нет друзей в Париже. Она для всех — в большей или меньшей степени — словно отлученная от общей жизни.

В декабре 1928 года жена писателя Георгия Федотова, зайдя к знакомой, которая жила в отеле «Иннова», узнала от той, что здесь же живет Цветаева и что, на ее взгляд, она очень несчастна. Елена Николаевна решилась, как она пишет в воспоминаниях, постучать в дверь номера:[2] «Марина Ивановна как будто обрадовалась посетительнице и стала объяснять мне, что она должна уехать в Россию, что из Кламара ей пришлось уехать из-за соседей, мальчика нельзя было держать в школе (французской?) из-за товарищей, что, наконец, ввиду надвигающейся войны она просто умрет с голоду, что и печатать ее никто не станет. Тут же она, к моей большой радости, прочла свою погребальную песню Чехии: «Двести лет неволи, двадцать лет свободы». Впоследствии

---

[1] Письмо к Анне Тесковой из Медона, датированное февралем 1928 года. Цитируется по книге: «Марина Цветаева. Собрание сочинений в семи томах. Том 6. Письма. М., Эллис Лак, 1995, стр. 366. (*Примеч. переводчика.*)

[2] Здесь в тексте, как всегда, все перевранo: якобы Федотова просто ошиблась дверью и случайно наткнулась на Марину, будучи уверена, что идет к своей знакомой! Более того, Труайя описывает беспорядок в номере и так далее, причем в абзаце авторском об этом хаосе говорится даже дважды, а этого в цитируемых им мемуарах Федотовой и вовсе нет. У меня впечатление, будто я почти все время пишу за автора другую книгу!!! (*Примеч. переводчика.*)

Ил.Ис. говорил мне, что он очень просил ее дать ему эту поэму для «Современных записок», но что она, уже приняв роковое решение, вероятно, боялась печататься в эмигрантской печати.

В комнате был ее сын, который, не стесняясь посетительницы, не только не закрыл, но даже не приглушил радио. И вдруг понеслись ужасные сообщения. Диктор рассказывал этап за этапом гибель парохода «Париж» — двойника «Нормандии». Помню ее слова: «Господи, сколько человеческого труда погибает».

На этом мы расстались. После ее отъезда разнесся слух, что, когда она уже была на пароходе, уносящем ее к роковому концу, в Париж пришло известие, что Эфрон расстрелян. Проверить этот слух, конечно, не было возможности».[1]

И заканчивает Федотова свой рассказ о посещении Марины в гостинице воспоминанием о совете, который дал в ее присутствии Цветаевой Пастернак во время встречи на Конгрессе писателей: «Марина, не езжай в Россию, там холодно, сплошной сквозняк».

Но, может быть, «сплошным сквозняком» была сама Марина? Рекомендовать ей быть благоразумной и осторожной означало побуждать к искушению дьявола. А сегодня олицетворением дьявола для нее был Сталин. Если только не Гитлер!

В Германии в это время преследование евреев вылилось в организованные погромы. Гитлер говорил об «окончательном решении еврейской

---

[1] Е. Федотова. «О Цветаевой». Цитируется по книге: «Марина Цветаева в воспоминаниях современников. Годы эмиграции». М., Аграф, 2002, стр. 309—310. (*Примеч. переводчика.*)

проблемы в Великом Рейхе». 15 марта 1939 года немецкие войска без объявления войны вторглись на территорию Богемии и Моравии, не встретив там никакого сопротивления. Под мощным ударом Запад не нашел ничего лучшего, чем умножить число встречных предложений, сводящихся к идее посредничества, в целом — угодливых и раболепных. Чем это могло помочь? Гитлер, урвав лакомый кусок, не выпустит его. Марину душил гнев. Правительство Франции состоит сплошь из ничтожеств! Даладье не тянет на вождя нации! Снова она размечталась о Наполеоне. Скорей бы в СССР! Там, по крайней мере, на самом деле есть вождь, пусть ужасный, опасный, но знающий, чего он хочет!

Наконец, Цветаева получила из советского посольства известие о том, что виза готова. В ее душе страх боролся с радостью. Друзья уже не пытались ее удерживать. Выгребая все до донышка из шкафов, занимая деньги у немногих еще остававшихся здесь почитателей ее таланта, она собрала небольшую сумму, требовавшуюся на путешествие. В начале июня 1939 года Марк Слоним пригласил Марину с Муром к себе на прощальный ужин.

«После ужина мы начали вспоминать Прагу, наши прогулки, и как однажды, засидевшись у меня до полуночи, она опоздала на поезд, я повез ее в деревню Вшеноры на таксомоторе по заснеженным зимним дорогам, и она вполголоса читала свои ранние стихи, — вспоминал Слоним в 1971 году. — Она задумалась и сказала, что это было на другой планете. Мур слушал со скучающим видом и этот разговор, и последовавшее затем чтение М. И. ее последней вещи — «Автобус». Я пришел в восторг от словесного блеска этой поэмы и ее чисто цветаевского юмора и не мог прийти в себя от удивления, что в эти мучительные месяцы у нее хватило силы и чувства комического, чтобы описать, как

> Препонам непререз
> Автобус скакал, как бес.

М. И. на мой вопрос ответила, что ей сейчас хочется написать как можно больше, ведь неизвестно, что ждет ее в Москве и разрешат ли печататься. Тут зевавший Мур встрепенулся и заявил: «Что вы, мама, вы всегда не верите, все будет отлично». М. И., не обращая внимания на сына, повторила свою давнишнюю фразу: «Писателю тем лучше, где ему меньше всего мешают писать, то есть дышать».

М. И. долго говорила о судьбе рукописей, которые она хотела оставить помимо уже отосланных в Амстердам. «Лебединый Стан», «Перекоп», вторую часть «Повести о Сонечке» и еще кое-что она собиралась отправить Елизавете Эдуардовне Малер, профессору русской литературы в Базеле, и спросила, можно ли оставить один пакет для меня у Тукалевских, ее соседей по отелю.[1] Мы засиделись допоздна. Услыхав двенадцать ударов на соседней колокольне, М. И. поднялась и сказала с грустной улыбкой: «Вот и полночь, но авто-

---

[1] Все эти рукописи хранятся в архивном отделе Базельской университетской библиотеки. Е.Э.Малер скончалась в Базеле в 1970 году, 88 лет от роду. Из-за моего отъезда из Парижа пакет с материалами я получил от Тамары Тукалевской (ныне покойной) уже после войны. Среди них была «История одного посвящения», поэма памяти Волошина и черновые тетради с вариантами и первоначальным текстом статьи о Маяковском и Пастернаке, напечатанной в «Новом граде» (1933), и другими набросками и письмами. (*Примеч. М. Слонима.*)

мобиля не надо, тут не Вшеноры, до Пастера дойдем пешком». Мур торопил ее, она медлила. На площадке перед моей квартирой мы обнялись. Я от волнения не мог говорить ни слова и безмолвно смотрел, как М. И. с сыном вошли в кабину лифта, как он двинулся, и лица их уплыли вниз — навсегда».[1]

День ото дня в убогом жилище Марины росла нищета. 13 мая 1939 года она записала — вклинив эту бытовую запись в дневник между стихами о Чехии: «13 мая 1939г., суббота. Дела — дрянь: 80 сантимов. Гм... два яйца, одна котлета, горстка риса — и Мурин аппетит. По TSF-у[2]: Visitez-visitez-Achetez-achetez.[3] И поганые, ненавистные люксовые чернила: «Bleu des Mers du Sud»[4] — не выносящие никакой бумаги, кроме пергаментной, и на которые я — обречена».[5] Сможет ли она продержаться до конца в этой давшей ей приют стране, где на самом деле жизнь оказалась сложенной лишь из сплошных трудностей, пустяков и непомерных расходов?

Дата отъезда из Парижа была назначена задолго до него: 12 июня 1939 года. Согласно намеченному плану, Марина с Муром должны были доехать в поезде от Парижа до Гавра, а там, пересев на советское судно, двинуться к Польше, из одного из портов которой — уже снова железной

---

[1] М. Слоним. «О Марине Цветаевой». Цитируется по книге: «Марина Цветаева в воспоминаниях современников. Годы эмиграции». М., Аграф, 2002, стр. 144—145. (*Примеч. переводчика.*)

[2] Радио (*франц.*).

[3] Приходите, приходите, покупайте, покупайте (*франц.*).

[4] «Синева южных морей» (*франц.*).

[5] Цитируется по книге: Анна Саакянц. «Марина Цветаева. Жизнь и творчество». М., Эллис Лак, 1999, стр. 672. (*Примеч. переводчика.*)

дорогой — они направятся прямо в Москву. За двадцать лет до того, во время большевистской революции, когда Сергей Эфрон встал на сторону белых, Марина поклялась ему: «Сереженька, если Бог сделает это чудо — оставит Вас живым — отдаю Вам всё: Ирину, Алю и себя — до конца моих дней и на все века.

И буду ходить за Вами, как собака».[1]

Теперь, перед отъездом в Россию, она перечитывает эти строки в дневнике и приписывает на полях: «И вот — иду, как собака!»[2]

А в день окончательного прощания с Парижем она рассказывает подруге — Ариадне Берг: «Нынче едем — пишу рано утром — Мур еще спит — и я разбужена самым верным из будильников — сердцем. <...> Последнее парижское утро. Прочтите в моем «Перекопе» (хорошо бы его отпечатать на хорошей бумаге, та — прах! только никому не давать с рук и никому не показывать) главку — Канун, как те, уходя, в последний раз оглядывают землянку...

«Осколки жития

Солдатского»...

— Так и я. —

Пользуюсь (гнусный глагол!) ранним часом, чтобы побыть с Вами. Оставляю Вам у М.Н.Лебедевой (ее дочь Ируся обещала занести к Вашей маме) — мою икону, два старых Croix Lorraine[3]

---

[1] Цитируется по книге: Марина Цветаева. «Неизданное. Записные книжки в двух томах. Том первый. 1913—1919». М., Эллис Лак, 2000, стр. 180. (*Примеч. переводчика.*)

[2] Сведений об этой записи на полях нигде (ни в упоминаемых выше записных книжках, ни в прозе — «Октябрь в вагоне», где цитируется то же неотправленное — некуда! — письмо Сергею) найти не удалось. (*Примеч. переводчика.*)

[3] Лотарингских крестика (*франц.*).

<...> и георгиевскую ленточку — привяжите к иконе или заложите в «Перекоп». <...>

Едем без проводов: как Мур говорит — «ni fleurs ni couronnes»[1] — как собаки — как грустно (и грубо) говорю я. Не позволили, но мои близкие друзья знают — и внутренно провожают».[2]

В назначенное время, закрыв чемоданы и собрав в кучку пакеты, мать и сын по старинному русскому обычаю присели на дорожку и какое-то время молча смотрели в угол, где еще вчера висела семейная икона. Потом встали, осенили себя крестным знамением, пожелали друг другу доброго пути и вышли за дверь, чтобы больше никогда сюда не вернуться. Когда они приехали на вокзал Сен-Лазар, поезд стоял уже у платформы. Едва устроившись в вагоне, Марина вытащила из сумки листок бумаги и — прямо на коленке — написала письмо Анне Тесковой: «Дорогая Анна Антоновна! (Пишу на ладони, потому такой детский почерк.) Громадный вокзал с зелеными стеклами: страшный зеленый сад — и чего в нем не растет! — На прощанье посидели с Муром по старому обычаю, перекрестились на пустое место от иконы (сдана в хорошие руки, жила и ездила со мной с 1918г. — ну, когда-нибудь со всем расстанешься: совсем! А это — урок, чтобы потом — не страшно — и даже не странно — было...) Кончается жизнь 17 лет. Какая же я тогда была счастливая! А самый счастливый период моей жизни — запомните! — Мокропсы и Вшеноры, и еще — та моя родная гора. Странно — вчера на улице встре-

---

[1] Ни цветов, ни венков (*франц.*).

[2] Письмо от 12 июня 1939 года. Цитируется по книге: Марина Цветаева. Собрание сочинений в семи томах. Том 7. Письма. М., Эллис Лак, 1995, стр. 539. (*Примеч. переводчика.*)

тила ее героя[1], которого не видала — годы, он налетел сзади и без объяснений продел руки под руки Мура и мне — пошел в середине — как ни в чем не бывало. И еще встретила — таким же чудом — старого безумного поэта с женою[2] — в гостях, где он год не был. Точно все — почуяли. Постоянно встречала — всех. <...> Мур запасся (на этом слове поезд тронулся) газетами. Подъезжаем к Руану, где когда-то людская благодарность сожгла Иоанну д'Арк. (А англичанка 500 лет спустя поставила ей на том самом месте памятник.) — Миновали Руан — рачьте дале! — Буду ждать вестей о всех вас, передайте мой горячий привет всей семье, желаю вам всем здоровья, мужества и долгой жизни. Мечтаю о встрече на Муриной родине, которая мне роднее своей. Оборачиваюсь на звук ее — как на свое имя. <...> Уезжаю в Вашем ожерелье и в пальто с Вашими пуговицами, а на поясе — Ваша пряжка. Все — скромное и безумно-любимое, возьму в могилу или сожгусь совместно. До свидания! Сейчас уже не тяжело, сейчас уже — судьба. Обнимаю Вас и всех ваших, каждого в отдельности и всех вместе. Люблю и любуюсь. Верю как в себя»[3].

Марку на это письмо Марина наклеила на вокзальной почте в Гавре, 12 июня 1939 года, в 16.30. Опуская конверт в почтовый ящик, она, наверное, думала в последний раз обо всех тех

---

[1] Константина Родзевича.

[2] К.Д. Бальмонт, страдавший уже тогда душевной болезнью, и Е.К.Цветковская.

[3] Письмо датировано Цветаевой так: «12 июня 1939г. в еще стоящем поезде». Цитируется по книге: Марина Цветаева. Собрание сочинений в семи томах. Том 6. Письма. М., Эллис Лак, 1995, стр. 479—480. (*Примеч. переводчика.*)

русских эмигрантах, среди которых провела столько лет и которые так плохо ее понимали, так строго судили, так мало любили. На самом деле, размышляла она, единственное, чего не могли ей простить соотечественники, — это не столько слишком буйная, слишком современная поэзия, сколько отказ проклинать Россию, вырядившуюся в красные одежки СССР. Но Марина-то знала: под любыми одежками — кожа. И вот эту самую кожу, эту русскую кожу она и надеялась найти, как бы ее ни скрывали пестрые лохмотья советского маскарада...

XVI

ОТКРЫТИЕ СССР

В Гавре Марина Цветаева с сыном поднялись по сходням советского парохода «Мария Ульянова», на палубах которого уже толпились многие русские изгнанники, торопившиеся вернуться на родину, и испанские республиканцы, бежавшие от режима Франко. Как для первых, так и для вторых путешествие должно было стать завершающим этапом душевных терзаний, выходом из одолевавшей их тоски. В течение всего плавания Марина утешалась миражами: вот-вот ей откроется рай, существующий под тройным знаком — свободы, справедливости и братского понимания. Судно причалило в Ленинграде 18 июня 1939 года. Проходя по знакомым улицам старой столицы, Цветаева с удивлением обнаруживала, что каждая из них способствовала превращению города в гигантский пропагандистский плакат. Везде были лозунги, на любой стене можно было прочесть об успехах советской власти, о победах «тружеников-патриотов», о великом счастье жить под водительством гениального Сталина... Повсюду прославлялись добродетели мирных серпа и молота... Но хмурые лица прохожих и на три четверти пустые витрины магазинов разоблачали радостные утверждения этих рекламных, по существу, лозунгов. Расспрашивая редких знакомых, с которыми ей удалось встретиться, Марина — несмотря на осторожность их в высказываниях — поняла, что все дрожат от страха, как бы на них не донесли в НКВД, грозную государственную полицию. На первый взгляд казалось, будто в СССР существует лишь две разновидности людей: виновные и привилегированные. Между «перекрасившимися злодеями» и «великими героями» не было никакого среднестатистического статуса. Или — или. Черное и белое. Грешники (приговорены!) либо ангелы (безгрешны!). Враги народа либо вместилища всех возможных на свете достоинств. И у тех, кто в данный момент находился на пьедестале, вертелась в голове лишь одна мысль: держать всех, кто внизу, в страхе и лишениях.

Марина надеялась, что это жуткое первое впечатление рассеется, когда она приедет в Москву, которую всегда предпочитала Питеру. Но, прибыв туда поздно вечером после долгого путешествия по железной дороге, она сразу же уловила ту же атмосферу опасливого подчинения и всеобщей подозрительности, какая царила в Ленинграде. Ох, значит, таков он теперь, воздух ее родной страны, с горечью думала она. Сможет ли она дышать им? Что ей здесь делать?

Марина надеялась, что муж встретит ее на перроне. Ну и, может быть, Пастернак. Но нет — не пришли ни тот, ни другой. Зато она увидела дочь, которая молча обняла ее. Когда несколько спал жар первых объятий и поцелуев, Ариадна осторожно рассказала матери о катастрофе, которую было решено скрывать от нее насколько возможно долго: Анастасия, весьма умеренная сестра Марины, отличавшейся таким воинственно-революционным духом, была арестована почти два года назад, 2 сентября 1937 года, и сослана неведомо куда. С тех пор не было ни единой весточки от этой овечки, которую власти почему-то сочли «паршивой овцой». К счастью, Сергея Эфрона пока не тронули, но, по слухам, он был включен в черный список. Господи, да в чем же его-то «они» могли упрекнуть? Вот загадка! Может быть, он что-то сделал не совсем так, служа СССР по Франции? Или чересчур увлекся, отстаивая евразийские теории? Подозрительность советского правительства была тем более тревожна, что на сегодняшний день никто не был в состоянии сформулировать ни ее причины, ни ее суть. Сергей, сказала Ариадна, осознает опасность, и это понимание подтачивает его здоровье, как бы грызет изнутри. У него часто случаются приступы лихорадки, малейшее усилие приводит к полному истощению организма на несколько часов. Только лечение, совмещенное с долгим пребыванием под солнцем Юга, могло бы привести к исцелению его от туберкулеза. К несчастью, в такое время об этом нельзя даже и мечтать. Сестры Сергея — Елизавета и Вера — обе в Москве, но мужа Веры арестовали, ничем не объяснив состава преступления, и Лиля с тех пор настороже. Выложив все эти, мало сказать, вызывающие растерянность новости, Ариадна вдруг просияла лицом и сказала, что, как ей кажется, жить в СССР приятно, если держать язык за зубами и стараться быть понезаметнее.

Вместе с Ариадной на вокзал пришел какой-то мужчина средних лет — толстенький и жизнерадостный, одна только улыбка его вызывала полное доверие. Аля с гордостью представила спутника — Самуил Гуревич, для близких — Муля. Сейчас он занимается журналистикой и режиссурой, и они состоят в гражданском браке. Марина быстро окинула взглядом Алину фигуру: уж не ждет ли дочка ребенка от этого Мули? Оглушенная ворохом свалившихся на нее новостей, она не совсем понимала, радоваться ей или тревожиться из-за поведения дочери, идущего вразрез с принятыми в обществе условностями.

Впоследствии она узнала, что ловкий Муля состоит в тесном контакте с энкаведешниками и что, скорее всего, именно благодаря этому Ариадне и ее отцу до сих пор удавалось избежать пристального внимания властей. И что именно при его посредничестве Сергей Эфрон получил жилплощадь в «коммунальном» доме в пригороде Москвы — Болшеве, где с ним могут поселиться Марина, Мур и Ариадна.

Найти в то время в СССР постоянную квартиру было задачей не из легких. И, конечно же, Марине, Ариадне и Муру ничего не оставалось, как обосноваться в этом крошечном домике, где жила и еще одна семья. Но «коммуналки» были обычным делом в СССР. Совместное существование на одной площади нескольких семей рассматривалось даже как основа политики укрепления братской дружбы между советскими людьми. Если основой власти капитала была индивидуальность каждого и эгоизм личности, то социализм, напротив того, призывал к коллективизму и общительности, да не просто призывал, а просто-таки диктовал необходимость такого коллективизма. Люди не жили сами по себе — они сосуществовали с другими. Впрочем, соседи, навязанные Марине и Сергею, не были совсем уж чужими им. Николай Клепинин, его жена и ее сын от первого брака Алексей Сеземан, как и несколько других их родственников, были давними знакомыми Эфрона и Цветаевой, они тоже тайно бежали из Франции.

Итак, в соседней с новоприбывшими комнате жили аж семь человек, и они, ничуть не стесняясь, шумели, сколько хотели, что несколько напрягало и раздражало Цветаеву. Очень скоро, несмотря на явное желание быть терпимыми и готовность всегда прийти на помощь, Клепинины обнаружили, что с Мариной так просто каши не сваришь. Однако они прощали ей любые проявления дурного характера, потому что знали: она — «великий поэт», а великие поэты заслуживают снисходительности со стороны обделенных таким талантом.

И Марина пользовалась этой снисходительностью, время от времени взрываясь, когда нищета и убогость повседневной жизни доводили ее чуть ли не до белого каления. Болезнь мужа еще больше усиливала ее недовольство абсолютным отсутствием комфорта в их болшевской жизни. То и дело Сергей заходился жутким кашлем, который оставлял его совершенно без сил. Он задыхался, взгляд его блуждал, он даже выпрямиться не мог... Марине хотелось бы пожаловаться кому-то, но кому пожалуешься, когда вокруг столько несчастных людей? Если их так много, дозволено ли требовать внимания к одному-единственному? Весь мир, казалось ей, болен и отчаялся. Однако, наблюдая за мужем, Марина все-таки не могла понять до конца, что день ото дня все больше лишает его сил и воли к жизни: туберкулезная палочка или панический страх, что НКВД вот-вот его арестует. Когда Сергей чувствовал себя получше — такие случаи были крайне редки, — он выходил прогуляться по деревне и тогда старался позабыть о терзающем его понимании происходящего в стране, созерцая мирные сельские пейзажи. Но стоило вернуться домой, снова наваливалась тоска, и он становился еще более подавленным, чем прежде, потому что предвидел: ни тишина, ни одиночество не защитят его от преследований милиции. Зато Ариадна была по-прежнему настроена более чем оптимистично. Она бывала в Болшеве лишь наездами, работала в городе — в престижном французском еженедельнике со звучным названием «La Revue de Moscou», и если приезжала, то очень поздно ночью, с тем чтобы на рассвете опять убежать в Москву. Что до Мура, то он томился в этой дыре, поносил деревенскую жизнь и беспрестанно ругал мать, виновную, по его мнению, во всех его несчастьях. Постоянно пребывая между двух огней: влюбленной и неуловимой дочерью и непрерывно восстающим против нее сыном, Марина чувствовала себя в Болшеве куда более одинокой, чем в парижских предместьях. Здесь, как и во Франции, ее тяготили все те же домашние обязанности, только условия были еще хуже. Кухня — общая с Клепиниными, освещение — керосиновые лампы, туалет — сбитая из досок кабинка в глубине двора... Все здесь было неудобно, ничто не радовало глаз. Сохранились кем-то переписанные, видимо, с большими пропусками отрывки из записной книжки Цветаевой за 1940 год, и среди них — этот: «Возобновляю эту записную книжку 5 сент. 1940 г. в Москве. 18 июня приезд в Москву. На дачу, свидание с больным С. Неуют. За керосином. С. покупает яблоки. Постепенное щемление сердца. Мытарства по телефонам. Энигматическая Аля, ее накладное веселье. Живу никому не показываясь. Кошки. Мой любимый неласковый подросток — кот. (Все это для моей памяти, и больше ничьей: Мур, если и прочтет, не узнает. Да и не прочтет, ибо бежит — такого.) Торты, ананасы — от этого не легче. <..> Мое одиночество. Посуда, вода и слезы. Обертон, унтертон всего — жуть. Обещают перегородку — дни идут, Мурику школу — дни идут. И обычный деревянный пейзаж, отсутствие камня: устоя. Болезнь С. Страх его сердечного страха. Обрывки его жизни без меня, — не успеваю слушать: полны руки дела, слушаю на пружине. Погреб: 100 раз в день. Когда — писать?

Девочка Шура[1] *Впервые — чувство чужой кухни.* Безумная жара, которой не замечаю: ручьи пота и слез в посудный таз. Не за кого держаться. Начинаю понимать, что С. бессилен, совсем, во всем...»[2].

Со времени своего возвращения на родину, ставшую из России Советским Союзом, у Мари-

---

[1] Девочка Шура приносила воду, топила печи. (*Примеч. М. Белкиной из ее книги «Скрещение судеб». М., Благовест, Рудомино, 1992, стр. 79.*) Здесь же приведен и вариант цитаты из записной книжки Цветаевой, чуть отличный от цитируемого.

[2] Цитируется по книге: Марина Цветаева. «Неизданные письма». YMCA-PRESS, Париж, 1972, стр. 629—630. (*Примеч. переводчика.*)

ны ощущение, будто она живет под колпаком, будто нет вокруг пространства, никакого очистительного ветра над этой огромной землей... Все люди, с которыми она встречается, кажутся ей затравленными, загнанными в угол, они подозрительны и по отношению друг к другу, они не смотрят в глаза. Если говорят, то шепотом. Народ, которому вынесен приговор с отсрочкой исполнения. Даже Борис Пастернак не решается нанести визит своему такому большому другу прежних дней — наверное, из страха себя скомпрометировать: как же, ведь она — бывшая эмигрантка! Тем не менее, благодаря обширным связям ему удается найти для Марины работу: стихотворные переводы, оплата — построчная. Марина, как всегда, полностью отдается труду, призванному обеспечить хлеб насущный, но надеется, что однажды все-таки наступит день, когда ей хватит отваги и желания заняться сочинением собственных стихов.

Но тем не менее, хотя Цветаева и не считает свой дух достаточно свободным для творчества, — таким, каков он был прежде, когда мог следовать за ее фантазиями, за ее настроениями, — время от времени она соглашается прочесть те или другие старые свои стихи своим соседям по болшевскому дому. Дмитрий Сеземан, один из родственников Клепининых, оставил воспоминания об одном из таких «литературных вечеров»: «Мать приложила немало усилий, чтобы заставить меня смотреть на Марину Ивановну не как на соседку с трудным характером, а как на поэта. «Она большой поэт. Кто знает, придется ли тебе когда-нибудь встретить такого». В этой сфере я матери вполне доверял, тем более что были моменты, когда даже не чрезмерно чуткому мальчишке открывалось в Марине Ивановне такое, что решительно отличало ее от каждого из нас. Это происходило, когда она читала стихи, и на эти чтения нас не только допускала, но даже приглашала.

Она сидела на краю тахты так прямо, как только умели сидеть бывшие воспитанницы пансионов и Института благородных девиц. Вся она была как бы выполнена в серых тонах — коротко остриженные волосы, лицо, папиросный дым, платье и даже тяжелые серебряные запястья — все было серым. Сами стихи меня смущали, слишком были не похожи на те, которые мне нравились и которые мне так часто читала мать. А в верности своего поэтического вкуса я нисколько не сомневался. Но то, как она читала, с каким вызовом или даже отчаянием, производило на меня прямо магическое, завораживающее действие, никогда с тех пор мною не испытанное. Всем своим видом, ни на кого не глядя, она как бы утверждала, что за каждый стих готова ответить жизнью, потому что каждый стих — во всяком случае в эти мгновения — был единственным оправданием ее жизни. Цветаева читала, как на плахе, хоть это и не идеальная позиция для чтения стихов».[1]

Тем летом 1939 года вся страна, затаив дыхание, ждала некоего патриотического чуда, в результате которого судьба самых несчастливых круто изменится в лучшую сторону. По велению и под руководством правительства в расцвеченной флагами столице СССР следовали одно за

---

[1] Д. Сеземан. «На болшевской даче». Цитируется по книге: «Марина Цветаева в воспоминаниях современников. Возвращение на родину». М., Аграф, 2002, стр. 19. (*Примеч. переводчика.*)

другим официальные торжества, представлявшие собою невиданные до тех пор зрелища. Одним из таких стало открытие 1 августа 1939 года Сельскохозяйственной выставки, целью которой было воспеть колхозное движение. По этому случаю во всех газетах появились фотографии улыбающихся столпов режима, окружавших самого великого вождя, который смотрел со снимков властным и одновременно доброжелательным взглядом и казался добрым папашей с этими своими всему миру известными усами.

Чуть позже, 14 августа, первые полосы были украшены другими портретами, теперь уже — коллективными: Сталин и Молотов фигурировали здесь рядом с министром иностранных дел Рейха Риббентропом. Под фотографией публиковалось сообщение о том, что заключен германо-советский пакт. Немецкий фашизм, который еще вчера со страшной силой проклинали все русские журналисты, сегодня уже казался им естественной причиной для сближения народов, жаждущих свободы и справедливости. Сорок восемь часов спустя английская и французская военные миссии покинули Москву. Но никто не осмелился ни вслух покритиковать, ни даже просто откомментировать столь странную и резкую перемену взглядов советского правительства. Сама Марина Цветаева, и та на минутку задумалась об истинных причинах подобной смены союзников. Но в это время ее уже волновала в первую очередь не столько судьба Европы, сколько собственная участь и участь близких людей. Благоприятным знаком показалось ей то, что 21 августа 1939 года благодаря предпринятым Мулей усилиям Марина и Мур получили документы, подтверждавшие их советское гражданство. Итак, они уже не были апатридами, не были «паршивыми овцами». Стадо приняло их — безразличное ко всему, одношерстное стадо... Но не прошло и двух месяцев с момента высадки Цветаевой в ленинградском порту, не прошло и недели с момента получения ею советского паспорта, как на голову Марины обрушился удар: 27 августа энкавэдэшники явились в Болшево и арестовали ее дочь. Что они ставили в вину Ариадне? Это оказалось невозможно узнать. Может быть, в широком или даже совсем тесному кругу она сболтнула что-то недозволенное? А может быть, сохранила запрещенные законом контакты с русскими изгнанниками, остававшимися во Франции? Чем более тяжким считалось преступление, тем менее болтливым было правосудие. Принцип был один для всех: сначала — удар, потом — объяснения. А иногда объяснений не было вовсе. Достаточно было и наказания, чтобы определить, где ты оступился. Когда Ариадну уводили, она притворялась беззаботной. «Разворачиваю рану, живое мясо. Короче, 27 августа в ночь отъезд Али. Аля веселая, держится браво. Отшучивается...

Забыла: последнее счастливое виденье ее дня за 4 на С. Х. выставке «колхозницей» в красном чешском платке, моем подарке, сияла. Уходит не прощаясь! Я: — что же ты, Аля, так ни с кем и не простившись? она, в слезах, через плечо, отмахивается! Старик, добро. Так лучше. Долгие проводы — лишние слезы», — вспоминала Марина Ивановна год спустя. [1] «Старик» — видимо, руководитель всей операции по аресту.

Оставшись одни, глядя друг другу в глаза, мать

---

[1] Цитируется по книге: Марина Цветаева. «Неизданные письма». YMCA-PRESS, Париж, 1972, стр. 630. (*Примеч. переводчика.*)

и отец молчали, уничтоженные ударом судьбы. Вечером того дня, когда случилась трагедия, Нина Гордон, которая не входила в число самых близких друзей семьи, неожиданно приехала в Болшево[1] и увидела Марину и Сергея, укрывшихся от людей в своей комнате. «Внешне она и отец были спокойны, — напишет она впоследствии в воспоминаниях, — и только глаза выдавали запрятанную боль. Я долго пробыла там. Говорили мало. Обедали. Потом Марина собралась гладить, — я сказала, дайте я поглажу, я люблю гладить. Она посмотрела долгим, отсутствующим взглядом, потом сказала: «Спасибо, погладьте», — и, помолчав, добавила: «Аля тоже любила гладить». Сергей Яковлевич сидел на постели, у стола, напротив меня, и неотрывно смотрел, как я глажу. Его глаза забыть невозможно!»[2]

С этого дня главным занятием Марины стала беготня в Москве по инстанциям — из одного учреждения в другое: она пыталась узнать, в какую из тюрем поместили Алю, когда ее намерены судить и возможно ли передать ей хоть сколько-нибудь денег. Часто ей приходилось проводить долгие часы в коридоре, сидя на скамейке в коридоре какой-нибудь из тюрем, чтобы дождаться ответа. Она привозила каждую неделю разрешенные к передаче заключенным пятьдесят рублей на личные нужды и торопилась обратно в Болшево. Не-

[1] Нина Гордон была подругой Али, она узнала о ее аресте от С. Д. Гуревича (Мули) и немедленно отправилась в Болшево. Воспоминания о Цветаевой были написаны ею по просьбе А. С. Эфрон. (*Примеч. переводчика.*)

[2] Н. Гордон: «Меня она покорила сразу простотой обращения». Цитируется по книге: «Марина Цветаева в воспоминаниях современников. Возвращение на родину». М., Аграф, 2002, стр. 7. (*Примеч. переводчика.*)

много времени спустя Марина узнала, что в тюрьме у Али случился выкидыш. Не пытали ли ее, чтобы силой вырвать признание? Но нет: вроде бы после этого «инцидента» дочь чувствовала себя хорошо, да и сам он никоим образом не может быть отнесен на счет обращения с ней тюремщиков.

Затем наступило молчание. Бездна анонимности и немоты поглотила Алю.

Мура в последние несчастья сестры не посвящали. В начале сентября он пошел в ближайшую к поселку Новый Быт, где жили Эфроны, школу. Но чтобы добраться до нее, нужно было пройти полями и лесом. Одноклассники поначалу составляли ему компанию, но очень скоро эти ребята, получив соответствующие инструкции родителей, сочли более предусмотрительным не выказывать никакой симпатии одному из этих недавно возникших в деревне «белоэмигрантов», которых — кого в большей степени, кого в меньшей — подозревали в антисоветских настроениях.

18 сентября по радио объявили о том, что Красная Армия вошла в Польшу, чтобы — как было сказано — защитить братьев-славян из пограничного с Украиной и Белоруссией государства. Пресса воспевала этот первый шаг к освобождению угнетенных народов и возврату их в лоно славянской семьи. Никто и не помышлял о том, чтобы высказать протест против такого патриотического толкования событий. Марина и сама не решалась на это, потому что любые действия за пределами СССР сопровождались внутри страны оживлением охоты за шпионами, предателями и теми, кто испытывает ностальгию по капитализму. Марина сразу же стала бояться, что это снова привлечет к ее семье внимание НКВД. Страх

оказался оправданным: 8 октября[1] того же года приехали в Болшево за Сергеем Эфроном. Посреди ночи у дома возникли вооруженные до зубов люди в милицейской форме. У них был ордер на арест, подписанный народным комиссаром внутренних дел Берией. Пока шел позорный и унизительный обыск (все в доме было перевернуто вверх дном), Марина собрала в вещевой мешок кое-что из одежды, потом — уже на рассвете — перекрестила мужа и глазами, полными слез, глядела, как его уводят раздувшиеся от глупой гордости за порученное им важное дело сотрудники НКВД. Потрясенная новым ударом судьбы, которого, впрочем, она так долго ожидала, Цветаева пришла к убеждению, что рано или поздно ей и сыну уготована та же участь. Но проходили недели, а они оставались на свободе. О них просто позабыли или считали их менее опасными для сталинского режима, чем двое других членов семьи?

На первых же допросах Сергей заявил, что он невиновен, и поклялся, что коммунизм — истинная его религия. Но он совершенно напрасно пытался оправдаться: здесь ему было вменено в вину расцененное как предательство родины евразийское прошлое. И, наконец, ему был задан вопрос, которого он больше всего опасался: «Какую антисоветскую работу проводила ваша жена?» — «Никакой антисоветской работы моя жена не вела, — записан ответ Эфрона. — Она всю свою жизнь писала стихи и прозу. Хотя в некоторых своих произведениях высказывала взгляды несоветские...»

Признав таким образом, что Мариной в про-

---

[1] 10-го.

шлом написано несколько стихотворений, в которых она достаточно дружелюбно отзывалась о старом режиме, Сергей поклялся, что в глубине души Марина была настоящей — честной и твердой в убеждениях — революционеркой. «Я не отрицаю того факта, что моя жена печаталась на страницах белоэмигрантской прессы, однако она никакой антисоветской политической работы не вела», — говорил Эфрон, и в этом его свидетельстве было столько же горячности, сколько и искренности. После окончания этого допроса заключенного отправили в Лефортово, чтобы его лечить там под полицейским надзором, потому что он выглядел так, будто состояние его здоровья внезапно и резко ухудшилось. Тем не менее 1 ноября Эфрона подвергли новому допросу, еще более «продвинутому», чем предыдущий. На этот раз он признал, что эпизодически входил в сношения с тайными польскими, немецкими и даже английскими агентами. Но утверждал при этом, что всегда действовал исключительно по приказам ГПУ.

И вот 7 ноября, в «Красный день календаря», очередную годовщину большевистской революции, перед болшевским домом снова, как в прошлые разы, останавливается машина. За кем пришли теперь? За Мариной — чтобы «засадить ее за решетку»? Нет, нынче энкавэдэшники увезли ее соседей: Николая Клепинина и Алексея Сеземана. А жену Клепинина к тому времени уже взяли в Москве. Какие преступления им инкриминировались? Видимо, те же, что и Сергею. Недостаточную преданность делу Советов во время пребывания за границей, тайную симпатию к троцкистам, непростительное недовольство коммунистической «философией». И для всех — поначалу — один маршрут: мрачные подземелья Лубянки.

Сергей, со своей стороны, после многочисленных перебросок из застенка в застенок, между одним допросом и другим, одной очной ставкой и другой, был поставлен лицом к лицу с соседями по Болшеву — супругами Клепиниными. Чтобы спасти себя, жена Клепинина заявила, что ее муж и Сергей Эфрон были наняты многими иностранными государствами для того, чтобы собирать сведения о политических программах СССР. Сергей отвергал все обвинения целиком, утверждая, что они оскорбительны по отношению к его революционным убеждениям. Зато Клепинин поклялся жизнью своих детей, что откровения его супруги — увы! — совершенно правдивы и точны. Более того, он добавил в адрес своего «подельщика»: «Сережа, еще раз к тебе обращаюсь. Дальше запираться бесполезно. Есть определенные вещи, против которых бороться невозможно, так как это бесполезно и преступно... Рано или поздно ты все равно признаешься и будешь говорить!» Потом он дружески посоветовал Сергею отбросить сомнения и признать свои ошибки. Клепинина увели. Затем состоялась еще одна очная ставка — с бывшей «евразийкой» Литауэр, и против Эфрона были выдвинуты еще более тяжкие обвинения. «Я хочу дать настойчивый совет Сергею Яковлевичу, — говорит Литауэр, — рассказывать всю правду, не скрывая ничего ни о себе, ни о других. Я говорю это как товарищ и друг...» Допрос закончился в полночь, но неопровержимых доказательств, в которых нуждались следователи, чтобы определить степень виновности Сергея Эфрона, они так и не получили. Было постановлено предоставить решение судьбы обвиняемого главному национальному инквизитору: Лаврентию Берии. Как утверждают, никому не удалось избежать психологического давления со стороны этого «вылущивателя» нужных сведений из глубин сознания. После такого поворота дела никто и никогда больше не слышал о Сергее Эфроне. Он бесследно исчез...

Лишенная возможности получить какую-либо информацию, Марина почувствовала себя в полной пустоте, и это приводило ее в отчаяние. Она не только не могла узнать, куда делся ее муж, она убедилась, что ни в одной конторе никто не знает, существует ли вообще на свете узник с таким именем или это фантом. Подобное растворение живого существа в административном тумане — не было ли оно предупреждением для чересчур гордой Марины? Пусть сидит спокойно и не высовывается, если не хочет попасть в ловушку и исчезнуть сама! Теперь ей чудились враги на каждом углу. Даже окружавшие ее друзья казались излишне угодливыми и потому — наверняка доносчиками. Никогда люди не были такими жестокими, лживыми, никогда они столько не предавали, как с того дня, как решили пользоваться, обращаясь друг к другу, словом «товарищ», думала она. Бесспорно, теперь власти начнут следить за самой Мариной, глаз с нее не спускать. Мало им, что лишили ее мужа и дочери, теперь представители этих самых властей еще и отбирают у нее «служебное помещение», которое было ее жильем в Болшеве. Но она не сожалела об этом. Ей удобнее было бы обосноваться в Москве, чтобы вести свое расследование, касающееся судьбы Сергея и Ариадны. Но и в этом ей было отказано. Разрешено лишь — да и то благодаря вмешательству официальной организации, целью которой была помощь литераторам, — устроиться в Голицыно, пригороде Москвы. Там она сняла в частном секторе комнату для себя и Мура.[1] Мать и сын питались в общей столовой дома творчества, принадлежавшего Союзу писателей. Голицыно расположено всего в часе езды от Москвы, но приходилось всякий раз проходить пешком семь километров, чтобы добраться от станции до места. Эти пешие походы, равно как и сами поездки туда-сюда, совершенно изматывали Марину, но она не решалась протестовать, потому что здесь всякая жалоба, всякое требование воспринималось бы как правонарушение, свидетельствующее о непонимании своего гражданского долга. Больше всего угнетала Цветаеву цена, которую ей приходилось платить за свое насильственное пребывание в деревне. Ей хотелось добиться разрешения на бесплатное проживание в доме творчества — как у всех обитателей этого «привилегированного места». Но она получила для своего сына и себя лишь два «полуразрешения», так называемые «курсовки», то есть им оплачивалось питание, но комнату она снимала за свой счет и дрова для отопления покупала тоже сама. Да к тому же еще это жалкое довольствие скоро сократят, оставив за Мариной только право на жительство в деревне.

---

[1] 8 или 10 ноября Марина, которая уже не в силах была оставаться в Болшеве, сама сбежала с Муром в Москву, где они прожили примерно месяц у сестры С.Эфрона — Елизаветы Яковлевны — по адресу: Мерзляковский переулок, д. 16, кв. 27. Именно в это время — 7 и 8 декабря — у нее были впервые приняты посылки для Сергея и Али.

Цветаева утешается лишь тем, что здесь Мур хотя бы может ходить в школу. Он и ходит туда — безропотно и, кажется, даже получая удовольствие от того, что учится. А Марина тем временем продолжает трудиться над переводами, эта скромная работа позволяет ей получить хотя бы небольшие суммы, чтобы покрыть повседневные расходы. Каждый день она скрупулезно записывает количество переведенных строк: «Сделано — все 3 — в три дня, т.е. 76 строк: 3x25 — 25стр. в день, играючи (вчера — 36 строк)». Одержимая идеей оправдать себя в глазах властей, чтобы иметь возможность лучше зарабатывать и ускорить освобождение своих близких, она пишет нечто вроде автобиографии, представляя в ней своего мужа, свою дочь и себя самое как искренних сторонников советского режима. И адресует это письмо — Сталину. «Я не знаю, в чем обвиняют моего мужа, но знаю, что ни на какое предательство, двурушничество и вероломство он не способен. Я знаю его — 1911г. — 1939г. — без малого 30 лет, но то, что знаю о нем, знала уже с первого дня: что это человек величайшей чистоты, жертвенности и ответственности. То же о нем скажут друзья и враги. Даже в эмиграции, в самой вражеской среде, его никто не обвинил в подкупности, и коммунизм его объясняли «слепым энтузиазмом. <...> Кончаю призывом о справедливости. Человек душой и телом, словом и делом служил своей родине и идее коммунизма. <...> Если это донос, т.е. недобросовестно и злонамеренно подобранные материалы — проверьте доносчика. Если же это ошибка — умоляю, исправьте, пока не поздно». Однако, стремясь непременно выиграть дело, она побоялась отправить письмо главному лицу государства и переадресовала его, спустившись на ступеньку ниже, главному управляющему Красным террором, исполнителю гнусной воли диктатуры пролетариата — народному комиссару Берии. Именно он, думала Цветаева, в еще большей степени, чем Сталин, способен одним росчерком пера смягчить участь приговоренных. Понимая, что речь идет о последнем шансе для самых близких ей людей, Марина тщательно выверяла каждую строку семейной биографии, предназначенной для чтения хозяину Лубянки. Любая фраза ее ходатайства словно взвешивалась на весах: достаточно ли будет эффективна.

Словно встав на колени в церкви, чтобы испросить Божью милость, Марина вымаливает: «Товарищ Берия,

Обращаюсь к Вам по делу моего мужа, Сергея Яковлевича Эфрона-Андреева, и моей дочери, Ариадны Сергеевны Эфрон, арестованных: дочь — 27-го августа, муж — 10-го октября сего 1939 года.

Но прежде чем говорить о них, должна сказать Вам несколько слов о себе.

Я — писательница, Марина Ивановна Цветаева. В 1922 г. я выехала за границу с советским паспортом и пробыла за границей — в Чехии и Франции — по июнь 1939 г., т. е. 17 лет. В политической жизни эмиграции не участвовала совершенно — жила семьей и своими писаниями. <..>

В 1937 г. я возобновила советское гражданство, а в июне 1939 г. получила разрешение вернуться в Советский Союз. Вернулась я вместе с 14-летним сыном Георгием 18-го июня 1939 г., на пароходе «Мария Ульянова», везшем испанцев.

Причины моего возвращения на родину —

страстное устремление туда всей моей семьи: мужа — Сергея Эфрона, дочери — Ариадны Эфрон (уехала первая, в марте 1937г.) и моего сына Георгия, родившегося за границей, но с ранних лет страстно мечтавшего о Советском Союзе. Желание дать ему родину и будущность. Желание работать у себя. И полное одиночество в эмиграции, с которой меня давным-давно уже не связывало ничто. <..>.

Вот — обо мне.

Теперь о моем муже — Сергее Эфроне.

Сергей Яковлевич Эфрон — сын известной народоволки Елизаветы Петровны Дурново <..> и народовольца Якова Константиновича Эфрона. <..> Детство Сергея Эфрона проходит в революционном доме, среди непрерывных обысков и арестов. Почти вся семья сидит <..>. В 1905 году Сергею Эфрону, 12-летнему мальчику, уже даются матерью революционные поручения. <..>.

В 1911 г. я встречаюсь с Сергеем Эфроном. Нам 17 и 18 лет. Он туберкулезный. Убит трагической гибелью матери и брата. Серьезен не по летам. Я тут же решаю никогда, что бы ни было, с ним не расставаться и в январе 1912 г. выхожу за него замуж.

В 1913 г. Сергей Эфрон поступает в Московский университет, филологический факультет. Но начинается война, и он едет братом милосердия на фронт. В октябре 1917г. он, только что окончив Петергофскую школу прапорщиков, сражается в Москве в рядах белых и тут же едет в Новочеркасск, куда прибывает одним из первых 200 человек. За все Добровольчество (1917г. —

1920г.) — непрерывно в строю, никогда в штабе. Дважды ранен.

Все это, думаю, известно из его предыдущих анкет, а вот что, может быть, не известно: он не только не расстрелял ни одного пленного, а спасал от расстрела всех, кого мог, — забирал в свою пулеметную команду. Поворотным пунктом в его убеждениях была казнь комиссара — у него на глазах — лицо, с которым этот комиссар встретил смерть. — «В эту минуту я понял, что наше дело — ненародное дело».

— Но каким образом сын народоволки Лизы Дурново оказывается в рядах белых, а не красных? — Сергей Эфрон это в своей жизни считал роковой ошибкой. Я же прибавлю, что так ошибся не только он, совсем молодой тогда человек, а многие и многие, совершенно сложившиеся люди. В Добровольчестве он видел спасение России и правду, когда он в этом разуверился — он из него ушел, весь целиком — и никогда уже не оглянулся в ту сторону. <..> Переехав в 1925г. в Париж, присоединяется к группе Евразийцев и является одним из редакторов журнала «Версты», от которых вся эмиграция отшатывается. Если не ошибаюсь — уже с 1927г. Сергея Эфрона зовут «большевиком». <..>

Когда в точности Сергей Эфрон стал заниматься активной советской работой, не знаю, но это должно быть известно из его предыдущих анкет. Думаю — около 1930г. Но что я достоверно знала и знаю — это о его страстной и неизменной мечте о Советском Союзе и о страстном служении ему. Как он радовался, читая в газетах об очередном советском достижении, от малейшего экономического успеха — как сиял! («Теперь у нас есть то-то... Скоро у нас будет то-то и то-то...). Есть у меня и важный свидетель — сын, росший под такие возгласы и с пяти лет ничего другого не слыхавший. <...>

Темы, кроме Советского Союза, не было никакой. Не зная подробности его дел, знаю жизнь его души день за днем, все это совершилось у меня на глазах, — целое перерождение человека.

О качестве же и количестве его советской деятельности могу привести возглас парижского следователя, меня после его отъезда допрашивавшего: «Однако, господин Эфрон развил потрясающую советскую деятельность!». Следователь говорил над папкой его дела и знал эти дела лучше, чем я (я знала только о Союзе возвращения и об Испании). Но что я знала и знаю — это о беззаветности его преданности. Не целиком этот человек, по своей природе, отдаться не мог».[1]

Так же, как письмо Сталину, письмо Берии, датированное 23 декабря 1939 года, осталось без ответа. Скорее всего, Берия отложил его, не читая. Сколько же ему приходило подобного в то время! Друзья Марины, со своей стороны, старались, насколько было возможно, улучшить ее положение раскаявшейся перебежчицы. Благодаря рекомендации Бориса Пастернака Цветаева получила работу в государственном издательстве — Гослитиздате, ей заказывали много переводов с языков, которых она не знала: стихи, написанные по-грузински, по-белорусски, на сербохорватском, болгарском, польском, грудами лежали на ее рабочем столе. Она брала сделанный «поден-

---

[1] Цитируется по книге: «Болшево. Литературный историко-краеведческий альманах». М., товарищество «Писатель», 1992, стр. 181—184. (*Примеч. переводчика.*)

щиками» подстрочник, слово в слово повторявший оригинал, и старалась вдохнуть в него душу, добиваясь звучания в русском тексте музыки и ритма подлинника. Она говорила, что переводит вещи «по слуху и духу», а это больше, чем смысл, что, идя по следу поэта, заново прокладывает ту дорогу, которую прокладывал в свое время он. Эта хитрая работа нравилась Марине, занимала ее и давала достаточно денег для того, чтобы можно было оплатить жилье и прокормиться.

В то же самое время она завязала новые дружбы, проникнувшись осторожной симпатией к некоторым из обитателей писательского дома творчества и завоевав такую же взаимно. Страх, который большая их часть испытывала от самой идеи о том, что от недавней эмигрантки они могут «заразиться» западным духом, мало-помалу уступил место совсем другому чувству: как было не оценить по достоинству ум, интеллигентность и блестящее остроумие этой пылкой и уникальной равно в поведении и в стиле письма поэтессы! Литературовед Евгений Тагер писал впоследствии, что ни на одной фотографии тех лет он не мог узнать Цветаеву: «Это не она. В них нет главного — того очарования отточенности, которая характеризовала ее всю, начиная с речи, поразительно чеканной, зернистой русской речи, афористической, покоряющей и неожиданными парадоксами, и неумолимой логикой, и кончая удивительно тонко обрисованными, точно «вырезанными», чертами ее лица». Другой собрат по перу, писатель Виктор Ардов, говоря о пожиравших Марину нищете, заброшенности и ностальгии, оставивших свои следы на прекрасном ее лице, утверждал и доказывал: «Она не склонила головы. Ее энергия и поразительный темперамент удивляли нас — литераторов, в тот месяц проживавших в Голицыне. Но печать пережитых страданий, так же, как и страданий нынешних, явственно выражалась в голосе и взглядах, в движениях и в тех паузах раздумья, которые овладевали поэтессой даже в веселой застольной беседе. А Марина Ивановна часто бывала веселой в нашей — случайной для нее — среде. Она легко завладевала вниманием небольшого общества за ужином или после ужина в маленькой гостиной Голицынского дома. Ее речи были всегда интересны и содержательны. Надо ли пояснять, что ее эрудиция, вкус, редкая одаренность заставляли всех нас с почтительным вниманием прислушиваться к ее словам?..» Но он добавлял и следующее: «Нельзя не помянуть еще и о том, что Цветаевой приходилось быть крайне осторожной. И нам всем не простили бы вольности в беседе в те годы. А ей — свежей реэмигрантке — надо было особенно быть начеку, ибо находились даже добровольцы, желавшие по собственной инициативе, без указаний свыше, попрекать вернувшихся на Родину людей. Получалось так: государство простило, а выслуживавшиеся личности — из подхалимства и собственной трусости — забегали, так сказать, вперед и язвили... Именно эти «добровольцы» и обрекли Марину Ивановну летом 1941 года на гибель своей позицией «роялистов больше, чем сам король».[1] Еврейский советский писатель Ноях Лурье вспоминал «ее импровизированные, совершено блестящие наброски портретов Андрея Белого и Ремизова». Он говорил: «У нее была злая хватка мастера, голос —

---

[1] В. Ардов. «Встреча Анны Ахматовой с Мариной Цветаевой». Там же, стр. 149—150. (*Примеч. переводчика.*)

громкий и резкий. Но за уверенностью тона и суждений чувствовались растерянность и страшное одиночество. Муж и дочь были арестованы, с сыном у нее, по моим наблюдениям, не было общего языка. Писатели избегали общества с ней как с бывшей эмигранткой. В глазах этой седой женщины с незаурядным лицом иногда вдруг появлялось такое выражение отчаяния и муки, которое сильнее всяких слов говорило о ее состоянии». Одна встреча с Цветаевой во время прогулки особенно запомнилась Лурье. «Нехорошо мне, Н.Г., — неожиданно заговорила она со свойственной ей прямотой и резкостью. — Вот я вернулась. Душная, отравленная атмосфера эмиграции давно мне опостылела. Я старалась больше общаться с французами. Они любезны, с ними легко, но этого мне было мало. Потянуло домой — сама не знаю, что я себе при этом представляла. Но смотрите, что получилось. Мужа забрали, дочь забрали, меня все сторонятся. Я ничего не понимаю в том, что тут происходит, и меня никто не понимает. Когда я была там, у меня хоть в мечтах была родина. Когда я приехала, у меня и мечту отняли. <..> Боюсь, мне не справиться с этой путаницей. Уж разумнее было бы в таком случае не давать таким, как я, разрешения на въезд».[1]

Однако круг советских друзей Марины расширился, и настроение чуть-чуть изменилось, когда она познакомилась с двумя писательницами — Верой Меркурьевой и Ольгой Мочаловой. Обе оказались готовы открыть сердце и душу новоприбывшей, пусть даже и встречи с ней иным казались опасными. И Марина восприняла это

---

[1] Н. Лурье. «Зимой в Голицыне». Там же, стр. 68—69. (*Примеч. переводчика.*)

как свидетельство того, что истинная Россия все-таки не умерла.

Хотелось бы ей сказать то же самое о Франции, но там было совсем плохо: вслед за тоской пришли настоящие бедствия. Немецкие войска легко вошли в страну, гражданское население бежало из столицы по дорогам, над которыми с ревом неслись бомбардировщики, затем — оккупация Парижа, постыдное перемирие, образование под руководством маршала Петена государства фашистского толка... В то же время Сталин и Гитлер делили Польшу, русские пытались завоевать Финляндию и диктовать там свои законы, аппетиты двух победителей росли повсеместно... Вспоминая, с каким простодушием она совсем еще недавно надеялась, что Советский Союз защитит слабую Чехию от нацистской гегемонии, Марина сожалела, что ее вновь обретенная родина, отвагой и бескорыстием которой прежде ей хотелось восхищаться, теперь присоединилась к клану хищников. Наверное, ей было еще труднее разобраться в политических требованиях времени из-за того, что никто вокруг не возмущался двоедушием русских. Война — не наше дело, считало ее окружение. Она — для других. И, пока она не началась, лучше заняться проблемами повседневной жизни, тем более что их так много. Да и у самой Марины — тоже.

Ей в ближайшее время следовало покинуть Голицыно: срок ее пребывания тут заканчивался. Ко всему, пошатнулось здоровье Мура. Мальчик открывал для себя Достоевского — между двумя бронхитами и двумя ангинами — и вел дневник, в котором по отношению к матери проявлялись в основном дерзость, заносчивость, подспудная склонность к мятежу и бешенство по поводу того, что приходится подчиняться. Узнав 29 марта 1940 года о грядущих переменах в их жизни, он записывает: «Мы с мамой получили новую затрещину: утром мать встретила на улице Серафиму Ивановну (упр. д/о), которая сообщила, что теперь мы должны платить в два раза больше, чем раньше. Конечно, мама этого платить никак не может. Тогда С. И. позвонила в Литфонд, и там сказали — пусть платит за одного человека и получает на одного. Теперь мы будем ходить в дом отдыха и брать пищу на одного человека и делить между собою. Итак, наше общение с пребывающими в доме отдыха прекратилось: будем брать еду на одного и есть дома. Не быть нам за столом за всеми... Мне-то лично наплевать, но каково-то маме!»

Доведенная до крайности всем этим Марина принимается искать другое жилье. Но куда идти? Все занято! Озабоченная поисками крыши над головой, она пишет 31 августа 1940 года: «Моя жизнь очень плохая. Моя нежизнь. <..> С переменой мест я постепенно утрачиваю чувство реальности: меня — все меньше и меньше, вроде того стада, которое на каждой изгороди оставляло по клоку пуха... Остается только мое основанное нет».[1]

После нескольких бесплодных попыток обосноваться где-нибудь надолго она в конце концов

---

[1] Письмо Вере Меркурьевой уже из Москвы, после переезда с улицы Герцена опять в Мерзляковский (и снова — на время). Цитируется по книге: Марина Цветаева. Собрание сочинений в семи томах. Том 6. Письма. М., Эллис Лак, 1995, стр. 687. (*Примеч. переводчика.*)

возвращается к золовке, Елизавете Эфрон. Затем съезжает оттуда и селится с Муром в квартире № 20 дома № 6 по улице Герцена. Но прописку ей дают только временную, а разрешения на постоянную — нет. А ведь она должна из недели в неделю выстаивать в очередях к окошку тюрьмы, чтобы передать своим узникам дозволенную небольшую денежную сумму, предназначенную на улучшение их питания. И всякий раз она очень боится услышать роковой ответ: «В списках не значится».

Такая ситуация не может длиться вечно. Взяв себя в руки и набравшись мужества, Цветаева пишет 14 июня 1940 года новое письмо Берии: «Уважаемый товарищ, обращаюсь к вам со следующей просьбой. С 27-го августа 1939 г. находится в заключении моя дочь, Ариадна Сергеевна Эфрон, и с 10-го октября того же года — мой муж, Сергей Яковлевич Эфрон (Андреев).

После ареста Сергей Эфрон находился сначала во Внутренней тюрьме, потом в Бутырской, потом в Лефортовской, и ныне опять переведен во Внутреннюю. Моя дочь, Ариадна Эфрон, все это время была во Внутренней.

Судя по тому, что мой муж после долгого перерыва вновь переведен во Внутреннюю тюрьму, и по длительности срока заключения обоих (Сергей Эфрон — 8 месяцев, Ариадна Эфрон — 10 месяцев), мне кажется, что следствие подходит — а может, уже и подошло — к концу.

Все это время меня очень тревожила судьба моих близких, особенно мужа, который был арестован больным (до этого он два года тяжело хворал).

Последний раз, когда я хотела навести справку о состоянии следствия (5-го июня, на Кузнец-ком, 24), сотрудник НКВД мне обычной анкеты не дал, а посоветовал мне обратиться к вам с про-сьбой о разрешении мне свидания.

Подробно о моих близких и о себе я уже писа-ла вам в декабре минувшего года. Напомню вам только, что я после двухлетней разлуки успела по-быть со своими совсем мало: с дочерью — два ме-сяца, с мужем — три с половиной, что он тяжело болен, что я прожила с ним 30 лет жизни и луч-шего человека не встретила.

Сердечно прошу вас, уважаемый товарищ Бе-рия, если есть малейшая возможность, разрешить мне просимое свидание».[1]

Но и это послание, как предыдущее, осталось безответным. Тогда Марина решила переменить тактику и 27 августа 1940 года адресовала одно-му из наиболее приближенных к Сталину со вре-мени смерти Горького советских писателей, Петру Павленко, письмо с изложением своего дела. Что-бы умилостивить судьбу и иметь больше шансов, она пишет по новой принятой в СССР упрощен-ной орфографии, без ятей, без твердых знаков, да-же и собственную фамилию — тоже. Вот оно — это письмо:

«Многоуважаемый товарищ Павленко!
Вам пишет человек в отчаянном положении.
Нынче 27-е августа, а с 1-го мы с сыном, со всеми нашими вещами и целой библиотекой —

---

[1] Цитируется по книге: «Болшево. Литературный историко-краеведческий альманах». М., товарищество «Писатель», 1992, стр. 186—187. (*Примеч. переводчика.*)

на улице, потому что в комнату, которую нам сдали временно, въезжают обратно ее владельцы.

Начну с начала.

18-го июня 1939 г., год с лишним назад, я вернулась в Советский Союз с 14-летним сыном и поселилась в Болшеве, в поселке Новый Быт, на даче, в той ее половине, где жила моя семья, приехавшая на 2 года раньше. 27-го августа (нынче годовщина) была на этой даче арестована моя дочь, а 10-го октября — и муж. Мы с сыном остались совершенно одни, доживали, топили хворостом, который собирали в саду. Я обратилась к Фадееву за помощью. Он сказал, что у него нет ни метра. На даче стало всячески нестерпимо, мы просто замерзали, и 10 ноября, заперев дачу на ключ (NB! у нас нашей жилплощади никто не отнимал, и я была там прописана вместе с сыном на площади мужа) — итак, заперев дверь на ключ, мы с сыном уехали в Москву к родственнице, где месяц ночевали в передней без окна на сундуках, а днем бродили, потому что наша родственница давала уроки дикции и мы ей мешали.

Потом Литфонд устроил нас в Голицынский Дом Отдыха, вернее, мы жили возле Дома Отдыха, столовались — там. За комнату, кроме 2-х месяцев, мы платили сами — 250 рублей — в месяц, — маленькую, с фанерной перегородкой, не доходившей до верха. Мой сын, непривычный к такому климату, непрерывно болел, болела и я, к весне дойдя до кровохарканья. Жизнь была очень тяжелая и мрачная, с керосиновыми негорящими лампами, тасканьем воды с колодца и пробиваньем в нем льда, бесконечными черными ночами, вечными болезнями сына и вечными ночными страхами. Я всю зиму не спала, каждые полчаса вскакивая, думая (надеясь!), что уже утро. Слишком много было стекла (все эти стеклянные террасы), черноты и тоски. В город я не ездила никогда, а когда ездила — скорей кидалась обратно от страха не попасть на поезд. Эта зима осталась у меня в памяти как полярная ночь. Все писатели из Дома Отдыха меня жалели и обнадеживали...

Всю зиму я переводила. Перевела две английские баллады о Робин Гуде, три поэмы Важа Пшавела (больше 2000 строк), с русского на французский ряд стихотворений Лермонтова, и уже позже, этим летом, с немецкого на французский большую поэму Бехера и ряд болгарских стихотворений. Работала не покладая рук — ни дня роздыха.

В феврале месяце мы из Голицына дали объявление в Вечерней Москве о желании снять в Москве комнату. Отозвалась одна гражданка, взяла у нас за 6 месяцев вперед 750 рублей — и вот уже 6 месяцев как предлагает нам комнату за комнатой, не показывая ни одной и давая нам ложные адреса и имена. (Она за этот срок «предложила» нам 4 комнаты, а показала только одну, в которую так и не впустила, потому что там живут ее родные.) Она все отговаривалась «броней», которую достает, но ясно, что это — мошенница.

— Дальше. —

Если не ошибаюсь, к концу марта, воспользовавшись первым теплом, я проехала к себе в Болшево (где у меня оставалось полное хозяйство, книги и мебель) — посмотреть — как там, и обнаружила, что дача взломана и в моих комнатах (двух, одной — 19 метров, другой — 7-ми метров) поселился начальник местного поселкового совета. Тогда я обратилась в НКВД и совместно с сотрудниками вторично приехала на дачу, но когда мы приехали, оказалось, что один из взломщиков — а именно начальник милиции — удавился, и мы застали его гроб и его — в гробу. Вся моя утварь исчезла, уцелели только книги, а мебелью взломщики до сих пор пользуются, потому что мне некуда ее деть.

На возмещение отнятой у меня взломщиками жилплощади мне рассчитывать нечего: дача отошла к Экспортлесу, вообще она и в мою бытность была какая-то спорная, неизвестно — чья, теперь ее по суду получил Экспортлес.

Так кончилась моя болшевская жилплощадь.

— Дальше. —

В июне мой сын, несмотря на непрерывные болезни (воспаление легких, гриппы и всяческие заразные), очень хорошо кончил седьмой класс Голицынской школы. Мы переехали в Москву, в квартиру профессора Северцова (университет) на 3 месяца, до 1-го сентября. 25-го июля я наконец получила по распоряжению НКВД весь свой багаж, очень большой, около года пролежавший на таможне под арестом, так как был адресован на имя моей дочери (когда я уезжала из Парижа, я не знала, где буду жить, и дала ее адрес и имя). Всё носильное, и хозяйственное, и постельное, весь мой литературный архив и вся моя огромная библиотека. Все это сейчас у меня на руках, в одной комнате, из которой я 1 сентября должна уйти со всеми вещами. Я очень много раздарила, разбросала, пыталась продавать книги, но одну берут, двадцать не берут, — хоть на улицу выноси! — книг 5 ящиков, и вообще — груз огромный, ибо мне в Советском Консульстве в Париже разрешили везти всё мое имущество, а жила я за границей — 17 лет.

Итак, я буквально на улице, со всеми вещами и книгами. Здесь, где я живу, меня больше не прописывают (Университет), и я уже 2 недели живу без прописки.

1-го сентября мой сын пойдет в 167 школу — откуда?

Частная помощь друзей и все их усилия не привели ни к чему.

Положение безвыходное.

За город я не поеду, п.ч. там умру — от страха и черноты и полного одиночества. (Да с таким багажом — и зарежут.)

Я не истеричка, я совершенно здоровый, простой человек, спросите Бориса Леонидовича.

Но — меня жизнь за этот год — добила.

Исхода не вижу.

Взываю к помощи».[1]

Марина попросила Бориса Пастернака передать это письмо всемогущему Павленко. Пастернак пообещал сделать это, правда, уточнив, что, как бы ни был влиятелен Павленко, у него нет никаких полномочий вмешиваться в дела прописки и раздачи жилья, более того — сопроводил Маринино письмо своим, где говорил о том, что на самом деле положение еще хуже. Павленко принял Цветаеву, совершенно очаровал ее, но помочь, естественно, ничем не смог. Марина была в отчая-

---

[1] Цитируется по книге: «Марина Цветаева. Собрание сочинений в семи томах. Том 7. Письма. М., Эллис Лак, 1995, стр. 699—700. (*Примеч. переводчика.*)

нии: пришлось снова перебраться в Мерзляковский, к вечной спасительнице — Елизавете Эфрон. А гнев в адрес властей только и оставалось, что излить в очередном письме поэтессе Вере Меркурьевой: «Начнем с общего. Человек, раз он родился, имеет право на каждую точку земного шара, ибо он родился не только в стране, городе, селе, но — в мире.

Или: ибо родившись в данной стране, городе, селе, он родился — по распространению — в мире.

Если же человек, родясь, не имеет права на каждую точку земного шара — то на какую же единств. точку земного шара он имеет право? На ту, на к-ой он родился. На свою родину.

Итак, я, в порядке каждого уроженца Москвы, имею на нее право, п.ч. я в ней родилась.

Что можно дать городу, кроме здания — и поэмы? (Канализацию, конечно, но никто меня не убедит, что канализация городу нужнее поэм. Обе нужны, по-иному — нужны.)». И дальше — вспомнив свои стихи, посвященные такому прекрасному и такому неблагодарному городу: «Но даже — не напиши я Стихи о Москве — я имею на нее право в порядке русского поэта, в ней живущего и работающего, книги к-го в ее лучшей библиотеке. (Книжки нужны? а поэт — нет?! Эх вы, лизатели сливок!). И дальше — «Итак, у меня два права на Москву: право Рождения и право избрания. И в глубоком двойном смысле —

Я дала Москве то, что я в ней родилась».[1]

---

[1] Письмо это сохранилось лишь в черновике — в одной из тетрадей, начатой еще в Париже. Здесь цитируется по книге: Мария Белкина. «Скрещение судеб». М., Благовест-Рудомино, 1992, стр. 188—189. (*Примеч. переводчика.*)

А за несколько дней до этого она поверяет дневнику — возобновленной 5 сентября записной книжке — свои самые черные мысли: «О себе. Меня все считают мужественной. Я не знаю человека робче, чем я. Боюсь всего. Глаз, черноты, шага, а больше всего — себя, своей головы, если эта голова — так преданно мне служащая в тетради и так убивающая меня в жизни. Никто не видит, не знает, что я год уже (приблизительно) ищу глазами — крюк, но их нет, потому что везде электричество. Никаких «люстр».

Н. П. принес переводные народные песенки. Самое любимое, что есть. О как все это я любила! Я год примеряю смерть. Всё уродливо и страшно. Проглотить — мерзость, прыгнуть — враждебность, исконная отвратительность воды. Я не хочу пугать (посмертно), мне кажется, что я себя уже — посмертно — боюсь. Я не хочу умереть. Я хочу не быть. Вздор... Пока я нужна... но, Господи, как я мала, как я ничего не могу! Доживать — дожёвывать. Горькую полынь.

Сколько строк миновавших! Ничего не записываю. С этим кончено».[1]

Наконец после месяца блужданий по городу и множества газетных объявлений 21 сентября Цветаева подписала договор на аренду комнаты на шестом этаже по адресу: Покровский бульвар, 14/5, четвертый подъезд, квартира 62. И прописалась — на два года. Здесь она нашла четыре голых стены, электрическую лампочку без абажура, свисающую на шнуре с потолка, и кровать

[1] Цитируется по книге: Марина Цветаева. «Неизданные письма». YMCA-PRESS, Париж, 1972, стр. 630—631. (*Примеч. переводчика.*)

без матраса для Мура, напротив которой выстроила «кушетку» для себя, нагромоздив чемоданы и ящики, задрапированные пледом. 25 сентября переехали, использовав ссуду Литфонда для оплаты жилья за несколько месяцев вперед.

А 30-го она отправилась к знакомому окошку, куда ежемесячно протягивала по полсотни рублей для мужа. И, услышав страшный ответ: «Сергей Эфрон на передаче не числится», немедленно кинулась наводить справки. Ей не смогли или не захотели сказать ничего определенного, кроме того, что беспокоиться ей не следует: заключенного, скорее всего, административным решением куда-то перевели, а врачи в ведомстве хорошие и при нужде будет оказана квалифицированная помощь. Наполовину успокоившись (значит — жив!), Марина вернулась к работе, помогавшей заглушить боль и тревоги.

Параллельно с переводами она принялась за составление сборника своих старых произведений, который рассчитывала выпустить в Гослитиздате, и теперь тщательнейшим образом перечитывала их, стараясь выбрать из груды стихов те, что, по ее мнению, могли бы лучше всего дать представление о ее таланте. Кроме того, она следила за тем, чтобы в книжку не попали стихи, способные навести на мысль об осуждении ею советского режима.

По установившимся в СССР правилам, любую подготовленную к печати книгу прежде всего отдавали так называемым внутренним рецензентам, в чью задачу входила оценка как художественных ее достоинств, так и степени пригодности для советского читателя, строителя социалистического общества. Одним из двух рецензентов цветаевского сборника, причем — главным, стал Корнелий Зелинский, самый непримиримый из литературных критиков, к мнению которого особенно внимательно прислушивались власти. Именно ему как наиболее компетентному, с официальной точки зрения, поручалось определять, соответствует ли то или иное произведение линии партии или отклоняется от нее.

И рецензия Зелинского на сборник Марины оказалась убийственной. Он не только подчеркнул в ней враждебность автора по отношению к Советскому Союзу, но и счел сами стихи отвратительными, диаметрально противоположными коммунистической эстетике и настолько непонятными, будто они пришли «с того света». Зелинский писал, что в книге дается «клиническая картина искривления и разложения человеческой души продуктами капитализма в его последней, особо гнилостной формации» и что худшая услуга, которую можно оказать Цветаевой, — это издать такой сборник. «Невольно напрашивается вопрос: что, если эти стихи перевести на другой язык, обнажив для этого их содержание, как это делает, например, подстрочник, — что останется от них? Ничего, потому что они формалистичны в прямом смысле этого слова, то есть бессодержательны», — заключал он.[1]

Сохранился и отзыв Цветаевой на эту рецензию: «Человек, смогший аттестовать такие стихи как формализм — просто бессовестный. Я это го-

434

[1] Цитаты из рецензии К.Зелинского приводятся по книге: Анна Саакянц. «Марина Цветаева. Жизнь и творчество». М., Эллис Лак, 1999, стр. 723—724. (*Примеч. переводчика.*)

ворю — из будущего. МЦ».[1] И еще один: «О, сволочь: Зелинский!»[2]

Но происходили события и еще более тяжелые и серьезные: 27 января, когда Марина принесла в тюрьму деньги для Ариадны, у нее отказались их принять, объявив, как и в случае с Сергеем, что такая «на передаче не числится». Куда увели дочь? Сначала ответы были уклончивы, потом Цветаева — придя от этого в отчаянье — узнала, где теперь находится место заключения Али: далеко на Севере, некий Княжий Погост в советской автономной республике Коми. И начала тут же слать по этому адресу одну почтовую открытку за другой, стараясь писать о том, что не могло бы ни ее, ни дочь «скомпрометировать».

И вот — после нескольких месяцев тоскливого ожидания — 12 апреля 1941 года пришла весточка от Ариадны, в которой она коротко сообщала, что — жива.[3] Чего еще желать? Марина отвечает ей, адресуя письмо «в Севжелдорлаг», в тот же день: «Дорогая Аля! Наконец твое первое письмо — от 4-го, в голубом конверте. Глядела на него с 9 ч. утра до 3 ч. дня — Муриного прихода из школы. Оно лежало на его обеденной тарелке, и он уже в дверях его увидел и с удовлетворенным и даже самодовольным: — А-а! — на него кинулся.

---

[1] Цитируется по книге: Каган Ю. М. «Марина Цветаева в Москве. Путь к гибели». М., Отечество, 1992, стр. 207. (*Примеч. переводчика.*)

[2] Цитируется по книге: Анна Саакянц. «Марина Цветаева. Жизнь и творчество». М., Эллис Лак, 1999, стр. 731. (*Примеч. переводчика.*)

[3] На самом деле — не короткая весточка, а подробное письмо, причем по существу, даже и не первое — в письме М. И. Цветаевой Ариадне от 8 апреля сказано, что она уже получала от дочери письмо — в ее письме Муле.

Читать мне не дал, прочел вслух и свое и мое. Но я еще до прочтения — от нетерпения — послала тебе открыточку. Это было вчера, 11-го. А 10-го носила папе, приняли.

Аля, я деятельно занялась твоим продовольствием, сахар и какао уже есть, теперь ударю по бэкону и сыру — какому-нибудь самому твердокаменному. Пришлю мешочек сушеной моркови, осенью сушила по всем радиаторам, можно заваривать кипятком, все-таки овощ[1]. Жаль, хотя более чем естественно, что не ешь чеснока, — у меня его на авось было запасено целое кило. Верное и менее противное средство — сырая картошка, имей в виду. Так же действенна, как лимон, это я знаю наверное. <..>

У нас весна, пока еще — свежеватая, лед не тронулся. Вчера уборщица принесла мне вербу — подарила — и вечером (у меня огромное окно, во всю стену) я сквозь нее глядела на огромную желтую луну, и луна — сквозь нее — на меня. С вербочкою светлошёрстой, светлошёрстая сама... — и даже весьма светлошёрстая! Мур мне нынче негодующе сказал: — Мама, ты похожа на страшную деревенскую старуху! — И мне очень понравилось — что деревенскую. Бедный Кот, он так любит красоту и порядок, а комната — вроде нашей в Борисоглебском, слишком много вещей, всё по вертикали. Главная Котова радость — радио, которое стало — неизвестно с чего — давать решительно всё. Недавно слышали из Америки Еву Кюри. Это большой рессурс. <..>

Кончаю своих Белорусских евреев, перевожу

---

[1] Орфография подлинника.

каждый день, главная трудность — бессвязность, случайность и неточность образов, всё распадается, сплошная склейка и сшивка. Некоторые пишут без рифм и без размера. После Белорусских евреев, кажется, будут балты. Своего не пишу, некогда, много работы по дому, уборщица приходит раз в неделю. <...>

Хочу отправить нынче, кончаю. Держись и бодрись, надеюсь, что Мулина поездка уже дело дней. Меня на днях провели в Группком Гослитиздата — единогласно. Вообще я стараюсь.

Будь здорова, целую. Мулины дела очень поправились, он добился чего хотел и сейчас у него много работы. Мур пишет сам».[1]

Марина очень радуется тому, что возобновились контакты с дочерью — пусть хотя бы и эпистолярные. Что до Сергея, то он, очевидно, жив, потому что тюремное начальство только что приняло для него посылку. И еще одна хорошая новость — насчет группкома, но приняли ее туда вовсе не за писательский талант, а за переводческую деятельность. Получив членский билет, Марина бережно положила его в сумку: ведь очень же важно в такое время иметь свидетельство официального признания твоего труда! Кроме того, это может помочь ей в случае, если понадобится снова сменить квартиру — она уже рассматривала такую возможность, потому что жить с соседями становилось все труднее и труднее. На коммунальной кухне то и дело возникали ссоры, скандалы, соседи снимали с плиты чайник Марины и

---

[1] Цитируется по книге: Марина Цветаева. «Неизданное. Семья. История в письмах». М., Эллис Лак, 1999, стр. 417—419. (*Примеч. переводчика.*)

ставили свой, с пеной у рта доказывали, что она им вредит, нарочно готовит тогда, когда надо им... Бесстыдство соседей возмущало Мура, и он называл их скотами. А Марина плакала... Но потом скандалы на время утихали, и повседневная жизнь вступала в свои права.

В июне 1941 года Марина готовилась к важному для нее событию: в Москву должна была приехать Анна Ахматова, которой она когда-то так восторгалась. Общие друзья решили организовать «историческую встречу». Но за прошедшее время Цветаева успела несколько изменить мнение о великой поэтессе, которую превозносила вся Россия. Последний сборник стихов Ахматовой так разочаровал Марину, что она записала в дневнике: «Да, вчера прочла, перечла — почти всю книгу Ахматовой, и — старо, слабо. Часто (плохая и верная примета) совсем слабые концы сходящие (и сводящие) на нет. Испорчено стихотворение о жене Лота. Нужно было дать либо себя — ею, либо ее — собою, но — не двух (тогда бы была одна: она).

> ...Но сердце мое никогда не забудет
> Отдавшую жизнь за единственный взгляд.

Такая строка (формула) должна была даться в именительном падеже, а не в винительном. И что значит: сердце мое никогда не забудет... — кому до этого дело? — важно, чтобы мы не забыли, в наших очах осталась —

> Отдавшая жизнь за единственный взгляд...

Ну, ладно...
Просто был 1916-й год, и у меня было безмерное сердце, и была Александровская слобода, и

была малина (чудная рифма — Марины), и была книжка Ахматовой... Была сначала любовь, потом — стихи...

А сейчас: я — и книга.

А хорошие были строки... Непоправимо-белая страница... Но что она делала: с 1914 г. по 1940г.? Внутри себя. Эта книга и есть «непоправимо-белая страница...»[1]

Первая встреча между ними состоялась 7 июня 1941 года у Ардовых. Хозяин дома рассказал об этом так: «Я сам открыл входную дверь в тот погожий зимний день. Марина Ивановна вошла в столовую. Здесь на своем обычном месте на диване сидела Ахматова. Мне не нужно было даже произносить обычные слова при представлении двух лиц друг другу. Волнение было написано на лицах обеих моих гостий. Они встретились без пошлой процедуры «знакомства». Не было сказано ни «очень приятно», ни «как я рада», ни «так вот вы какая». Просто пожали друг другу руки.

Я не без колебаний ушел из комнаты: я понимал, что, оставив обеих поэтесс вдвоем, я лишаю историю нашей литературы важных свидетельских показаний. Но элементарная деликатность мне говорила, что я — отнюдь не тот, кому надо быть третьим в этой беседе.

Вскоре поэтессы перешли в... маленькую комнату <...>. Примерно два часа они пробыли там вместе. Затем обе вышли еще более взволнованные, чем при первых мгновениях встречи.

Зная Анну Андреевну, я легко увидел на ее

---

[1] Цитируется по книге: Мария Белкина. «Скрещение судеб». М., Благовест-Рудомино, 1992, стр. 264—265. (*Примеч. переводчика.*)

лице следы тех переживаний, которые вызываются у нее чужими несчастьями, наблюдаемыми непосредственно или по рассказам...

Вышли они, подружившись, что я почувствовал сразу же. Но не было, конечно, признаков возникшего только что мелкого женского приятельства, которое обычно для посредственных натур. Обе женщины молчали и не смотрели друг на друга. Я предложил гостьям чаю. Марина Ивановна отказалась и скоро ушла. Беседа в столовой так и не наладилась. Впрочем, у меня хватило такта не провоцировать салонную болтовню...

Когда Цветаева уходила, Анна Андреевна перекрестила ее.

Кажется, больше они и не видались.

Анна Андреевна никогда не рассказывала нам, о чем шел разговор в маленькой комнате. Из этого я заключаю, что говорили о делах Цветаевой, и Ахматова не считала возможным раскрывать чужие секреты.

Впоследствии Анна Андреевна всегда отзывалась о Марине Ивановне с сочувствием к ее судьбе. Из этого я заключаю, что Цветаева многое о себе рассказала при встрече».

Для следующего свидания им предложил свою комнату в коммуналке Н.Харджиев. Но и здесь и та, и другая были настороже, занимали — каждая — оборонительную позицию. Вспоминая об их натянутой беседе, Ахматова скажет: «Сейчас, когда она вернулась в свою Москву такой королевой и уже навсегда... мне хочется просто «без легенды» вспомнить эти Два дня». Более проницательная, чем Ахматова, Ариадна Эфрон напишет в своих воспоминаниях: «Подобно тому, как читители моего поколения говорят «Пастернак и Цветаева», так ее поколение произносило «Блок и Ахматова». Однако для самой Цветаевой соединительная частица между этими двумя именами была чистейшей условностью; знака равенства между ними она не проводила; ее лирические славословия Ахматовой являли собой выражение доведенных до апогея сестринских чувств, не более. Они и были сестрами в поэзии, но отнюдь не близнецами; абсолютная гармоничность, духовная пластичность Ахматовой, столь пленившие вначале Цветаеву, впоследствии стали ей казаться качествами, ограничивавшими ахматовское творчество и развитие ее поэтической личности. «Она — совершенство, и в этом, увы, ее предел», — сказала об Ахматовой Цветаева.[1] На самом же деле, воздавая должное мудрости Ахматовой и ее блестящей карьере, Марина завидовала ей: ведь та сумела проявить свой талант при разных режимах. Она мысленно обвиняла Ахматову в том, что та нравится всем любителям поэзии без исключения, в то время как у нее самой были поклонники лишь среди людей двух противоположных вкусов: тех, кто восхищался всеми подряд ее стихами, но при этом упрекал ее в недостатке ясности, и тех, кто превозносил ее именно за обогащение словаря до такой степени, что русский язык стал уже почти целиком «цветаевским». Тем не менее Марине казалось, что даже в Советской России становится все больше и больше приверженцев современной — изобретательной и тре-

----

[1] А. Эфрон. «Страницы воспоминаний». Цитируется по книге: Ариадна Эфрон. «О Марине Цветаевой. Воспоминания дочери». М., Советский писатель, 1989, стр. 90. (*Примеч. переводчика.*)

вожащей — лирики. Может быть, в конце концов ее признают своего рода классиком? Ох, если бы не эта волна жестокости и насилия, которая захлестнула весь мир, оттеснив поэзию в разряд пустых развлечений, если не вытеснив ее из жизни вовсе! Разве сможет одна Россия оставаться в стороне от мировых катаклизмов?

С самого начала 1941 года московские власти предписали всему населению столицы ходить на занятия по противовоздушной обороне. Ходила на них и Цветаева — вместе с соседями по дому. Лица встречных на улицах были тревожными, никто не решался говорить вслух о неизбежности вооруженного конфликта со всемогущим Рейхом. Но все об этом думали.

В субботу, 21 июня 1941 года, Марина отправилась в гости к друзьям — прочесть там «Повесть о Сонечке». Теплый прием немножко успокоил ей нервы. Вернувшись домой, на Покровский бульвар, она попыталась уснуть. А на рассвете ее охватило ужасное предчувствие. Наскоро одевшись, она побежала на собрание в Союз писателей — тогда они обычно проходили по воскресеньям. Вместо собрания попала на митинг. Собратья по перу не говорили ни о чем, кроме нападения немцев на Советский Союз, которое случилось рано утром. Конечно же, Гитлер и не подумал объявить войну. Но его войска уже топтали русскую землю. Ставкой в зловещей игре стали честь и будущее родины. Сможет ли СССР ответить ударом на удар или согласится, чтобы его поглотили, лишь бы не было кошмарного кровопролития? Выходя на трибуну перед напрягшейся аудиторией, Фадеев, Эренбург и другие писательские начальники произносили пламенные речи, призывая покарать преступников. Потом все встали. Взгляды стали жесткими, кулаки сжались сами собой, плечи распрямились. И все запели хором: «Это есть наш последний и решительный бой...» Маринин голос слился с голосами товарищей по цеху. И вдруг она перестала быть вчерашней эмигранткой...

XVII

ЗАЧЕМ ЖИТЬ?

В тот же день, воскресенье, 22 июня 1941 года, идя по Покровскому бульвару, Марина услышала официальное объявление о том, что СССР и Германия теперь находятся «в состоянии войны». Было очень жарко. Из открытых окон домов доносился голос председателя Совета Народных Комиссаров Молотова, и звуки его торжественно плыли над городом. Растерянные прохожие останавливались и молча слушали. Быстро добежав до квартиры, Марина принялась звонить друзьям и знакомым. Все они были ошеломлены новостью. Самой же ей казалось, будто за несколько минут ее переместили на другую планету. Со дня на день Москва становилась все более неузнаваемой. Отряды молодых солдат с песнями проходили по улицам, скрещенные бумажные ленты были наклеены на все окна, мешки с песком громоздились перед подъездами общественных зданий и магазинов. Люди перестали читать книги. Поэзия умерла. Все интересовались только военными сводками. А те неизменно приносили лишь плохие новости. Наступлению немцев, казалось, нельзя противостоять. Один за другим сдавались им советские города. Уже поговаривали, что фашисты готовятся окружить Ленинград. А когда они займут его, то двинутся на Москву. Марина приходила в ужас при мысли о том, что Мура могут мобилизовать, несмотря на мальчишеский возраст: ему исполнилось шестнадцать. А он демонстрировал умственный инфантилизм, дерзость и озлобленность, которые никак не могли вызвать к нему симпатию у чужих людей. Ничто его не трогало, ничто не казалось ему привлекательным. Осознавая собственную ничтожность, он писал сестре о том, каковы его настоящие интересы в московской жизни: «У меня два новых увлечения: одна девица и футбол. Девицу оставили на 2-й год в 9-м классе, ей 18 лет, украинка, была в Ташкенте, а теперь ей нечего делать, и мы гуляем, обмениваемся книгами, ходим в кино и т.п. Мама злится, что «ничего не знает о моей «знакомой», но это пустяки. Во всяком случае я с этой девицей здорово провожу время, она остроумна и изящна — а что мне еще надо? Теперь — 2-е увлечение. Собственно, увлечение №1 не есть увлечение, а так — времяпрепровождение. И то хлеб, спасибо. Увлечение № 2 — футбол — я предвидел. Острые ощущения — замечательная штука! Я был уже на четырех матчах первенства страны. «Болею» за кого попало. В СССР приехали писатели Жан-Ришар Блок и Андрэ Мальро. Блок выступал в «Интернациональной литературе». Сегодня был в кино с моей девицей — смотрели «Кино-Концерт» и «Старый Двор». Ничего. Лемешев качается на люстре — эффектно. Моя подруга любит джаз и балет и не понимает «большой музыки». Обожает читать Клода Фаррера. <...> Прочел замечательнейшую книгу — прямо открытие для меня: «Богатые кварталы» Арагона. А мама эту книгу не переносит. Замечательная книга, просто прекрасная...»

Чем больше Марина ощущала враждебность Мура по отношению к себе, тем сильнее ей хотелось защитить его, уберечь от немногих его московских знакомых и спасти от самого себя. Увы! Судя по всему, правительство вот-вот должно было призвать под знамена и подростков. Пока этого не случилось, Мура привлекли к дежурствам, связанным с противовоздушной обороной. Он вместе с товарищами был обязан подниматься на крышу, вести там наблюдение и сбрасывать вниз, на тротуар или мостовую, зажигательные бомбы и бомбы замедленного действия, падавшие в их секторе. Марина находила эту работу слишком тяжелой и опасной для сына. Ей хотелось бы, чтобы его от нее освободили и чтобы Пастернак спрятал их обоих на своей подмосковной даче. Но, вероятно, Пастернаку не улыбалась мысль о том, чтобы поселить у себя таких трудных в общении, обременительных, странных гостей. Заверяя Марину в дружбе, он уклонялся от этого под любыми предлогами.

Начиная с 24 июля Москву стали бомбить практически каждую ночь. Жить приходилось как бы урывками — между тем, как замолкнет одна сирена и взовет другая. Марину сильно напрягала необходимость бежать при этих звуках в подвал или в метро. Страх перед взрывами и нехватка сна привели ее на грань нервного срыва. Но правительство уже начало эвакуировать гражданское население — по категориям. Тех, от кого не было никакой пользы, и престарелых отправляли на юг страны. Марина довольно долго колебалась, стоит ли им с Муром принять участие в этом великом исходе, и в конце концов решила ехать туда, куда эвакуировали профессиональных литераторов.

Был назначен день отъезда — 8 августа. Накануне Цветаеву и ее сына навестила чета друзей — Гордоны.

«Хорошо помню ее отъезд, — пишет Нина Гордон. — Утром на работу — это было 7 августа 1941 года — мне позвонил Муля и сказал, что Марина Ивановна собирается срочно, завтра же, уехать в Елабугу и что надо ее во что бы то ни стало от этого отговорить. Я сказала, что в обед сбегаю к ней и скажу (телефона у нее, по-моему, не было или его уже сняли), что вечером мы оба к ней придем и все вместе обсудим и решим.

Я прибежала днем <…> — Марина была одна и в очень возбужденном состоянии. Мура не было. В комнате все вверх дном — сдвинуты чемоданы, открыты кофры, на полу — большие коричневые брезентовые мешки. Хорошие вещи — костюмы, пальто Сергея Яковлевича — откладывались в сторону, а в мешки, которые она брала с собой, пихались все те же мохнатые тряпки и полотенца, которые она срывала с веревок.

…Стала мягко и даже робко уговаривать ее не уезжать. Я видела, в каком она состоянии, что раньше всего ее надо как-то успокоить. Очень помню ее глаза в этот день — блестящие, бегающие, отсутствующие. Она как будто слушала вас и даже отвечала впопад, но тем не менее было ясно, что мысли ее заняты чем-то своим, другим. И вся она была как пружина — нервная, резкая, быстрая. И все время говорила.

Я решила, что вечером с Мулей, который всегда на нее действовал успокаивающе, и она чувствовала в нем какую-то опору, может быть, удастся повлиять на нее.

И тут пришел Мур. Увидев мешки и сборы, он довольно грубо и резко заявил ей, что никуда не поедет, и пусть она, если она хочет, едет одна.

После работы я опять была там, пришел и Муля. Наперебой мы доказывали ей, что если она все-таки хочет уехать, то необязательно ехать завтра же, именно с этой группой писателей, что будут еще группы через неделю-другую, что за это время надо как-то подготовиться, продать какие-то вещи и поехать хотя бы с деньгами.

Она начала колебаться, но возражала, что вещи могут не так скоро продать в комиссионке. Муля предложил сдать вещи на мой паспорт и чтобы я, по мере продажи вещей, высылала ей деньги. Это ее очень обрадовало и как-то успокоило. Она дважды переспросила меня — согласна ли я это сделать, не боюсь ли я — и стала соображать, что продать, что взять с собой, что отдать на хранение каким-то ее старым знакомым, которые жили в каком-то бывшем монастыре, в подвальном этаже, который «не пробьют бомбы». По-моему, в бывшем Симоновском, а может быть, я ошибаюсь.

Кроме того, мы уговорили ее вынуть из мешков тряпки и стали доказывать, что с собой надо брать именно хорошие вещи, чтобы и там их можно было продать или просто поменять на продукты.

Состояние ее и вечером мне очень не понравилось; возбуждение не проходило, глаза лихорадочно бегающие; то она быстро со всем соглашалась, но тут же опять возражала, то опять как будто соглашалась. Мы пробыли там до поздней ночи, то есть до того времени, позже которого нельзя было ходить по улицам. Уговаривали втроем — и Муля, и Мур, и я. Под конец она сдалась, успокоилась, уже ровным голосом сказала, что поедет позже с другой группой, что Муля должен узнать завтра же в Союзе писателей, когда намечается отъезд следующей партии писателей и их жен, а пока постарается кое-что продать и собраться как следует. Мы договорились с ней твердо в воскресенье с утра пойти вместе в комиссионку и сдать вещи на продажу. Она даже как-то повеселела.

Незадолго до нашего ухода к ней пришли какие-то старухи, как выяснилось потом, те самые, что жили в монастыре.

Расставаясь, она крепко меня обняла и поцеловала.

На следующий день утром, как только я пришла на работу, раздался телефонный звонок. Звонил Муля: «Нинка, Марина Ивановна в шесть утра сегодня уехала в Елабугу...» — голос у него был глухой, усталый и даже какой-то тоскливый. Я совершенно пришибленная опустилась на стул.

Потом он ко мне зашел и рассказал, что узнал от соседей: Марина всю ночь судорожно собиралась, ссорилась с Муром, но настояла на своем; к шести утра за ними приехал грузовик (наверное, она все же созвонилась с Союзом), и она уехала вместе с Муром.

Больше я ее не видала».[1]

Назавтра после встречи с Гордонами Пастернак, поддавшись приливу дружеских чувств, если не нежности, проводил Марину и Мура на речной вокзал в Химки. Там они поднялись на борт старой посудины «Александр Пирогов», битком набитой растерянными и потными от страха пассажирами.

Десять дней длилось неспешное плавание — по каналу Москва-Волга, потом по реке Каме — до Чистополя. Некоторые привилегированные семьи получили право поселиться в этом сравнительно большом городке, других направляли в более мелкие того же района. Никого не спрашивали, чего ему самому хотелось бы. У каждого был свой порядковый номер, своя судьба, уготованная ему администрацией, свой дом. Видя, как унижают Марину и как смиренно она принимает это унижение, Мур бушевал и не стеснялся в выражениях, оскорбляя ее — по его мнению, причину всех их несчастий — публично.

Цветаевой с сыном определили местом жительства Елабугу — глухое местечко в Татарской автономной республике. Здесь большая часть домов представляла собою обычные деревенские избы. Куры рылись в пыли на улицах. Козы и гуси свободно гуляли среди редких прохожих.

Жилье, предложенное Марине и Муру, оказа-

---

[1] Нина Гордон. «Меня она покорила сразу простотой обращения». Цитируется по книге: «Марина Цветаева в воспоминаниях современников. Возвращение на родину». М., Аграф, 2002, стр. 14—16. (*Примеч. переводчика.*)

лось одной из таких бревенчатых избушек, какие строили для себя крестьяне. Единственная большая комната внутри с перегородкой, не доходящей до потолка. Одну половину этой комнаты отвели эвакуированным, другую оставили хозяевам — Бродельщиковым. Это были простые и хлебосольные, но довольно шумные люди, а в одном конце избы было отлично слышно все, что происходило в другом. Не существовало никакого способа уединиться, подумать, помечтать. Возмущенный удручающей теснотой, выпавшей им на долю, Мур настаивал, чтобы мать потребовала переселения в Чистополь, который был, по крайней мере, настоящим городом и там жили настоящие эвакуированные писатели, в то время как Елабуга — свалкой, куда выбрасывали отходы. К тому же, утверждал Мур, в Елабуге не найти ни работы для матери, ни подходящей школы для него. Марина колебалась. Попав в этот Богом забытый уголок, она почувствовала себя такой усталой и отчаявшейся, что сказала Бродельщикову: «Я здесь останусь, никуда больше не пойду!»

Инстинкт диктовал ей, что нужно быть понезаметнее, не привлекать к себе внимания никакими официальными требованиями смены места жительства. Впрочем, на следующий же день после прибытия в Елабугу ее вызвали в местное отделение НКВД. Совершенно очевидно, провинциальным чиновникам не терпелось продемонстрировать московским коллегам свою сноровку, послав в столицу подробное донесение об этой «бывшей», которую им подкинули. Этот новый допрос, за которым, впрочем, не последовало никаких санкций, окончательно добил Марину: ее нервная система утратила способность сопротивляться. Вместо того чтобы поддержать мать в беде, Мур снова стал хандрить и утверждать, что необходимо срочно перебираться в Чистополь. Конечно, там тоже полно агентов НКВД, и лжедрузей, и завистливых литераторов, и там такая же нищета, такие же тоска и унижения, но всё лучше, говорил он, чем жить в этом застенке, где только и можно, что дохнуть от скуки нищеты посреди всеобщего равнодушия. Устав плыть против течения, Марина подумала, что Мур, может быть, и прав и что ей следует хотя бы попытаться использовать имеющиеся у нее связи и поискать в другом месте возможность получить более удобное жилье, да к тому же и удовлетворить свои интеллектуальные потребности. Кроме всего прочего, в дневнике Мура сохранилась таинственная запись о том, что горсовет предложил матери в это время работу переводчицы с немецкого в системе НКВД. Означает ли это ее реабилитацию в глазах советской власти? Не здесь ли можно усмотреть лучик надежды на улучшение существования их двоих?

Собравшись с духом, Марина письменно запросила для себя и сына право на прописку в Чистополе. Решение о том, можно ли предоставить эвакуированному писателю такое право, принималось тогда местным отделением Литфонда, выбиравшим «победителей» с надлежащей сноровкой. Среди писателей, входивших в состав комитета, от которого в этом плане все зависело, как удалось узнать Марине, был только один, который враждебно относился к тому, чтобы внести ее фамилию в список законно проживающих в городе. Некий Тренев — лауреат Сталинской премии и носитель многих почетных титулов, известный своими строго коммунистическими взглядами. Он считал, что эмигрантке, да к тому же еще и супруге бывшего белогвардейца, не место среди советских писателей, четко сознающих свой долг перед родиной. Зато она могла рассчитывать на помощь другого литератора — Асеева, но у того не было преимуществ первого лица в Литфонде. Несмотря на такие тревожные слухи, Марина, на которую нещадно давил Мур, принялась осуществлять свой проект.

24 августа 1941 года она — одна — взошла по трапу на палубу парохода, идущего в Чистополь. А там отправилась в Литфонд, где в глубокой тайне от всех проходили заседания Совета. Сидя в коридоре, она с огромным волнением ждала решения президиума.

Писательница Лидия Чуковская, которая по каким-то своим делам пришла в это же время в Литфонд, обнаружила Цветаеву в углу, безмолвно и смиренно, будто самая последняя из нищенок, ожидающую решения своей участи.

Вот страницы из воспоминаний Чуковской, на которых рассказывается, как это было.

«...Лестница. Крутые ступени. Длинный коридор с длинными, чисто выметенными досками пола, пустая раздевалка за перекладиной; в коридор выходят двери — и на одной дощечка: «Парткабинет». Оттуда — смутный гул голосов. Дверь закрыта.

Прямо напротив, прижавшись к стене и не

спуская с двери глаз, вся серая, — Марина Ивановна.[1]

— Вы?! — так и кинулась она ко мне, схватила за руку, но сейчас же отдернула свою и снова вросла в прежнее место. — Не уходите! Побудьте со мной!

Может быть, мне следовало все-таки постучаться в парткабинет? Но я не могла оставить Марину Ивановну.

...Нырнула под перегородку вешалки, вытащила оттуда единственный стул. Марина Ивановна села... подвинулась и потянула меня за свободную руку — сесть. Я села на краешек.

— Сейчас решается моя судьба, — проговорила она. — Если меня откажутся прописать в Чистополе, я умру. Я чувствую, что непременно откажут. Брошусь в Каму.

Я ее стала уверять, что не откажут, а если и откажут, то можно ведь и продолжать хлопоты. <...> Повторяла я ей всякие пустые утешения. Бывают в жизни тупики, говорила я, которые только кажутся тупиками, а вдруг да и расступятся. Она меня не слушала — она была занята тем, что деятельно смотрела на дверь. Не поворачивала ко мне головы, не спускала глаз с двери даже тогда, когда сама говорила со мной.

— Тут, в Чистополе, люди есть, а там никого. Тут хоть в центре каменные дома, а там — сплошь деревня.

Я напомнила ей, что ведь и в Чистополе ей вместе с сыном придется жить не в центре и не в

---

[1] Лидия Корнеевна видела Цветаеву второй раз в жизни: накануне их при случайной встрече на площади познакомила общая приятельница, они обменялись парой слов, пожали друг другу руки и разошлись.

каменном доме, а в деревенской избе. Без водопровода. Без электричества. Совсем как в Елабуге.

— Но тут есть люди, — непонятно и раздраженно повторяла она. — А в Елабуге я боюсь.

В эту минуту дверь парткабинета отворилась и вышла Вера Васильевна Смирнова. <..>

Цветаева поднялась навстречу Вере Васильевне резким и быстрым движением. И взглянула ей в лицо с тем же упорством, с каким только что смотрела на дверь. Словно стояла перед ней не просто литературная дама — детская писательница, критик, — а сама судьба.

Вера Васильевна заговорила не без официальной суховатости и в то же время не без смущения. <..>

— Ваше дело решено благополучно, — объявила она. — Это было не совсем легко, потому что Тренев категорически против. Асеев не пришел, он болен, но прислал письмо... В конце концов, Совет постановил вынести решение простым большинством голосов, а большинство — за, и бумага... от имени Союза уже составлена и подписана. В горсовет мы подадим ее сами, а вам сейчас следует найти себе комнату. Когда найдете — сообщите... адрес — и все.

Затем Вера Васильевна посоветовала искать комнату на улице Бутлерова — там, кажется, еще остались пустые. Потом сказала:

— Что касается вашей просьбы о месте судомойки в будущей писательской столовой, то заявлений очень много, а место одно. Сделаем все возможное, чтобы оно было предоставлено вам. Надеюсь — удастся. <..>

— Ну вот видите, все хорошо, — сказала я,

когда мы спустились на площадь. — Теперь идите искать на Бутлерову...

И тут меня удивило, что Марина Ивановна как будто совсем не рада благополучному окончанию хлопот о прописке.

— А стоит ли искать? Все равно ничего не найду. Лучше уж сразу отступлюсь и уеду в Елабугу.

— Да нет же! Найти здесь комнату совсем не так уж трудно.

— Все равно. Если и найду комнату, мне не дадут работы. Мне не на что будет жить. <..> Я знаю вас всего пять минут,... но чувствую себя с вами свободно. <..> Скажите, пожалуйста, — тут она приостановилась, приостановив и меня. — Скажите, пожалуйста, почему вы думаете, что жить еще стоит? Разве вы не понимаете будущего?

— Стоит — не стоит — об этом я давно уже не рассуждаю. У меня в тридцать седьмом арестовали, а в тридцать восьмом расстреляли мужа. Мне жить, безусловно, не стоит, и уж во всяком случае все равно — где и как. Но у меня дочка.

— Да разве вы не понимаете, что все кончено! И для вас, и для вашей дочери, и вообще»[1].

Однако Марина согласилась поискать вместе с Лидией комнату в городе, надеясь найти свободную и недорогую. К сожалению, поиски оказались бесплодными. Но Лидия вбила себе в голову, что надо изменить настроение Марины, и пригласила ее на литературный вечер к своим друзьям — Шнейдерам. На этом импровизированном вечере Марина согласилась прочесть некото-

[1] Л. Чуковская. «Предсмертие». Цитируется по книге: Лидия Чуковская. «Избранное». М., Горизонт, Минск, Аурика, 1997, стр. 350—354. (*Примеч. переводчика.*)

рые из своих старых стихотворений, в частности «Тоску по родине». Ей аплодировали, ее поздравляли. Этот успех в тесном кругу напомнил ей о временах, когда она мечтала покорять все более широкую и все более открытую для восприятия ее вдохновения публику. Что общего между сегодняшней нищенкой и вчерашней победительницей? Татьяна Шнейдер, которая стала свидетельницей этого «поэтического представления», так описывает гостью, поразившую ее горделивой нищетой и странным нарядом: «На ней был отвратительный вязаный берет цвета верблюжьей шерсти, какая-то длинная юбка колоколом из очень хорошего синего шелка в вафельку, но от времени или от дороги потерявшая свой цвет. На ногах были сандалии. И еще спортивная курточка с очень хорошими плетеными пуговицами. Вид был жалкий. Глаза желтые глядели с сумасшедшинкой, она все время бегала по комнате и курила. Сначала папиросу, потом, как и мы, махорку. Все время, что она сидела у нас, у нее беспрерывно раскручивалась цигарка, она на минуту приходила в себя и говорила: «У меня опять расклеилось...», и очень беспомощно смотрела... Пили чай. Она пила одну и другую чашку, ела хлеб с маслом — один бутерброд и другой, все время отказывалась, и было видно, что она не хочет ни пить, ни есть, а делает то и другое, чтобы отвлечь себя... горько жаловалась, что ничего не понимает из того, что происходит... У нее была потребность исповеди. Она начала каяться, заплакала, сняла очки... она разделась. Сняла курточку и берет. Оказалась — прелестная, стройная, с гибкой талией девушки; руки были схвачены запястьями... Марина Ивановна посмотрела на мои руки и сказала: «Вы так много работаете, а у вас такие красивые руки», — и горько посмотрела на свои, действительно корявые, но удивительно мило рабочие, высоко подхваченные запястьями. Потом мы еще помолчали. Она нагнулась и поцеловала меня. Стыдно сказать — благословенно поцеловала. Скоро она ушла, чтобы прийти ночевать, но не пришла... Она была близка к концу, но не говорила об этом».[1]

Прочитала ли Цветаева в глазах Татьяны Шнейдер восхищение, и это подбодрило ее? Покидая уютную квартиру и дружеский круг, она чувствовала себя готовой к новым битвам. Сразу же отправила Муру телеграмму, сообщив, что наконец получила право прописки для них двоих в Чистополе. Но нужно было еще убедиться, что найдется, чем заработать на хлеб насущный.

Воспользовавшись расположенностью к ней Литфонда, Марина отбросила обычную свою гордость и адресовала этому всемогущему сообществу просьбу, чтобы ей предоставили пусть даже и самую черную работу по обслуживанию писателей. «В совет Литфонда. Прошу принять меня на работу в качестве судомойки в открывающуюся столовую Литфонда». И — подпись: «М. Цветаева. 26-го августа 1941 года».[2] Ведь не откажут

---

[1] Цитируется по книге: Анна Саакянц. «Марина Цветаева. Жизнь и творчество». М., Эллис Лак, 1999, стр. 754—755. (*Примеч. автора*).

[2] Цитируется по книге: Мария Белкина. «Скрещение судеб». М., Благовест-Рудомино, 1992, стр. 316. Вот только одно уточнение: на предложение работать, например в буфете, Марина ответила: «Нет-нет, это я не сумею! Я тут же просчитаюсь...» И известно, что, едва услышав о намерении создать столовую, Цветаева живо этим заинтересовалась и *сама* выбрала для себя место судомойки. Там же и написано. (*Примеч. переводчика.*)

же, в самом деле, ей в возможности мыть, получая жалкие гроши, посуду за братьями-писателями!

Проведя ночь с 27-го на 28-е августа в общежитии, предназначенном для писателей, находящихся в городе проездом, она отправилась на пристань, чтобы сесть на пароход, идущий в Елабугу. Набережная оказалась полна плачущих женщин. Только что причалили несколько пароходов с ранеными фронтовиками, и их поспешно выгружали в Чистопольском порту, чтобы распределить по местным госпиталям. Марина внезапно почувствовала себя никому не нужной, неуместной. Но ей казалось, что ее собственное отчаяние умножается и оправдывается отчаянием всей русской нации. Ужас царил не только в ее душе — он царил во всей вселенной. Когда и каким образом будет остановлен этот кошмар — для всей России и для нее самой? Поднимаясь на судно, курсировавшее между Чистополем и Елабугой, она была убеждена, что покидает не только твердую землю, но — оставляет за бортом реальность вообще. Все, что за этим последует, может быть только чистым безумием!

На следующий день после прибытия в Елабугу у Марины состоялся серьезный разговор с Муром, который — по-прежнему упрямясь — заставлял ее быть еще настойчивее в поступках. Послушать его, так надо браться с другого конца. В существующих условиях, говорил он, ей нужно 30 августа ехать снова в Чистополь, где на самом деле ничего еще не решено насчет будущего знаменитой русской поэтессы-судомойки, но — что вполне правдоподобно — может быть решено в ее пользу, и

Цветаевой окажут эту честь. Из любви к сыну и от усталости Марина согласилась пройти это последнее испытание. Однако 30 августа — вопреки обещанному — она не двинулась с места, словно парализованная самой своей решимостью.

В этот же самый день к ней зашла незнакомая ей девушка — Нина Броведовская, которой хорошо осведомленные соседи сказали, что дом Бродельщиковых, где жили Марина с сыном, скоро освободится, потому что нынешние постояльцы вот-вот уедут. Историю их встречи рассказывает, сведя вместе многочисленные записи этой беседы, Ирма Кудрова.

«Итак, когда Нина пришла в указанный дом, ее встретила как раз квартирантка, которую назвали почему-то учительницей. <...> Отвечая на вопрос неожиданно появившейся девушки, «учительница» подтвердила, что они с сыном действительно собираются отсюда уезжать. Назван был Чистополь — город, где у них есть друзья: «они помогут нам устроиться».

И тут-то выяснилось, что сама Нина только что из Чистополя.

Она рассказала, что им с матерью не удалось там найти ни жилья, ни работы, что для Нины главное — устроить мать, потому что сама она непременно уйдет на фронт: она уже успела окончить фельдшерские курсы.

Цветаева пытается отговорить свою юную собеседницу от этих планов.

В Елабуге, по ее словам, жить невозможно, здесь «ужасные люди», да и во всех отношениях здесь гораздо хуже, труднее, чем в Чистополе.

И фронт — это не для девочки.

Война — это грязь и ужас, это настоящий ад, и смерть на фронте — еще не самое страшное из того, что может там случиться.

— Тем более, — добавила она, — что у вас есть мама. У меня сын, он тоже все время куда-нибудь рвется. Он вот хочет вернуться в Москву, это мой родной город, но сейчас я его ненавижу... Вы счастливая, у вас есть мама. Берегите ее! А я одна...

— Но как же, ведь у вас сын? — возразила Нина с недоумением.

— Это совсем другое, — был ответ. — Важно, чтобы рядом был кто-то старше вас — или тот, с кем вы вместе росли, с кем связывают общие воспоминания. Когда теряешь таких людей, уже некому сказать: «А помнишь?..» Это все равно что утратить свое прошлое — еще страшнее, чем умереть.

Слова эти тогда же поразили Нину, как поразил ее язык, сама речь женщины, так не вязавшаяся с ее затрапезной одеждой. <..> Долгое время спустя после этой встречи Нина не раз вспоминала услышанное, настолько оно показалось ей значительным; женщина вызывала и симпатию и сочувствие. Запомнить же недавний разговор во всех его подробностях заставили трагические события».

После того как Нина Броведовская ушла, соседи Марины слышали, как она опять спорила с сыном. Разговор на повышенных тонах велся, как обычно, по-французски. Бродельщиковым, естественно, не удалось уловить его смысла, однако было ясно, что терпение матери на исходе, а мальчик со все большим трудом переносит ее деспотическую любовь. Ведет себя, как будто он еще восьмилетний, а ему ведь уже шестнадцать! В тот же вечер 30 августа взбешенный Мур запишет в своем дневнике: «Мать как вертушка: совершенно не знает, оставаться ей здесь или переезжать в Чистополь. Она пробует добиться от меня «решающего слова», но я отказываюсь это «решающее слово» произнести, п.ч. не хочу, чтобы ответственность за грубые ошибки матери падала на меня».[1]

На следующий день, 31 августа 1941 года, по радио сообщили, что немецкие войска форсировали Днепр. Горсовет Елабуги призвал всех жителей городка на субботник: строить взлетную полосу для будущего аэродрома. Каждый, кто поработает, получит буханку хлеба в награду за свои патриотические усилия. Марина послала Мура на расчистку территории. Это займет его, и потом — буханка хлеба тоже не будет лишней в нынешние голодные времена. Хозяев избы дома не было, в течение нескольких часов Марина оставалась одна. И сразу же, как сын ушел, на нее нахлынули самые черные мысли. За несколько дней до того, очередной раз поссорившись с матерью, Мур в отчаянии бросил ей с прямотой плохо воспитанного мальчишки: «Ну, кого-нибудь из нас вынесут отсюда вперед ногами!»[2] Сын был прав, думала она, но совершенно ясно, что первой должна уйти она. У Мура вся жизнь впереди, а она больше ничем не может быть полезна ни своим близ-

---

[1] Цитируется по книге: Анна Саакянц. «Марина Цветаева. Жизнь и творчество». М., Эллис Лак, 1999, стр. 758. (*Примеч. переводчика.*)

[2] Цитируется по книге: Анастасия Цветаева. «Воспоминания». Москва, Советский писатель, 1983, стр. 726. (*Примеч. переводчика.*)

ким, ни литературе. Чистый ключ вдохновения окончательно замутнен в ее голове водой из-под грязной посуды. Нет, все еще хуже: изгнанница на собственной родине, она никогда ничего не узнает ни о муже, ни о дочери. Живы ли они? Умерли? Или их просто выслали? А она, Марина, как должна воспринимать себя — как живое существо или как живой труп? Вместо того, чтобы помогать сыну, она пушечным ядром висит у него на шее. Впрочем, и на своей тоже. Если бы только можно было освободиться от этого тяготящего ее столько лет тела, которое ей пришлось волочить от ошибки к ошибке, от беды к беде... Идея покончить со всем просто ослепила ее — так, будто это был приказ, продиктованный Небом. Если только это не молчаливый приказ Москвы, точнее — НКВД. Этот жуткий спрут — государство — не отпускает ее, только все сильней и сильней сжимает щупальца. Здесь, как и в Ленинграде, как и в Москве, как везде, некая Марина Цветаева — никакая не поэтесса — талантливая или нет, — она даже и не женщина, она просто пешка, которую невидимая рука передвигает по шахматной доске, как ей, этой руке, угодно. А сегодняшняя политика уже просто свела ее к нулю. Чтобы окончательно убедить себя в том, что права, Марина перечитала строки из дневника, занесенные туда давно, почти в другой жизни — утром, по возвращении из тюрьмы, куда она снова понесла передачу Сергею, и передачу в этот раз неожиданно приняли. Значит, он жив! Мелькнул лучик надежды. «Вчера, 10-го, — записывала Цветаева в январе 1941 года в черновой тетради, не договаривая, проглатывая куски фраз, — у меня зубы стучали уже в трамвае, задолго. Так, сами. И от их стука (который я, наконец, осознала, а может быть, услышала) я поняла, что я боюсь. Как я боюсь. Когда, в окошке, приняли — дали жетон — (№24) — слезы покатились, точно только того и ждали. Если бы не приняли, я бы не плакала...» <...>

Короткая запись в другом месте тетради: «Что мне осталось, кроме страха за Мура (здоровье, будущность, близящиеся 16 лет, со своим паспортом и всей ответственностью)?»

И еще запись, вбирающая все частности: «Страх. Всего».

Оба слова подчеркнуты».[1]

Теперь Марина мысленно подчеркнула их еще раз, второй чертой... Они подытоживали всю ее жизнь после возвращения на родину.

Ужас рос и поднимался в ней, как вода черного болота. Вот сейчас, не сию минуту, так через минуту она погибнет, задохнется, совсем потеряет голову... Она уже не управляет собой, не управляет ситуацией. Нужно действовать, пока не пришли те, кто помешает. Дома никого нет. Можно подумать, они сговорились облегчить ей задачу. Но нужно сделать все очень быстро, если хочешь уйти со сцены с честью.

Марина пишет три письма.

Сначала — сыну.

«31-го августа 1941 года.

Мурлыга! Прости меня, но дальше было бы хуже. Я тяжело больна, это уже не я. Люблю тебя

---

[1] Цитируется по книге: Ирма Кудрова. «Гибель Марины Цветаевой». М., «Независимая газета», 1997, стр. 237—238. (*Примеч. переводчика.*)

безумно. Пойми, что я больше не могла жить. Передай папе и Але — если увидишь — что любила их до последней минуты, и объясни, что попала в тупик».[1]

Затем — членам Литфонда.

«ПИСАТЕЛЯМ

31-го августа 1941г.

Дорогие товарищи!

Не оставьте Мура. Умоляю того из вас, кто может, отвезти его в Чистополь к Н.Н.Асееву. Пароходы — страшные, умоляю не отправлять его одного. Помогите ему и с багажом — сложить и довезти в Чистополь. Надеюсь на распродажу моих вещей.

Я хочу, чтобы Мур жил и учился. Со мною он пропадет. Адрес Асеева на конверте.

Не похороните живой! Хорошенько проверьте».[2]

И последнее — другу, находящемуся в Чистополе, Николаю Асееву и сестрам Синяковым (его жене, Ксении Михайловне, и ее сестрам — Марии, Надежде и Вере):

«31 августа 1941г.

Дорогой Николай Николаевич!

Дорогие сестры Синяковы!

Умоляю Вас взять Мура к себе в Чистополь — просто взять его в сыновья — и чтобы он учился. Я для него ничего больше не могу и только его гублю.

---

[1] Цитируется по книге: Марина Цветаева. Собрание сочинений в семи томах. Том 7. Письма. М., Эллис Лак, 1995, стр. 709. (*Примеч. переводчика.*)

[2] Там же, стр. 710.

У меня в сумке 150 рублей и если постараться распродать все мои вещи.

В сундучке несколько рукописных книжек стихов и пачка с оттисками прозы.

Поручаю их Вам, берегите моего дорогого Мура, он очень хрупкого здоровья. Любите как сына — заслуживает.

А меня простите — не вынесла.

М. Ц.

Не оставляйте его никогда. Была бы без ума счастлива, если бы он жил у вас.

Уедете — увезите с собой.

Не бросайте».[1]

Запечатав все три письма, она решительным шагом направилась к выходу из избы. Ее околдовывал крюк на потолке. На самом деле это был просто погнутый гвоздь. Но он казался прочным. Она заметила его еще в день приезда сюда. Что касается веревки, то затруднение было лишь в том, какую выбрать из тех, которыми были обвязаны пакеты, прибывшие с ней в эвакуацию. Когда она научилась делать скользящую петлю? Может быть, в детстве — играя или так, развлечения ради. Ловко и проворно связывая пеньковые волокна, она сама дивилась тому, как легко вспоминаются когдатошние умения. Дальнейшее от нее не зависит. Нет, нужно еще одно усилие: позаботиться о том, чтобы не было видно, что происходит внутри, через окошко, выходящее во двор. Марина завешивает его какой-то тряпкой. Теперь все готово. Ну, вперед!

Когда Бродельщиковы вернулись домой, было

[1] Там же.

уже слишком поздно. Прибежали соседи, столпились вокруг висящего на крюке тела. Ногами Марина почти касалась пола. Люди вскрикивали, суетились, но никто не решался дотронуться до трупа: «Это приносит несчастье!» Наконец кто-то совсем незнакомый вынул Марину из петли. Прибыла вызванная на место происшествия милиция. Врач констатировал смерть. И тут со строительства аэродрома вернулся Мур. Он заметил суматоху у входа в дом и спросил, в чем причина. Соседи по кварталу объяснили ему в чем. Он хотел переступить порог, но ему помешали: зачем было мальчику видеть мать-удавленницу с раздувшимся лицом? Мур, опустив голову, ушел. Женщины за его спиной покрыли тело белой простыней. Когда его увезли в елабужский морг, милиция произвела обыск. В свидетельстве о смерти, в той рубрике, где записывают профессию покойного, секретарь горсовета обозначил кратко: «эвакуированная».

В ту ночь Мур остался у друга — Димы Сикорского. Вот что тот писал много лет спустя: «Я читал некоторые воспоминания, связанные с Цветаевой, где Мур представлен не в самом лучшем свете. Он действительно казался рассудочным, воспринимавшим жизнь с позиции холодной безупречной логики. Но на самом деле он был не таким. В этом я убедился в самую страшную минуту его жизни, когда передо мной вдруг оказался дрожащий, растерянный, потрясенный, несчастный мальчик. Это было в первую ночь после самоубийства Цветаевой. Он пришел ко мне, просил, дрожа, разрешения переночевать. Лишь через несколько дней нашел в себе силы сказать: «Марина Ивановна поступила логично».[1]

Мур испытывал одновременно отчаяние и облегчение. Марина, которую он обожал, несмотря на беспощадную критику, отравляла его существование своими мимолетными порывами, капризами, постоянными жалобами, непрошеными советами. Он почувствовал себя мужчиной, прежде чем ощутил, что стал сиротой. Чтобы отблагодарить Диму за гостеприимство, он оставил ему на память блузку, кофту и берет, которые были на Марине в день самоубийства. Но — аргументируя этот поступок своей болезненной чувствительностью — сын отказался присутствовать на похоронах матери.

У могилы собрались лишь соседи и незнакомые люди. Не появилось ни одной заметки в газетах, над гробом не было произнесено ни единого прощального слова. Шла война. Кровь заливала русскую землю. Кому было дело до самоубийцы, расставшейся с жизнью в глуши Татарстана, до старой поэтессы, которой изменило вдохновение, когда тысячи молодых людей умирали в бою, встав на защиту родины? Поскольку не хватало денег, на могиле даже не поставили креста с табличкой, где были бы имя и даты жизни. Место захоронения не было огорожено.

Эта посмертная безликость в точности соответствовала стилю мышления самой Цветаевой. Она ушла, как и жила, — бросая вызов всем принятым в обществе условностям. Если уж она по-

---

[1] Вадим Сикорский. «...Не моя златоглавая. Незабытое о Марине Цветаевой». Цитируется по книге: «Марина Цветаева в воспоминаниях современников. Возвращение на родину». М., Аграф, 2002, стр. 211.

святила всю себя служению литературе, то вполне справедливо, чтобы на земле не осталось никаких следов ее пребывания, кроме книг, которые она нам оставила. Разве не было ее самым заветным желанием насколько возможно свести на нет собственный образ как женщины, чтобы вернее проявился образ поэта? Страсть к письму, вылившаяся в отсутствие какой-либо записи (даже короткой эпитафии на надгробном камне) — ослепительный символ. Марина, с ее пугливой гордыней, не могла бы сама выбрать для себя лучшего финала, чем этот анонимный уход в никуда.

XVIII

ПОСЛЕ ЦВЕТАЕВОЙ

У близких Марины Цветаевой судьба оказалась такой же печальной, как и у нее самой. Ее муж, Сергей Эфрон, о котором у нее так долго не было никаких вестей, был тайно расстрелян в октябре месяце 1941 года. Ее сын Мур, вернувшийся в Москву из эвакуации в 1944 году, был сразу же мобилизован в Красную Армию, тяжело ранен в июле того же года под деревней Друйка в Прибалтике и умер в госпитале — как, точно никто не знает. Ее дочь Ариадна после ареста в 1939 году провела восемь лет в ссылке, после освобождения — два года в Рязани, затем была снова арестована и сослана на Крайний Север, в деревню под городом Туруханском Красноярского края. Полностью оправданная в 1955 году, получив разрешение поселиться в Москве, она посвятила всю свою жизнь до самого конца памяти матери и ее произведениям. Сестра Марины Анастасия, арестованная в 1937 году, затем освобожденная, затем опять высланная, была реабилитирована только в 1958-м и тоже, как Ариадна, посвятила жизнь памяти о Марине.

Интерес к поэзии Цветаевой пробудился среди русских, живущих за границей, только после войны. Тогда начали публиковаться многочисленные работы о ней и чудом отыскавшиеся неизданные тексты. В 1957 году Цветаева была объявлена третьим пленумом Союза писателей СССР великим национальным поэтом и с тех пор, как за пределами России, так и в ее границах, слава и авторитет ее только возрастают.

В момент, когда я заканчивал рассказ о тернистом пути Марины Цветаевой, мне в голову пришло одно личное воспоминание. Стоял декабрь 1938 года. Мне было двадцать семь лет, у меня уже вышло много книг, и вот мне представилась возможность побывать у русских писателей-эмигрантов, мало известных французской публике, чтобы высказать свое восхищение их творчеством. Меня по очереди весьма сердечно приняли Ремизов, Шмелев, Мережковский и его жена Зинаида Гиппиус, они отвечали на мои похвалы с волнующими скромностью и печалью. Во время наших бесед я потихоньку расспрашивал их о других русских писателях-изгнанниках. Они назвали мне нескольких собратьев по перу, но Марина Цветаева не была упомянута ни разу. Впрочем, я и сам почти ничего не знал в то время об этой, как говорили, недоступной и экстравагантной поэтессе. Молчание моих собеседников укрепляло меня в мнении о том, что зря иные ее прославляют и что, вполне возможно, она лжепатриотка, просто советская гражданка, которая явилась во Францию, чтобы сеять беспорядки на своем пути. И прошло едва ли пять месяцев после моих встреч с элитой русской эмигрантской литературы, когда я случайно узнал о внезапном отъезде Марины Цветаевой, которая бежала из «капиталистического ада», чтобы укрыться в Советской России и завершить там цикл своих несчастий.

Еще и сегодня, когда мне случается размышлять о гибких отношениях между искусством и политикой, между жаждой жизни и жаждой творчества, между ностальгией по родным просторам и охотой к перемене мест, между взаимодополняющими друг друга в очаровании русским и французским языками, я думаю о Марине Цветаевой. Как будто эта неординарная личность, вобравшая в себя столько безумия и столько горя, аккумулировала это все лишь для того, чтобы на своем примере научить — по принципу противоположности — других, как быть мудрыми.

СПИСОК ИСПОЛЬЗОВАННОЙ ПРИ ПЕРЕВОДЕ ЛИТЕРАТУРЫ

Произведения Марины Цветаевой:

1. Избранная проза в двух томах. Нью-Йорк, RUSSICA PUBLISHERS, 1979.

2. Избранные произведения. Библиотека поэта, большая серия. Москва-Ленинград, 1965.

3. Лебединый Станъ, Перекопъ. Париж, YMCA-PRESS, 1971.

4. Неизданное. Записные книжки в двух томах. Москва, Эллис Лак, 2000—2001.

5. Неизданное. Сводные тетради. Москва, Эллис Лак, 1997.

6. Неизданное. СЕМЬЯ. История в письмах. Москва, Эллис Лак, 1999.

7. Неизданные письма. Париж, YMCA-PRESS, 1972.

8. Несобранные произведения. Мюнхен, Wilhelm Fink Verlag, 1971.

9. Райнер Мария Рильке, Борис Пастернак, Марина Цветаева. «Письма 1926 года». Москва, «Книга», 1990.

10. Собрание сочинений в семи томах, тома 6 и 7. Письма. Москва, Эллис Лак, 1995.

11. Собрание стихотворений, поэм и драматических произведений в 3-х томах. Москва, «Прометей», ПИ им. В.И.Ленина, 1990; ПТО «Центр», 1992, 1993.

О М. И. Цветаевой и ее семье:

12. «Болшево». Литературный историко-краеведческий альманах, выпуск 2-й. Москва, товарищество «Писатель», 1992.

13. Белкина Мария. «Скрещение судеб». Москва, «Благовест», «Рудомино», 1992.

14. «Бродский о Цветаевой». Москва, «Независимая газета», 1998.

15. Кудрова Ирма. «Жизнь Марины Цветаевой. Документальное повествование». СПб, «Звезда», 2002.

16. Кудрова Ирма. «Гибель Марины Цветаевой». Москва, «Независимая газета», 1997.

17. «Марина Цветаева в воспоминаниях современников. Возвращение на родину». Москва, Аграф, 2002.

18. «Марина Цветаева в воспоминаниях современников. Годы эмиграции». Москва, Аграф, 2002.

19. «Марина Цветаева в воспоминаниях современников. Рождение поэта». Москва, Аграф, 2002.

20. «Марина Цветаева в Москве. Путь к гибели». Москва, «Отечество», 1992.

21. Разумовская Мария. «Марина Цветаева. Миф и действительность». Перевод с немецкого. Москва, А/О Издательство «Радуга», 1994.

22. Саакянц Анна. «Только ли о Марине Цветаевой?». Москва, Аграф, 2002.

23. Саакянц Анна. «Марина Цветаева. Жизнь и творчество». Москва, Эллис Лак, 1999.

24. Саакянц Анна. «Спасибо вам». Москва, Эллис Лак, 1998.

25. Цветаева Анастасия. «Воспоминания». Москва, Советский писатель, 1983.

26. Чуковская Лидия. «Записки об Анне Ахматовой». Тома первый и второй. Москва, «Согласие», 1997.

27. Чуковская Лидия. Избранное. Москва, «Горизонт»; Минск, «Аурика» 1997.

28. Швейцер Виктория. «Быт и бытие Марины Цветаевой». Москва, СП ИНТЕРПРИНТ, 1992.

29. Эфрон Ариадна. «О Марине Цветаевой. Воспоминания дочери». Москва, Советский писатель, 1989.

30. Эфрон Сергей. «Записки добровольца». Издательство «Возвращение», 1998.

ОГЛАВЛЕНИЕ

Литературно-художественное издание

Анри Труайя
МАРИНА ЦВЕТАЕВА

Ответственный редактор *Е. Басова*
Художественный редактор *Н. Никоновой*
Технический редактор *Н. Носова*
Компьютерная верстка *В. Азизбаев*
Корректор *С. Жилова*

ООО «Издательство «Эксмо»
127299, Москва, ул. Клары Цеткин, д. 18/5. Тел. 411-68-86, 956-39-21.
Home page: **www.eksmo.ru** E-mail: **info@eksmo.ru**

Подписано в печать 20.07.2007.
Формат 84×108^1/$_{32}$. Гарнитура «Лазурский». Печать офсетная.
Бум. писч. Усл. печ. л. 25,2 + вкл.
Тираж 3100 экз. Заказ № 1257.

Отпечатано в полном соответствии
с качеством предоставленных диапозитивов
в ОАО «Можайский полиграфический комбинат».
143200, г. Можайск, ул. Мира, 93.

Сборники
афоризмов и цитат
от Константина Душенко –
незаменимые книги
в вашей домашней библиотеке

Константин Васильевич Душенко – историк, культуролог, переводчик. Сотрудник Института научной информации по общественным наукам РАН. Над каждой книгой К. В. Душенко работает очень тщательно. Вот почему его сборники получают самые высокие оценки журналистов, историков, культурологов, литературоведов и считаются лучшими в своем жанре.

За последние годы продано свыше 1,5 млн. экз. его книг.

Самая лучшая коллекция афоризмов – остроумных, деликатных и изысканных

Незаменимое справочное пособие журналистов, политиков, писателей и других профессионалов слова

Книги современны, так как содержат высказывания и афоризмы не только деятелей прошлого, но и наших современников – Владимира Путина, Михаила Жванецкого, Алисы Фрейндлих, Барбары Стрейзанд, Иоанны Хмелевской, Елены Яковлевой, Татьяны Догилевой, Ирины Хакамады и др.

www.eksmo.ru